HISTÓRIA DA EUROPA OXFORD

O SÉCULO XVI

HISTÓRIA DA EUROPA OXFORD
COORDENADOR GERAL: T. C. W. Blanning

HISTÓRIA DA EUROPA OXFORD

COORDENADOR GERAL: T. C. W. Blanning

O SÉCULO XVI

COORDENAÇÃO DE Euan Cameron

FIO DA PALAVRA

Título original
The Sixteenth Century
(Short Oxford History of Europe)

Título
O Século XVI
(História da Europa Oxford)

Coordenador
Euan Cameron

Colaboradores
Christopher Black / David Brading / Euan Cameron
Mark Greengrass / Charles G. Nauert / Tom Scott

Tradutor
Carlos Marques Queirós

Revisor científico
André Evangelista Marques

O *Século XVI* foi publicado originalmente em língua
inglesa, em 2006, e esta tradução é editada com a
autorização da Oxford University Press.

The Sixteenth Century was originally published in English
in 2006 and this translation is published by arrangement
with Oxford University Press.

Imagem da capa
Hans Holbein, o Jovem, *Retrato de Erasmo* (1523)
© Bridgeman/Alinari Archives.

Fio da Palavra Editores, Lda.
Rua do Freixo, 635 – 4300-217 Porto
info@fio-da-palavra.pt
www.fio-da-palavra.pt

Impressão
Humbertipo / Porto

Distribuição
Livraria Figueirinhas
Tel.: 225 309 027; 218 879 268
Fax: 225 309 026
correio@liv-figueirinhas.pt

Depósito legal: 291645/09
ISBN: 978-989-8171-14-6

Prefácio do Coordenador Geral

Escrever uma boa história geral da Europa coloca muitos problemas, sendo o mais difícil de resolver o do equilíbrio entre profundidade e amplitude. Não nasceu ainda o historiador capaz de escrever com igual autoridade sobre todas as partes do continente em todos os seus diferentes aspectos. Foram duas as principais soluções tentadas no passado: ou um único estudioso enfrentou o desafio de forma independente, apresentando uma visão indisfarçadamente pessoal do período em causa, ou foram recrutadas equipas de especialistas para escreverem o que, na realidade, são antologias. A primeira opção oferece uma perspectiva coerente, mas uma cobertura desigual; a segunda sacrifica a unidade à especialização. Esta nova série baseia-se na convicção de que a segunda opção tem menos desvantagens e de que é possível diminuir, ou mesmo neutralizar, esses inconvenientes através de uma cooperação estreita entre os colaboradores individuais, sob a supervisão e orientação do coordenador do volume. Todos os colaboradores de cada volume desta série leram os capítulos dos outros, reuniram-se para debaterem problemas de sobreposição ou omissão e reescreveram os seus capítulos num exercício verdadeiramente colectivo. Para reforçar ainda mais a coerência, o coordenador escreveu uma introdução e uma conclusão, reunindo os diferentes fios num único cordão. Neste exercício, a brevidade, prometida pelo adjectivo *short* no título original da série, foi uma vantagem. A necessidade de concisão fez com que cada um se concentrasse naquilo que verdadeiramente importava no período em causa. Não foi feita nenhuma tentativa de cobrir todos os ângulos de todos os temas em cada um dos países. O que este volume oferece é uma introdução concisa, mas profunda e perspicaz, à história da Europa no período considerado, nos seus aspectos mais importantes.

T. C. W. Blanning

Sidney Sussex College
Cambridge

Índice

Lista de colaboradores

CHRISTOPHER BLACK é professor catedrático de História da Itália na Universidade de Glasgow. Tem-se dedicado à história social da Itália Moderna, nomeadamente ao estudo das confrarias e da vida paroquial. A sua investigação centrou-se, inicialmente, na cidade de Perugia, abordando temas do domínio da política, da cultura e da arte, sobre os quais publicou vários artigos. É autor de *Italian Confraternities in the Sixteenth Century* (1989; reed. 2004), *Early Modern Italy: A Social History* (2000) e *Church, Religion and Society in Early Modern Italy* (2004).

D. A. BRADING, membro da Academia Britânica, é professor emérito de História do México da Universidade de Cambridge, ex-director do Centro de Estudos Latino-Americanos e membro do Clare Hall, Cambridge. A sua investigação centra-se na história da América Latina durante o período moderno. Entre as suas numerosas publicações, contam-se *Miners and Merchants in Bourbon Mexico, 1763-1810* (1971), *Haciendas and Ranchos in the Mexican Bajío, León, 1700-1860* (1978), *Prophecy and Myth in Mexican History* (1984), *The Origins of Mexican Nationalism* (1985), *The First America: The Spanish Monarchy, Creole Patriots and the Liberal State, 1492-1867* (1991), *Church and State in Bourbon Mexico: The Diocese of Michoacán 1749-1810* (1994), e, mais recentemente, *Mexican Phoenix: Our Lady of Guadalupe: Image and Tradition across Five Centuries* (2002).

EUAN CAMERON é deão académico e titular da cátedra *Henry Luce III* de História da Igreja Reformada, no Seminário da União Teológica, em Nova Iorque. As suas investigações giram em torno das controvérsias, dissensões e divisões religiosas na Europa, ao longo da Idade Média e do período moderno. É autor de *The Reformation of the Heretics: The Waldenses of the Alps 1480-1580* (1984), *The European Reformation* (1991), *Waldenses: Rejections of Holy Church in Medieval Europe* (2000), e *Interpreting Christian History: The Challenge of the Churches' Past* (2005). Foi também o coordenador de *Early Modern Europe: An Oxford History* (1999).

MARK GREENGRASS é professor catedrático de História na Universidade de Sheffield. É autor de um grande número de investigações e publicações sobre história da França no período moderno, e foi também director do *Hartlib Papers Project*, que transcreveu, organizou e publicou as notáveis colecções de manuscritos de Samuel Hartlib (*c.*1600-1662). Dirige agora, na Universidade de Sheffield, o *John Foxe Project* da Academia Britânica. Entre as suas numerosas publicações, contam-se *France in the Age of Henri IV* (1984), *The French Reformation* (1987), *Conquest and Coalescence: The Shaping of the State in Early Modern Europe* (1990), e *The Longman Companion to the European Reformation, c.1500-1618* (1998). Co-dirigiu os volumes *Samuel Hartlib and Universal Reformation: Studies in Intellectual Communication* (1994) e *The Adventure of Religious Pluralism in Early Modern France* (2000).

CHARLES G. NAUERT é professor emérito de História, na Universidade do Missouri-Columbia. Tem investigado a história das relações entre a cultura humanista e a cultura escolástica nas universidades do Norte da Europa e, em geral, a história das ideias na Europa do Renascimento, debruçando-se especialmente sobre o renovado interesse do século XVI pelo cepticismo antigo. É autor de *Agrippa and the Crisis of Renaissance Thought* (1965), *The Age of Renaissance and Reformation* (1977), *Humanism and the Culture of Renaissance Europe* (1995), e de um longo artigo sobre os comentários renascentistas à *Historia Naturalis* de Plínio o Antigo, publicado em *Catalogus Translationum et Commentariorum*, 4. É também autor do *Historical Dictionary of the Renaissance* (2004), e escreveu a introdução e as notas para os vols. XI e XII de *The Collected Works of Erasmus*, uma publicação da University of Toronto Press.

TOM SCOTT é professor honorário no Instituto de Estudos da Reforma da Universidade de St. Andrews. Tem investigado as relações cidade-campo e as identidades regionais no fim da Idade Média e na Época Moderna na Alemanha, incluindo vários aspectos da Reforma, ao nível das populações comuns, e da Guerra dos Camponeses. Entre as suas numerosas publicações de história económica e social do período moderno contam-se *Freiburg and the Breisgau: Town–Country Relations in the Age of Reformation and Peasants' War* (1986), *Thomas Müntzer: Theology and Revolution in the German Reformation* (1989), *Regional Identity and Economic Change: The Upper*

Rhine, 1450-1600 (1997) *Society and Economy in Germany, 1300-1600* (2002), e *Town, Country, and Regions in Reformation Germany* (2005). Dirigiu também *The Peasantries of Europe from the Fourteenth to the Eighteenth Centuries* (1998) e co-dirigiu *The German Peasants' War: A History in Documents* (1991).

Introdução

Euan Cameron

Poucos duvidarão de que o século XVI constitua um ponto de viragem na história da Europa. A Europa do fim do século XV continuava a ser um continente definido pela herança política, intelectual e espiritual da Idade Média. Em 1600, todos os pontos de referência tinham mudado. Os europeus tinham tido a experiência da primeira grande onda de comunicação tecnológica de massas e das primeiras fases de mudanças e conflitos com motivações ideológicas. Tinham visto passar a população e a economia de um suave declínio para um crescimento estrutural frequentemente doloroso. Tinham-se defrontado com um mundo amplamente alargado, enfrentando-o com uma mistura de confusa perplexidade e agressiva determinação em levar os seus valores culturais ao resto da humanidade. É possível que esta transformação da cultura europeia, de fenómeno regional em força dominante no mundo inteiro, tenha suscitado muita retórica triunfalista na historiografia do passado. Hoje, já não é o caso – e a verdade é que, a sê-lo, não reflectiria correctamente a atmosfera do próprio século XVI. O século XVI foi uma era de adaptação, um tempo em que foi necessário pensar todo o tipo de coisas antes impensáveis. Mudanças tão radicais no universo mental fizeram-se acompanhar de todo o tipo de traumas e conflitos, tanto para os próprios europeus como para aqueles com quem estes se encontraram.

O panorama em 1500

Tradicionalmente, a história económica analisa a dinâmica ou a actividade de uma economia em termos de ciclos de crescimento e contracção. Esta dialéctica não reflecte as percepções económicas da época, mais próximas da ideia de um estável estado ideal de preços justos e relações invariáveis, onde qualquer processo dinâmico seria provavelmente visto como resultado do pecado ou da cupidez dos homens. Contudo, até cerca de 1470, a vida económica da Europa Ocidental tinha sido dominada por factores que determinavam uma tendência para a contracção, tendo como aspecto principal o catastrófico declínio demográfico da segunda metade do século XIV, cuja recuperação não começou antes da segunda metade do século XV, na melhor das hipóteses. A situação do mercado de produtos alimentares de base era de depressão, muito simplesmente porque eram poucas as bocas a alimentar. Como consequência, as comunidades agrícolas diversificaram-se, tendo-se estabelecido algumas áreas de produção especializada de vinhos, corantes e outros produtos. Em 1500, a Europa já vivia numa economia que se caracterizava mais pelo comércio regional e internacional do que pela mera produção para subsistência.

Entretanto, os padrões do comércio tinham-se necessariamente alterado. A economia do Mediterrâneo, na Idade Média Central, baseava-se no controlo latino e bizantino do Norte e no controlo muçulmano da costa sul, com um número substancial de colónias comerciais latinas das potências marítimas italianas, Veneza e Génova, nas ilhas do Levante. Na segunda metade do século XV, a polaridade tinha mudado de norte-sul para este-oeste, com a conquista otomana do resto da Ásia Menor, seguida, depois de 1526, pela de toda a Grécia e do Sul dos Balcãs. Esta conquista não isolou os mundos de Oriente e Ocidente: manteve-se o comércio e todo o tipo de trocas, pacíficas ou nem por isso. No entanto, as regras e os jogadores tinham mudado, e as margens do Sudeste da Europa tinham recuado muito para noroeste da sua localização tradicional e histórica. Esta mudança geopolítica estabeleceu pela primeira vez alguma ambiguidade em relação ao estatuto de certas partes dos Balcãs dentro do mundo europeu. Essa ambiguidade iria projectar uma longa sombra, visível ainda na observação de Tony Blair, em 1999, de que o Kosovo, a noroeste da Grécia, se situaria «à entrada da Europa»[1].

Em meados do século XV, também na esfera política e militar se assiste ao gradual encerramento de uma fase da história europeia. O confronto centenário, em solo francês, das monarquias de França e Inglaterra termina, em 1453, com a expulsão final dos ingleses da Gasconha. A Paz de Lodi, em 1454, inaugura um período de quarenta anos de paz interna na Itália Central, interrompido em 1494, de modo brutal, pela invasão de Carlos VIII de França. No resto da Europa, assiste-se,

---

1 Ver http://www.pbs.org/wgbh/pages/frontline/shows/kosovo/interviews/blair. html; e ainda http://www.lrb.co.uk/v21/n09/glen01_.html.

no fim do século XV, ao último sopro de um tipo tradicional de guerra, feudal e cavaleiresco, que rapidamente se tornava obsoleto. A artilharia e a infantaria suíça, paga pelo rei de França, Luís XI, foram diminuindo gradualmente o poder político de um embrião de estado emergente na Borgonha-Flandres, uma espécie de deliberada reminiscência de uma cavalaria medieval idealizada. Depois de 1477, os domínios dos duques da Borgonha foram desmantelados e divididos entre os Habsburgos e os reis de França. Este desenvolvimento assinala, entre outras coisas, a superioridade militar das potências capazes de mobilizar o maior número de lanças e de peças de artilharia.

Na Idade Média Tardia, a estrutura social ainda era, em larga medida, dominada pela classe da nobreza militar, que constituíra, desde o início do milénio, a aristocracia europeia. Os atributos culturais que distinguiam esta classe de elite, vitais para os seus privilégios fiscais e legais e para o seu direito a ter uma palavra na discussão dos assuntos políticos, continuavam a ser os mesmos de sempre: terra suficiente para excluir a necessidade de qualquer tipo de trabalho produtivo remunerado; e competências adequadas ao serviço do suserano na guerra. Mesmo entre os príncipes da Igreja, são importantes os factores seculares e guerreiros: considere-se o caso de Matthäus Lang von Wellenburg, arcebispo de Salzburgo (1468-1540), que serviu Maximiliano I, durante muito tempo, como chefe político e militar, e só foi ordenado em 1519, um dia antes de se tornar arcebispo. Contudo, por volta de 1500, vão surgindo sinais de que o futuro poderá pertencer a uma elite de servidores políticos caracterizada por qualquer coisa mais, para além do ócio e da violência. Os manuais de cortesia anunciam a necessidade de conselheiros mais refinados e cultos. Mesmo Carlos, o Temerário, da Borgonha, tentou governar por intermédio de um "grande conselho" nos seus fragmentados domínios da Flandres. A administração política, e a seu tempo a elaboração de políticas, serão cada vez mais influenciadas por uma classe burocrática secular, onde nem todos procediam da nobreza militar tradicional ou do clero (ainda que estes grupos mantivessem a sua importância).

A ascensão lenta e gradual de uma classe burocrática acompanhou uma mudança, subtil, mas profunda, no modo de funcionamento do governo e da política. O século XV foi um período de crescimento gradual do uso do papel. O papel permitia tornar muitíssimo mais fácil e barata a produção de livros, em comparação com o pergaminho, um produto caro que exigia horas de complexa preparação; mas, para além disso, tornava realista o registo, com muito mais detalhe e abundância do que antes, da correspondência ocasional e dos actos efémeros da administração. A administração podia registar as suas próprias decisões e disputas; mas os indivíduos também se podiam expor ao risco de deixar registo escrito dos seus pensamentos. Um historiador da época da Reforma chamou a atenção para o grande número de cartas (que se conservam!) com a anotação «queimar depois de ler». O século XVI irá testemunhar um crescimento contínuo e maciço na quantidade e na variedade de registos escritos das actividades dos europeus.

Abaixo do nível das elites governantes, a mudança foi um pouco mais lenta e menos dramática. Há que recordar que, nessa época, a estabilidade e a permanência na ordem social representavam um ideal. A mudança era, quando muito, uma necessidade inevitável e indesejável. Comunidade e diferenciação social terão sido, talvez, os temas mais importantes na sociedade tardo-medieval. "Comunidade" significava a rede de relações, laterais e horizontais, que ligavam homens e mulheres que viviam e trabalhavam como partes de um mesmo organismo social, que tanto podia ser uma aldeia rural, vivendo da agricultura, como uma movimentada paróquia urbana. O sentido de "comuna" podia ser extremamente forte nalgumas partes da Europa (como é sabido em relação ao Sudoeste da Alemanha), ainda que tenha sofrido alguma tensão e alguns choques sob as pressões do século XVI. Por "diferenciação social" entende-se a noção, então incontroversa – chocante para alguns ouvidos contemporâneos –, de que na ordem correcta da sociedade, divinamente sancionada, cada um tem um lugar no sistema, abaixo de alguns e acima de outros. Igualdade de classe, de geração ou de género eram noções completamente estranhas ao pensamento dos europeus do fim da Idade Média. A maior parte das sociedades seculares escalonava-se, de forma bastante clara, em grande e pequena nobreza, burguesia e artesãos, grandes e pequenos rendeiros, e finalmente assalariados e criados. Para além dessa sociedade secular, existia na Europa uma complexa sociedade paralela, formada pelo clero, incluindo monges, frades e freiras, e, de algum modo, por todos os que tinham o estatuto de "letrados". Num certo sentido, o clero estava acima do resto da sociedade, pelo seu estatuto privilegiado, pelas suas isenções (por vezes teóricas) das exigências militares e fiscais impostas aos leigos, e pela sua autoridade sacramental. Noutro sentido, o clero era uma sociedade paralela, composta pela sua própria nobreza, classe média e proletariado, consumida pelos mesmos interesses e pelas mesmas pressões políticas, ainda que de forma diversa.

Muitos aspectos da sociedade tardo-medieval não se enquadravam nas leis e nas normas éticas estabelecidas pela autoridade, secular ou religiosa. Actualmente, os historiadores reconhecem a importância dos laços sociais informais e das normas de comportamento baseadas nas convenções e tradições locais. Mesmo em áreas como a da moralidade sexual, onde tanto o Estado como a Igreja tinham muito a dizer quanto aos modos de comportamento aprovados, o costume e a prática conseguiam ser tão poderosos como as regras definidas pelos superiores. Os estudiosos de história da família têm mostrado como o direito canónico medieval tentava manter, no que diz respeito ao matrimónio, uma frágil rede de contactos entre as regras teóricas da Igreja e os costumes mais informais da vida nas aldeias. A proporção, com frequência muito elevada, de noivas grávidas no casamento constitui o mais poderoso testemunho desta luta. Do mesmo modo, nas relações sociais, as redes, mais antigas, de parentesco ou de clã podiam por vezes rivalizar ou mesmo sobrepor-se às pretensões da comunidade estabelecida ou da hierarquia social.

A Europa, em 1500, adaptava-se ainda à dispersão por todo o continente do fenómeno literário, artístico e filosófico conhecido como Renascimento. Há pelo menos um século que pequenos grupos de eruditos, literatos e artistas pensavam e defendiam ter rompido decisivamente com o gosto europeu dos séculos imediatamente anteriores, a que chamavam a "Idade Média", o tempo que separava a Antiguidade grega e romana do seu próprio tempo "moderno", acreditando ter recuperado a elegância, a proporção e a sensibilidade ética dos seus modelos da Antiguidade clássica. Na Itália, estes homens e mulheres do Renascimento tinham já atingido, no fim do século XV, um claro ascendente cultural; representavam a moda e o gosto do seu tempo. O gosto renascentista tocava aspectos tão diversos como o estilo literário, as prioridades na educação dos jovens, a estética na pintura, na escultura, na arquitectura, na tipografia, e até nos escudos de armas e nas armaduras, e encorajava também a discussão sobre a relação de prioridades a estabelecer entre uma vida de retiro ascético e de sacrifício e uma vida de empenhado compromisso com a família e com a comunidade.

Na Itália, o estilo "gótico" nunca atingiu o nível de florescimento que alcançou no Norte da Europa. A norte dos Alpes, as questões eram muito mais complexas. O Renascimento representava uma intrusão estrangeira, exótica até, numa sofisticada e bem articulada cultura literária e artística. Alguns eruditos e literatos franceses, alemães e ingleses, que em meados do século XV adoptaram o estilo renascentista, não representavam a maioria, e não é sequer possível defender com segurança que fossem as forças "modernas" mais poderosas na arte e na cultura. Por vezes exageravam, com presunção, os seus combates contra os "bárbaros" e contra os "detractores" das belas-letras, atribuindo-se um isolamento imaginário ou auto-imposto, que não reflectia, na realidade, o peso da sua posição cultural ou académica. Na poesia, na retórica, na filologia clássica, os eruditos do Renascimento começavam, no início do século XVI, a ocupar um nicho conceituado, mesmo como professores das universidades tradicionais. Faltava ver de que modo se iriam integrar no mundo cultural mais vasto da Europa para lá da Itália.

A Europa era, nas vésperas da Reforma, a ajuizar por todas as manifestações exteriores, uma cultura muito religiosa, e também muito conformista. São esmagadores os indícios disponíveis do entusiasmo com que os povos europeus participavam na vida da Igreja. As catedrais e as igrejas paroquiais foram reconstruídas ou embelezadas de acordo com os últimos desenvolvimentos do estilo gótico. Eram em grande número as encomendas de retábulos esculpidos, pintados, ou esculpidos e pintados. Em todos os níveis da sociedade, os cristãos ansiavam por um contacto físico e sensorial com o sagrado, sob a forma de relíquias e de imagens. Acima de tudo, os fiéis encomendavam um número cada vez maior de missas pelas almas dos recentemente falecidos. Ao mesmo tempo, diminuíam notoriamente, em relação aos níveis de 200 ou 250 anos antes, as manifestações de heresia organizada, de dissidência obstinada e de separação da Igreja oficial. A Inglaterra e a Boémia eram excepções significativas, mas só nalguns aspectos. Por outras palavras, havia poucos indícios, que pudessem servir de aviso aos povos da Europa, de que estivesse de algum modo iminente uma convulsão de primeira grandeza nas doutrinas e nas práticas de culto da Cristandade católica. Por outro lado, as questões que se colocavam, o criticismo face às falhas morais e disciplinares de muitos padres, o ressentimento face às suas imunidades jurídicas e às suas intervenções políticas, tinham sido, num certo sentido, interiorizadas, o que significava que líderes importantes do próprio clero reconheciam a necessidade de melhoramentos e esforçavam-se seriamente por consegui-los.

A diversidade que separava realmente os cristãos uns dos outros estendia-se ao longo de um eixo vertical, desde os teólogos num extremo até aos leigos menos instruídos no extremo oposto. No mais baixo nível educacional, o ritual era um mecanismo de pressão sobre o mundo invisível. As práticas religiosas e para-religiosas ajudavam as pessoas nas suas preocupações quotidianas. Entre os mais instruídos e meditativos, qualquer relacionamento com o divino dependia em certa medida da recta intenção, do rebaixamento do mortal e da exaltação do santo e do sagrado. A utilização ocasional de técnicas "supersticiosas" pelas massas, tema frequente de debate, era factor de perturbação para as pessoas mais cultas, que, contudo, não sabiam bem o que fazer em relação a isso; mesmo uma pregação demasiado dura contra essas práticas representava um risco para a credibilidade do pregador. Alguns teólogos podem mesmo não ter compreendido até onde chegava já, na escala social e intelectual, a atitude supersticiosa.

É possível que alguns perigos se tenham tornado visíveis a olhares mais perspicazes. Os sistemas controladores e opressivos tornam-se vulneráveis, quando aqueles que exercem o controlo deixam de acreditar inteiramente neles. Este ponto deve ser tratado com cautela. Os intelectuais do Renascimento do Norte da Europa eram, na sua maior parte, e de acordo com o seu próprio entendimento, cristãos devotos. Contudo, algumas dessas almas requintadas, incluindo muitos dos que ocupavam os mais altos cargos na Igreja, tinham reais dificuldades em acreditar que o destino eterno da alma humana pudesse depender, literalmente, do número de missas rezadas, das peregrinações efectuadas ou dos rituais de penitência. No século XIII, esta economia sacramental da salvação estava fresca e vibrante. No fim do século XV, tinha ainda muita força e não era abertamente desafiada. No entanto, as elites da Europa tinham-se tornado, no mínimo, desencantadas com as pretensões de uma teologia mal-humorada e sem elegância na forma de expressão, que se combinava com uma agitada massa de rituais para oferecer um modo único de descrição e de acesso ao divino. Até à data, este tipo de críticas não adquirira ainda uma forma acabada; não tinha, ou quase não tinha, qualquer conteúdo dogmático comum (mas sim estético), e os seus expoentes não pretendiam subverter a autoridade religiosa estabelecida. Contudo, se tivesse sido preciso apresentar uma interpretação alternativa da redenção da alma individual, quem sabe para onde se teriam voltado estas almas inquietas e interrogativas?

O ano de 1500 é também, de uma forma ainda mais óbvia, o momento de uma viragem decisiva no modo europeu de ver o mundo exterior. Durante a maior parte da Idade Média, a visão que a Europa tinha do mundo decorria de uma perspectiva muito limitada e incompleta, tão assente na fábula e na lenda como em informações verdadeiras. Nos séculos XIV e XV, as *Viagens de John Mandeville* eram um dos relatos com mais êxito, e um dos mais traduzidos, acerca de um mundo mais vasto do que a Europa. Esta obra, visivelmente um livro para peregrinos que pretendessem dirigir-se a Jerusalém, que divagava por descrições da Ásia e da China, narrando histórias de criaturas estranhas e maravilhosas, em partes remotas do mundo, tornou-se um arquétipo da transmissão do incerto e do fabuloso. E, contudo, *Mandeville* era, evidentemente, um completo ignorante das realidades, de facto estranhas, existentes para lá do alcance dos europeus. E ignorante ficou a Europa até aos descobrimentos do fim do século XV. Mais: os europeus, amontoados na ponta noroeste da grande massa continental da Europa-Ásia-África, cada vez mais cercados pelos otomanos, estavam, no fundamental, isolados e sem consciência das grandes deslocações de impérios e culturas que, fora do alcance do seu olhar, decorriam no Sul e no Leste da Ásia.

O problema, nas vésperas do descobrimento das Índias Ocidentais e dos continentes americanos, não era tanto que esses lugares e os seus povos fossem vistos como novos e estranhos. O problema era mais que os europeus os tratassem, como qualquer coisa aparentemente exótica e desconhecida, dentro de um quadro de analogias com aquilo que já conheciam e compreendiam. Além do mais, era então quase inconcebível que os cosmólogos e geógrafos clássicos, já para não falar das Escrituras sagradas, pudessem ter tirado, sobre o mundo e sobre o lugar nele ocupado pelos povos cristãos, conclusões assentes em enormes lacunas de informação vital, que estariam por isso substancialmente erradas. Num mundo onde se esperava encontrar gigantes e monstruosas criaturas antropomórficas, copiosamente descritas na literatura do passado, era perfeitamente possível duvidar da humanidade integral dos novos povos encontrados na América. É difícil imaginar um povo menos preparado, intelectual, cultural e moralmente, para o papel de senhor colonial sobre o resto do mundo, do que os europeus do final da Idade Média.

Ideias feitas sobre o século XVI

Qualquer período histórico acumula à sua volta um certo número de convenções interpretativas, que podem tornar-se, por sua vez, clichés históricos. É invulgarmente alto o número de clichés desse tipo sobre o século XVI, ainda que a aspiração académica a desmistificá-los tenha levado a que poucos se apresentem hoje em dia na sua forma tradicional. Contudo, subsistem alguns conceitos ou tipos ideais, que todos os historiadores, estudantes, professores e autores parecem não poder deixar de considerar no seu trabalho. O crescimento da população, a "revolução dos preços", a "revolução da imprensa", a "ascensão do capitalismo", a Reforma e a Contra-Reforma, a "ascensão do estado--nação", o desenvolvimento do pensamento secular na filosofia, na política e na ciência: todos estes conceitos são peças essenciais na construção do tema em causa. No entanto, estes termos compostos carregam consigo alguns pressupostos. Tendem a dar prioridade aos movimentos dinâmicos em relação à estabilidade continuada, o que é caracteristicamente um modo de pensar actual e não tradicional. Tendem a dar prioridade a estados grandes e poderosos, especialmente na Europa Ocidental, sobre entidades mais pequenas ou mais complexas. Tendem a privilegiar os traços e desenvolvimentos que *parecem* – nem sempre correctamente – anunciar ou, de algum modo, gerar desenvolvimentos posteriores e o aparecimento da "modernidade".

Os conceitos interpretativos são, até certo ponto, indispensáveis. A alternativa é abandonar completamente a busca de tendências gerais, para estudar apenas as micro-histórias de pequenas áreas e de pequenos assuntos. Não faltam histórias que abdicam deste modo da tarefa da macrointerpretação; o retorno pode ser considerável em rigor académico e em exactidão. Contudo, o verdadeiro desafio que se coloca ao historiador académico é o de incorporar no quadro geral o detalhe microscópico, com todos os matizes que possam ser distinguidos. Os grandes temas precisam de ser testados, refinados, contextualizados e, quando necessário, modificados ou mesmo postos de lado e substituídos por construções mais verdadeiras, tendo em vista os testemunhos e conhecimentos disponíveis.

Os temas que distinguem este livro

Neste sentido, os autores que contribuíram para este volume procuraram, cada um à sua maneira, testar e, sempre que necessário, modificar as nossas imagens do século XVI, à luz das mais recentes investigações. No capítulo sobre economia, Tom Scott sublinha, de forma convincente, a diversidade geográfica da Europa. A Europa Oriental e o Mediterrâneo não seguiram a mesma trajectória das regiões da França e do Império no Noroeste da Europa. As estruturas sociais eram diferentes e eram também diferentes, necessariamente, os padrões de desenvolvimento económico. Em segundo lugar, Scott questiona que se possam manter, de facto, as velhas concepções sobre o "atraso" ou a "ineficiência" deste ou daquele modo de produção agrícola ou industrial. Neste ponto, podemos ter sido induzidos em erro pela inexorável ênfase teleológica da historiografia do passado. Métodos de organização económica aparentemente antiquados podem ter sido, de facto, respostas mais racionais ao seu contexto do que outras que, retrospectivamente, parecem mais "modernas". Scott também nos alerta para que não se reduza o progresso económico a conceitos idealizados como o de "ascensão do capitalismo". E mostra que um meio específico de produção se pode tornar popular por um grande número de razões, podendo algumas dessas razões ter mais a ver com convenções culturais do que com motivações económicas. Por fim, somos advertidos para não assumirmos que os ciclos económicos (então como agora!) tenham de observar a mesma cronologia em diferentes regiões. A fase de expansão da economia europeia durou muito mais tempo no Sul mediterrânico do que no Norte marítimo.

De modo semelhante, Mark Greengrass dirige a nossa atenção para aspectos do desenvolvimento político e militar que uma investigação unilateralmente orientada para as "raízes da modernidade" preferiria ignorar. Conclui que as entidades políticas mais poderosas do século XVI eram as monarquias dinásticas. As monarquias dinásticas cresciam pelo recurso a alianças matrimoniais, a heranças oportunas e a conquistas; para uma evolução contrária contribuíam factores como a partilha da herança (quando a lei a permitia), os dotes das noivas, a extinção de linhagens hereditárias ou a derrota militar. Os acidentes e as peculiaridades culturais do casamento, da reprodução e da sobrevivência humanas determinavam os arranjos políticos dos maiores regimes da Europa. A inexorável evidência do princípio dinástico leva Greengrass a defender que «em parte alguma podemos encontrar um "estado-nação" no século XVI». Por outras palavras, nenhum estado tinha fronteiras "naturais", nem uma identidade única e inalienável que pudesse impedir a sua integração numa monarquia dinástica compósita ou múltipla.

Mesmo uma monarquia como a inglesa, que parecia ter uma história longa e sólida de coesão institucional, mudou, de forma dramática, ao longo do século XVI. A coroa inglesa incorporou completamente os seus territórios galeses no sistema central de governo e elevou a Irlanda, na década de 1540, a uma espécie de co-monarquia. Durante um par de anos, na década seguinte, a casa reinante tornou-se parte do crescente complexo ocidental dos Habsburgos, composto pela Flandres, a Espanha, Milão, Nápoles e a América. Mais tarde, em 1603, a dinastia extinguiu-se e foi substituída pela casa real da Escócia, os Stuarts, apesar de, anteriormente, estes terem sido formalmente excluídos de qualquer pretensão à sucessão. Contudo, as vicissitudes da Inglaterra não se comparam com a extraordinária história da monarquia dos Habsburgos. Este bizarro conglomerado, composto principalmente pela Áustria, a Hungria, a Boémia, a Flandres, Castela, Aragão e partes da Itália, nasceu, no período que vai de 1516-1519 a 1556, de uma combinação de acidentes dinásticos, mortes prematuras e heranças afortunadas. É óbvio que este processo não serviu os interesses de nenhum desses territórios, condenados a um governo a tempo parcial de Carlos V, constantemente disperso, ou a uma sucessão de regências.

Entretanto, nas estruturas da monarquia do Renascimento, foi mudando o tipo de nobreza necessário ao serviço do monarca. Com a crescente importância dos documentos escritos e do governo em conselho, havia lugar para aristocratas terratenentes dispostos a tornarem-se burocratas, e mais ainda para burocratas aspirantes à nobreza, a que as suas competências davam agora acesso. Contudo, o aconselhamento dos príncipes incluía uma componente cultural fundamental. O comportamento em sociedade exigido a um cortesão-burocrata incluía, para além de competências profissionais e de técnicas retóricas, artísticas, e mesmo militares, ainda consideradas necessárias ao serviço do monarca, outras qualidades, menos definidas e em constante evolução, de civilidade e boas maneiras. A impressão é a de uma Europa a entrar aos tropeções nos modernos sistemas de governo, mantendo ainda a ilusão de que uma corte régia era apenas uma casa aristocrática alargada, e os cortesãos servidores pessoais do monarca, tanto ou mais do que funcionários de uma administração.

Christopher Black confronta-nos de imediato com os dilemas da história da sociedade moderna: a "sociedade" deve ser analisada a partir da luta socioeconómica, supostamente eterna, de uma classe contra outra, ou deve ser vista como um organismo basicamente harmonioso, onde as "ordens" sociais trabalham em conjunto num sistema que ambas compreendem? Posta a questão deste modo, parece que a preferência por um ou outro destes esquemas interpretativos dirá mais sobre a filiação política do historiador do que sobre o período em estudo. Contudo, podem ser encontrados, em diferentes momentos do século XVI, exemplos que sustentam as duas atitudes. Em vários momentos críticos, durante os combates da Reforma ou durante os diversos tumultos camponeses que eclodiram por toda a Europa, a retórica da rivalidade social e do conflito de classes está presente, ainda que adoptando formas próprias da época, umas vezes sob a capa do conservadorismo legalista, outras do radicalismo religioso e apocalíptico.

Apesar do conflito de classes incipiente ou potencial, esta foi ainda uma época em que as pessoas estavam ligadas entre si por uma vasta diversidade de laços sociais e éticos. Era tido por certo que cada indivíduo fazia parte de um conjunto de redes justapostas, que incluíam, ente outras, a família e os grupos de parentesco, as comunidades paroquiais e as confrarias, as corporações de mercadores e de artesãos. Os interesses de Black, enquanto especialista da Europa meridional, contribuem para reorientar uma perspectiva demasiadas vezes dominada pelos modelos franceses ou alemães, em detrimento do resto da Europa. Aqui, como no capítulo sobre a economia, somos alertados contra uma caracterização demasiado fácil do continente no seu conjunto. No Sul, a rica diversidade da vida das confrarias subsistiu, apesar das dúvidas do clero e dos governantes seculares, por muito mais tempo do que em muitas regiões do Norte da Europa. Havia, além do mais, grandes variações no grau de diferenciação social: algumas regiões possuíam estruturas sociais relativamente indiferenciadas, com uma aristocracia e uma classe burocrática muito reduzidas; mas era mais corrente existir uma hierarquia de *status* infinitamente complexa e cheia de cambiantes, tanto na sociedade rural como na sociedade urbana, definindo uma marcada gradação de posições mesmo no interior de uma actividade específica.

O capítulo de Christopher Black também nos mostra a surpreendente diversidade de opções de vida disponíveis (ou não) para as mulheres do Renascimento e da Reforma. Contra o padrão geral de exclusão estrutural das mulheres das posições de poder e de influência (com excepção das princesas e rainhas) e das suas muito mais limitadas oportunidades de educação e formação, algumas mulheres excepcionais, artistas ou criadoras, adquiriram uma reputação individual, com um brilho negado à maioria das suas contemporâneas. Uma vez mais, a perspectiva italiana é elucidativa: possivelmente só em Itália uma "cortesã" erudita poderia tornar-se uma celebridade internacional e uma figura com algum poder cultural. Em geral, com o avanço do século, foi diminuindo a liberdade de desafiar as normas éticas e sociais, o que produziu efeitos contraditórios. Por um lado, algumas liberdades anteriormente concedidas às mulheres, permitindo-lhes viver ou trabalhar com um certo grau de independência, foram restringidas ou reduzidas. Por outro lado, a sociedade foi "disciplinada", através de medidas policiais e de políticas de assistência. Nada ilustra melhor a distância entre o século XVI e a era contemporânea do que as respostas ambivalentes suscitadas pelas políticas de controlo e de regulação social estabelecidas nesse século. Paternalistas, e ao mesmo tempo protectores, moralistas, mas aspirando a um certo grau de benevolência, os reguladores sociais do século XVI consideravam ser sua função zelar pelos padrões morais e pelo bem-estar físico dos pobres, dos vulneráveis e dos dependentes. Como Christopher Black demonstra, provavelmente foi bom que essa disciplina social raramente tenha funcionado de modo tão eficaz e implacável como as suas teorias preconizavam.

O século XVI é a idade do Renascimento no Norte da Europa, mas é também o fim do Renascimento. Há uma ironia cruel no modo como o humanismo foi levado para norte dos Alpes. Um cliché duvidoso definiu o humanismo italiano como secular, e o humanismo do Norte como religioso. O cliché precisa de ser seriamente revisto: houve humanistas seculares a norte dos Alpes antes de 1500, como também houve humanistas religiosos na Itália. Contudo, o que melhor distingue o contributo da Europa do Norte para o pensamento renascentista, tal como o descreve Charles Nauert, é o programa de espiritualidade ética, baseada na patrística e nas Escrituras, de Erasmo de Roterdão. E, no entanto, o programa de Erasmo mal teve tempo de exercer uma influência significativa nos povos cultos da Europa, antes de ser envolvido nos debates do início da Reforma. Pode-se mesmo defender que o programa de Erasmo só alcançou fama e atenção porque os debates da Reforma elevaram o perfil dos escritos religiosos a um nível de grande proeminência. E assim o Renascimento do Norte, e Erasmo em particular, ofereceram à Europa uma concepção específica da vida cristã um pouco tarde de mais para conseguirem adeptos incondicionais.

Deste modo, qualquer estudo sobre o Renascimento do Norte da Europa no século XVI tem de explicar o modo como este se diversificou e especializou, à medida que o terreno religioso foi sendo ocupado, cada vez mais, por facções dogmáticas militantes. Por isso, o capítulo de Charles Nauert debruça-se sobre muita da diversidade temática do mundo das ideias no século XVI, incluindo assuntos literários, jurídicos, matemáticos, e aquilo a que hoje se chamaria "científicos", para além do mais óbvio currículo humanista na filosofia moral e política. O Renascimento "termina" com a dispersão, numa arquitectura reformada e mais vasta do pensamento europeu, das perspectivas e atitudes aprendidas na primeira fase de entusiasmo pelos clássicos. As pretensões grandiosas de alcançar um ser humano melhor através das "humanidades" foram de algum modo reduzidas a uma escala mais modesta; sobrou um conjunto superior de técnicas de crítica literária e textual, uma melhor compreensão da história, da cultura e da filosofia da Antiguidade, e um sentido restruturado dos programas de aprendizagem e educação. A fractura na visão religiosa do mundo pode ter contribuído, de modo modesto mas significativo, para tornar as outras disciplinas intelectuais mais autónomas e independentes umas das outras. Pensadores com diferentes convicções religiosas podiam interagir, corresponder-se e debater em áreas como a matemática, a cosmologia ou as "ciências da vida", sem necessitarem de trazer à conversa as questões de fundo. Contudo, a fragmentação de áreas do conhecimento – uma consequência inevitável, quando o conhecimento se expande e desenvolve a velocidades rápidas, mas desiguais – gerou necessariamente um certo grau de incerteza. O capítulo de Nauert conclui com uma exploração das tendências para o pensamento céptico e para a dúvida racional que surgiram no fim do século. Uma incerteza sistemática quanto à forma de atingir a verdade absoluta parecia, pelo menos a alguns poucos pensadores de espírito independente, a única resposta razoável a uma época de brutais ajustamentos a realidades impensáveis.

O século XVI foi também, e acima de tudo, a época da Reforma. Há uma geração atrás, era normal defender-se que as perturbações religiosas do século deveriam ser explicadas por factores externos à religião: factores relacionados com a economia ou com a luta de classes, supostamente mais "reais" do que a crença religiosa. Seria claramente um erro cair no extremo oposto, e descrever qualquer decisão tomada em assuntos religiosos como o produto de uma busca espiritual profundamente sentida, num extremo da escala, ou de um fanatismo com motivações ideológicas, no outro extremo. Houve, na época da Reforma e da Contra-Reforma, indivíduos empenhados numa pesquisa espiritual, e houve fanáticos, e também calculistas sem preocupações religiosas. O curso da história religiosa foi determinado por uma série de interacções, complexas e imprevisíveis, entre a convicção sincera, o preconceito pouco informado e a avaliação cínica de vantagens pessoais ou de grupo.

O que é claro, no entanto, é ter a Reforma, ao fim e ao cabo, introduzido um conceito fundamentalmente novo do papel da religião na vida e no destino do homem. Antes da Reforma, o culto cristão visava transferir a pureza e a rectidão colectiva de Cristo, de que era depositária a Igreja que Cristo fundara, de modo a que se convertessem em pureza e rectidão individual do crente. Deus, ao aceitar como pertença do cristão essa pureza transferida, garantiria a salvação da sua alma. Depois da Reforma (nos territórios onde o fundamental da sua mensagem foi aceite), a fé cristã passou a consistir na aceitação confiante, pelo crente, de que o favor e o perdão de Deus transbordariam, para cobrir (mais do que remover) as impurezas e imperfeições da sua alma, intrinsecamente pecadora e impura. O papel da Igreja seria ensinar aos crentes esse favor e esse perdão, pela palavra e pelo sacramento, ligar a comunidade em actos de gratidão e de boa vontade, em resposta a esse favor e a esse perdão, e manter a disciplina moral e social, de que até os santos necessitariam. Em resumo, a purificação pelo ritual foi substituída pelo perdão através do entendimento.

A partir do momento em que se compreende o princípio central comum aos principais movimentos da Reforma, muito do seu restante programa pode ser logicamente deduzido: nos pontos onde tal não é possível, há que esperar controvérsias e divisões. Entretanto, o que não pode ser deduzido apenas das ideias é o processo, extraordinariamente complexo, de transformação dos ensinamentos reformadores em realidades sociais e políticas reformadas. Cada narrativa forma um tecido complexo de motivos e recontros sobrepostos: assim, o melhor que o historiador tem a fazer, dentro dos limites de um relato curto, é tentar extrair dos acontecimentos da Reforma uma série de trajectórias mais ou menos típicas, ou de "paradigmas". Todos esses "paradigmas", o paradigma das cidades livres do Sudoeste da Alemanha, o paradigma báltico-hanseático, o paradigma monárquico escandinavo ou o "paradigma dos refugiados", associado à influência de João Calvino, devem ser vistos como meras directrizes ou generalizações.

E, no entanto, feitas todas as devidas concessões à contingência e aos acidentes na história, há ainda que reconhecer que o cristianismo de hoje tem a marca da herança do século XVI, não só na Europa e na América, mas onde quer que, no mundo, se tenham replicado as divisões da Cristandade latina. Esta observação é particularmente verdadeira em relação ao catolicismo romano, afectado de um modo menos profundo pelos acontecimentos do século. No caso do catolicismo, o conteúdo dos ensinamentos da Igreja não mudou tanto, ainda que seja evidente um certo grau de selecção e estreitamento das opções. A maior mudança foi no modo de transmissão desses ensinamentos à população. O catolicismo romano absorveu, do contexto do século XVI, o autoritarismo hierático de um tempo de "disciplina social", a confiança na possibilidade de condensar o transcendente em fórmulas verbais confessionais e o desejo de instruir através de uma catequização rigorosamente estandardizada. O protestantismo também absorveu muitos desses traços da cultura do tempo, mas no catolicismo persistiram por muito mais tempo.

A transição entre os "descobrimentos" do resto do mundo e o estabelecimento de impérios coloniais ultramarinos foi, com frequência, apresentada como um dado adquirido, como se a resposta natural da

Europa à descoberta de novos territórios tivesse de ser colonizá-los e expropriar, subjugar e assimilar os seus povos. Obviamente, nunca foi verdadeira esta ideia de uma coisa como consequência necessária da outra. A análise que D. A. Brading faz da ascensão dos impérios ibéricos esclarece de forma correcta a interacção entre os descobrimentos marítimos e a vontade determinada dos monarcas do Ocidente de alargarem o seu poder e a sua influência, em nome do comércio, da conquista ou da cristianização. Os descobrimentos transformaram-se em império porque os governantes das potências marítimas foram capazes de organizar os barcos, o pessoal, o equipamento e as linhas de crédito financeiro que permitiram, em primeiro lugar, que essas aquisições longínquas se tornassem acessíveis, e depois que valesse a pena defendê-las e explorá-las. Talvez deva ser dado o devido crédito ao poder da burocracia e da finança no alargamento da influência da Europa, ao lado da audácia e da agressividade dos empreendedores que criaram essas sociedades europeias do outro lado do oceano.

Uma das flagrantes ironias da história colonial ibérica é o papel ambíguo desempenhado pela Igreja Católica no estabelecimento e na manutenção da hegemonia europeia nas terras conquistadas. Por um lado, os padres e frades católicos viam nos indígenas almas a salvar. A Igreja procurou assim, de algum modo, mitigar os traços mais duros e brutais da exploração colonial praticada pelos colonizadores europeus, nem que fosse para evitar o total embrutecimento da nova classe inferior. Uma parte importante do pensamento católico deste período valorizou a humanidade essencial e as necessidades espirituais dos povos do Novo Mundo (apesar da ausência chocante de um discurso similar no caso dos povos espoliados nas costas de África). Entretanto, o mesmo desejo de salvar almas para o Deus cristão envolvia um compromisso incondicional com a superioridade da tradição europeia, e não apenas no que dizia respeito à observância dos preceitos religiosos ou às normas éticas. Há já algum tempo que os historiadores documentaram a evolução das reacções europeias aos povos da América Central e da América do Sul. Os elogios iniciais à simplicidade do povo das Caraíbas, característica de uma idade de ouro, foram mais tarde substituídos pela suspeita, quanto à natureza autoritária dos seus regimes, e por uma horrorizada consternação, quanto aos seus ritos religiosos. Nestas circunstâncias, foi possível fazer coincidir as exigências éticas e económicas, de modo a fazer da europeização da sociedade do Novo Mundo um imperativo absoluto.

Um trabalho académico, criticamente honesto, sobre o continente europeu no século XVI não pode ser simplista, mas não tem de ser confuso nem demasiado longo. Nem tem de abdicar de toda a responsabilidade na definição de padrões gerais, ainda que provisórios. Os autores deste volume entregaram-se à sua tarefa, sensibilizados pela enorme complexidade e subtileza dos assuntos humanos num continente com quase cem milhões de pessoas, num tempo de mudança rápida e muitas vezes dolorosa. Mantêm a sua convicção de que o trabalho de busca de padrões e de construção de modelos, tradicionalmente levado a cabo pelos historiadores, oferece valiosas explicações e perspectivas sobre o modo como evoluiu a sociedade europeia. O futuro tornará manifesto, quando a uma onda de desenvolvimento cultural e social for sucedendo outra, até que ponto os capítulos que se seguem aparecerão, a seu tempo, como produtos da sua própria época.

1

A economia

Tom Scott

Os estudos tradicionais sobre a economia da Europa no século XVI sublinhavam três aspectos. Em primeiro lugar, que os territórios mediterrânicos ocidentais – Itália e Península Ibérica –, que tinham sido o centro dinâmico da economia medieval, teriam mergulhado num estado de esclerose e regressão, à medida que o centro de gravidade da economia se deslocou, de forma decisiva, para noroeste, para a costa atlântica, numa época de exploração ultramarina, a que se seguiu a exploração económica e a colonização dos territórios descobertos. Em segundo lugar, que, em termos económicos, os limites cronológicos do século XVI deveriam ser deslocados para trás, até 1470, e para a frente (nalguns casos, não em todos), até 1650, já que aquilo a que se chama o "longo século XVI" terá sido um período de progresso no ciclo do desenvolvimento económico, observável na recuperação demográfica (ainda que não tenha sido essa necessariamente a sua causa), e que se prolongou até ao ponto em que a pressão sobre os recursos – a terra e os alimentos que esta proporciona – terá de novo conduzido a um período de fome e escassez e de declínio da economia. Este quadro foi acompanhado por uma subida de preços sem precedentes (a que já se chamou "revolução dos preços") – que não teve correspondência do lado dos salários –, abrindo-se assim um período de inflação, depreciação da moeda e empobrecimento extremo de largos sectores da população. Em terceiro lugar, que o "longo século XVI" teria sido marcado pelo início do capitalismo, isto é, que representaria o nascimento da economia moderna, em termos de crescimento, inovação e acumulação; de facto, na análise de Immanuel Wallerstein, pode-se distinguir uma precoce "economia-mundo" capitalista, onde novas "áreas do centro" remetem para uma semiperiferia os anteriores pólos de desenvolvimento e passam a dominar as economias de uma nova periferia, tanto no interior da própria Europa como além-mar, numa relação de exploração de tipo colonial.

Esta descrição da economia europeia do século XVI tem vindo, em anos recentes, a ser alvo de contestação em numerosos pontos, e já não pode ser sustentada na íntegra – pelo menos para o período anterior a 1600. Para pôr o assunto em poucas palavras: o impacto do Novo Mundo na economia da Europa, em termos do impacto alegadamente inflacionário e desestabilizador da importação de metais preciosos, quase não foi perceptível antes de 1580, enquanto se supõe que a viragem decisiva do Mediterrâneo para o Atlântico, rampa de lançamento dos empreendimentos do Novo Mundo, terá ocorrido (no veredicto contundente de um historiador recente) num período, entre 1590 e 1620, que não terá ultrapassado os trinta anos. Para além disso, já era visível antes de 1600, em muitas partes da Europa, o desequilíbrio entre população, terra e recursos. Ainda mais importante é que a descrição tradicional negligencia inteiramente (excepto na análise altamente problemática de Wallerstein) o papel dos territórios do Leste da Europa, cujas economias foram, pela primeira vez, no século XVI, integradas na economia europeia considerada como um todo (nuns casos em benefício próprio, noutros numa relação de exploração). Pelo contrário, a contribuição do Novo Mundo para o produto interno bruto da economia europeia (se nos fosse possível calculá-la numa época pré-estatística) terá sido, no século XVI, provavelmente marginal.

Populações, preços e salários

Para examinar estas questões, este capítulo analisa a economia da Europa em três grandes âmbitos regionais, o Leste, o Mediterrâneo e o Atlântico, antes de oferecer algumas observações finais sobre as relações comerciais e as primeiras manifestações do capitalismo. Há que entender que estas "regiões" não possuem nenhuma identidade intrínseca ou específica, e que os seus limites são obviamente fluidos. Reflectem, no entanto, as divisões habitualmente utilizadas pelos historiadores para tratarem do desenvolvimento (ou do atraso) económico da Europa. Há, contudo, que começar por expor as mudanças fundamentais na população, nos preços e nos salários. Na estimativa recente mais fiável (a de Jan de Vries), a população da Europa aumentou de 60,9 milhões, em 1500, para 68,9 milhões, em 1550, e para 77,9 milhões, em 1600, um aumento de 27,9% no século. A taxa de crescimento está de acordo com cálculos anteriores (como os de Peter Kriedte), que apontavam para um crescimento de 26%, considerando um conjunto de países mais amplo, incluindo a Rússia europeia (a oeste dos Urais), a Hungria, a Roménia e os Balcãs, com valores totais de 80,9 milhões, em 1500, e 102,1 milhões, em 1600. Estes números, que se referem à Europa no seu conjunto, escondem, como seria de prever, variações regionais substanciais, e foi por essas variações que os historiadores, ansiosos por encontrar provas de um desempenho económico diferenciado, rapidamente se interessaram, apontando para um crescimento populacional de 44,7% na Europa Ocidental e do Norte. Dentro desta área, calcula-se que a população da Inglaterra, por exemplo, terá crescido, entre 1500 e 1600, de 2,3 milhões para 4,2 milhões, de longe a taxa de crescimento mais rápida da Europa, com 82,6%, sendo os Países Baixos do Norte (a República dos Países Baixos), com 57,8%, quem mais se aproxima. Não obstante, a população da Escócia e da Irlanda não cresceu, no mesmo período, mais de 25%. Estes números, relativos ao "Atlântico", deixam claramente para trás o crescimento no Mediterrâneo, de apenas 21,8%, ou na Europa Oriental, de 28,3%. Entretanto, os números relativos à Europa Central-Ocidental, que de Vries calcula ter tido uma taxa de crescimento de 27,2%, levantam algumas questões incómodas. A Alemanha teria uma população de 12 milhões, em 1500, e de 16 milhões, em 1600 (um crescimento de 33%), mas estimativas mais recentes de Christian Pfister admitem que não ultrapassasse, em 1500, os 9 a 10 milhões, atingindo os 16 ou 17 milhões em 1600. De acordo com estes números, o crescimento terá sido, no conjunto do século, no mínimo de 60%, podendo ter chegado aos 88,8%, ultrapassando neste caso até a Inglaterra. A separação de trajectórias terá acontecido no século XVII, com a Alemanha em grande parte devastada pela Guerra dos Trinta Anos, enquanto a população da Inglaterra prosseguia um movimento claramente ascendente até 1650, mais do que duplicando, com 5,5 milhões, o nível de 1500.

Apesar de, em termos gerais, qualquer crescimento da população aumentar a procura de bens e serviços, é frequente defender-se que o desempenho da economia terá sido sobretudo influenciado pela distribuição da população entre o campo e as cidades, sendo estas os principais centros de manufactura e consumo. Neste ponto, à primeira vista, os números contam uma história que dá que pensar, ainda que projecte sobre o Mediterrâneo uma luz mais benigna. As taxas de urbanização na Europa – que, para começar, nunca foram altas – mantiveram-se baixas, muitas vezes sem variações, ao longo do século XVI. Na Suíça, o quociente urbano regrediu de 6,8% para 5,5% (uma quebra de 20%), isto apesar de se supor que a população total terá crescido 50%. As mais altas taxas de urbanização encontram-se

na Itália (ligeiramente acima dos 22%, e sem variações ao longo do
século), Flandres (mantendo-se também mais ou menos constantes,
entre 28% e 29,3%, no período considerado) e Países Baixos do Norte,
com um quociente urbano que cresceu, de acordo com uma estimativa em particular, de 29,5% até 34,7% (um aumento de 17,6%), mas
que pode ter crescido de modo mais intenso (talvez apenas a partir
de 1580), já que, em 1650, 42% da população vivia em cidades de mais
de 2500 habitantes, valor que, a considerar-se apenas a Holanda, atingia os 61% (fruto da distorção causada pelo crescimento excepcional
de Amesterdão). Pelo contrário, há que notar que algumas partes do
Leste dos Países Baixos continuavam escassamente povoadas, e menos
ainda urbanizadas. A experiência inglesa reflecte, nalguns aspectos, a
da Holanda. Apesar de a taxa inicial, de apenas 7,9%, ser muito baixa,
em 1600 tinha chegado aos 10,8% (um crescimento de 36,7%), e continuou depois a subir, contribuindo de modo desproporcionado para
esse crescimento a singular expansão de Londres (40000 habitantes
em 1500, 400000 em 1650!).

Mas que nos dizem estes números? A fraca correlação entre taxas de urbanização e vitalidade económica, com a excepção única da
República dos Países Baixos a autorizar uma relação aparentemente
directa, sugere que não há que confiar muito na urbanização como
indicador do desempenho económico no longo prazo – já para não falar no fenómeno quinhentista *par excellence* de hipertrofia das cidades
capitais/portos de saída, apinhadas de mendigos e trabalhadores ocasionais, como Sevilha, Lisboa ou Nápoles (com populações de 90000,
100000 e 281000 habitantes, respectivamente, no fim do século XVI),
que eram um sorvedouro económico dos seus *hinterlands*.

O ponto em questão pode ser ilustrado com Castela, onde o número de cidades com populações entre os 5000 e os 10000 habitantes (que
não eram pequenas, para padrões contemporâneos) disparou de 30
para cerca de 80, em 1600. Contudo, a maior parte destas novas cidades
permaneceu isolada economicamente, com poucos contactos com os
centros regionais maiores, nenhum dos quais, no conjunto de Castela-
-a-Velha e Andaluzia, ultrapassava os 15000 habitantes, com excepção
de Toledo. Ou tome-se o exemplo mais bizarro da Ruténia Vermelha (a
região a norte dos Cárpatos e a sudeste de L'viv – Lvov/Lemberg –, hoje
na Ucrânia, então na Polónia), onde ocorreu, até 1600, uma verdadeira
explosão de fundações urbanas, cujo impacto económico foi contudo
insignificante, em boa parte por terem sido estabelecidas pela nobreza
local como centros administrativos, mais do que comerciais.

Ninguém discute que o século XVI tenha sido uma época de

subida de preços (disso se lamentavam os próprios contemporâneos), mas está em aberto a questão de saber se terá sido a primeira época de inflação galopante na Europa. Por um lado, houve flutuações substanciais entre países e regiões, e entre mercadorias. Em geral, o custo dos géneros alimentícios, sobretudo no caso dos cereais, subiu mais depressa do que o dos artigos de produção artesanal. Tomando o ano de 1500 como base, os preços dos cereais dispararam, em França, até seis vezes e meia o preço inicial; quadruplicaram, mais ou menos, na Inglaterra, nos Países Baixos do Sul, em partes da Espanha (Valência e Castela-a-Nova) e na Polónia; mas só aumentaram duas vezes e meia na Alemanha e nos territórios austríacos. Devia tornar-se imediatamente óbvio que estas taxas de crescimento têm muito pouca relação com os números do crescimento demográfico nos vários países da Europa. Os historiadores centraram-se – o que se compreende – nos preços dos cereais, porque o pão era o alimento essencial, excepto nalgumas partes da Europa Meridional, onde era substituído por arroz, mas é claro que o preço de outros alimentos subiu muito mais devagar. Números relativos a Basileia (desde 1501, uma cidade suíça) mostram, considerando-se os valores de 1500 como índice 100, valores, em 1600, de 262 para a carne de bovino, de 290 e 293 para o vinho e a manteiga, respectivamente, e de 350 para o arenque (seco); só os ovos atingiam valores semelhantes aos dos cereais (neste caso, a espelta, uma variedade de trigo, de qualidade inferior, cultivada em boa parte do Sudoeste da Alemanha), com 400 e 408, respectivamente. A fiabilidade destes números continua a ser uma questão controversa: seria Basileia um caso excepcional, com o preço dos cereais a quadruplicar, enquanto no resto dos territórios alemães o índice só atingia os 255?

Já foram avançadas diferentes explicações para justificar a subida de preços no século XVI. A mais venerável, e menos plausível, realça o impacto da importação de metais preciosos do Novo Mundo. Acontece que o fluxo de metais preciosos da América só começou a ser significativo em finais do século, e não é por si evidente que um fluxo deste tipo, numa situação de crescimento da economia, provoque efeitos inflacionários. Mesmo em Espanha, onde não se pode negar alguma pressão inflacionista, a maior parte da prata era imediatamente reexportada, para reembolsar os banqueiros alemães e genoveses: a Espanha sofria de escassez de ouro e prata, e não de excesso. No entanto, esses argumentos aplicam-se ainda menos a Portugal, que importara do Norte de África, muito antes do afluxo da prata americana, grandes quantidades de ouro, que terão atingido talvez os 40000 quilos, o equivalente a 520000 quilos de prata. Pelo contrário, o rápido crescimento

da mineração na Europa Central, na primeira parte do século, inun-
dou o mercado com cerca de 50000 quilos de prata por ano (possivelmente um pouco mais), um valor que a América não atingiu antes de
1560. Nalguns casos – a Inglaterra, entre 1540 e 1560, é o *locus classicus*
– a depreciação da moeda cunhada pelo Estado contribuiu para a inflação, mas há que lembrar que no século XVI, ao contrário do século
precedente, a pureza de fabrico da moeda cunhada permaneceu, de
um modo geral, intacta. Com a introdução de novas formas de dívida
pública consolidada e com o estabelecimento de bolsas e bancos por
acções, o crédito teve na inflação muito maior peso do que a moeda.
Uma verdadeira explosão do crédito aumentou o dinheiro em circulação e acelerou a velocidade do rendimento, conduzindo assim à inflação. É claro que o crescimento demográfico também desempenhou o
seu papel, desde que se tenham em conta as elasticidades diferenciais.
Em termos simples, isto significa que o rendimento disponível ten-
deria, face à subida dos preços, a ser desviado dos artigos de luxo ou
de consumo corrente para bens essenciais, comida em primeiro lugar,
especialmente cereais, cuja procura se crê ter sido relativamente pouco
elástica, o que parece ser confirmado pela subida mais rápida do preço
dos cereais, relativamente a outros géneros alimentícios ou produtos
manufacturados. No entanto, há que ter aqui alguma cautela. Números
compilados numa série de cidades alemãs, no último quartel do século, revelam que o salário diário de um aprendiz de pedreiro ou carpinteiro permitia comprar 8,9 quilos de centeio, 6,8 quilos de ervilhas,
mas só 3 quilos de carne de bovino ou 2,4 quilos de carne de porco, e
apenas 0,95 quilos de manteiga. A ideia de ter havido um regresso aos
cereais – ou às leguminosas – não parece poder ser posta em causa. Na
perspectiva da teoria nutricional actual, que considera que uma dieta
equilibrada deve ter 12% de proteínas, 27% de gorduras e 61% de hidratos de carbono, os cereais e as leguminosas têm grande importância,
por serem os únicos alimentos, para além do açúcar e do arroz, com
um conteúdo significativo em hidratos de carbono, a principal fonte
de energia e de calor. Mas as gorduras também dão um contributo,
e a manteiga, o queijo, a banha e o toucinho são alimentos úteis. Em
contrapartida, as proteínas, essenciais para o desenvolvimento dos tecidos, só podem ser obtidas em quantidade na carne, nos ovos e no
peixe. É pois possível que tenha havido, na dieta, alguma substituição
entre hidratos de carbono e gorduras ou entre hidratos de carbono e
proteínas – e os historiadores ficam muitas vezes surpreendidos com
a quantidade de carne nas dietas na Idade Moderna. No Sul da Itália,
não ocorreu esse regresso à cultura do trigo, e, embora na Lombardia

se tenha cultivado milho desde meados do século, o ritmo desse cultivo só acelerou depois de 1600. Em comparação, o preço dos produtos manufacturados ou artesanais no mínimo duplicou em todo o lado, com excepção dos territórios da Áustria, onde o aumento foi só de 10%, e da Inglaterra, onde se registou um aumento de 50%.

Por toda a Europa, no século XVI, os salários não conseguiram acompanhar os preços. Os números disponíveis para as regiões do Norte mostram uma subida dos salários de 50%, no melhor dos casos, não ultrapassando os 10% no caso da França, e mergulhando, na Áustria, 10% abaixo do nível de 1500. Só nos Países Baixos do Sul os salários triplicaram, um aumento superior ao dos produtos manufacturados, mas ainda assim inferior ao dos cereais. Em termos reais, portanto, o trabalhador assalariado enfrentou um empobrecimento progressivo ao longo do século. Em Basileia (para complementar os dados fornecidos acima), o índice dos salários diários subiu de 100, em 1500, para 168, em 1600, mas, se considerarmos o índice de subida dos preços dos géneros alimentícios, o poder de compra dos salários, a meio do século, já tinha descido de 100 para 47, não tendo recuperado depois disso. Este atraso dos salários em relação aos preços não se pode explicar apenas pelas leis da oferta e da procura. Em muitas cidades, os magistrados impuseram limites aos salários, em boa parte por poderem contar com o apoio tácito dos mestres artesãos que empregavam trabalho assalariado. De modo semelhante, mesmo em locais onde os salários começaram a recuperar em relação aos preços, como foi o caso de Antuérpia, na segunda metade do século, o parlamento do Brabante interveio rapidamente para exigir que os salários fossem limitados por lei. Ao mesmo tempo, é claro que, pelo menos em parte, os salários continuavam a ser pagos em espécie, e o emprego de trabalhadores rurais e jornaleiros muitas vezes incluía alojamento gratuito em casa do proprietário, o que ajudava a proteger os pobres e os que não tinham terras dos piores efeitos da inflação do preço dos géneros alimentícios. Contudo, ia sem dúvida crescendo o número dos que eram descritos nos registos municipais como indigentes.

A Europa Oriental

Em comparação com a Europa Ocidental, os territórios da Europa Oriental foram muitas vezes considerados vítimas de atraso económico

no período moderno. Esta concepção repousa em boa parte numa valorização do crescimento da produção de cereais, e tende a ignorar
um pujante mercado de gado e o crescimento da mineração de metais
de base e de metais preciosos. Considera-se, em qualquer caso, que a
economia mineira estava dominada por estrangeiros, proporcionando
escasso proveito à economia local. A emergência, ao longo do século XVI, na Europa Oriental, ou mais precisamente nos territórios do
Báltico a leste do rio Elba – Meclemburgo, Pomerânia, Brandeburgo,
Polónia, Prússia e Lituânia – de uma agricultura cerealífera, especializada e comercial, em grandes propriedades (latifúndios) controladas
pela nobreza, é habitualmente apresentada como prova da dependência colonial da Europa Oriental face aos mercados do Ocidente e como
explicação para o desenvolvimento de um regime senhorial mais duro,
sob o qual o campesinato viu a sua condição degradar-se até um estatuto de servidão pessoal, forçado a prestações em trabalho muitas
vezes não remunerado, sendo mais tarde expropriado e expulso das
suas terras. Esta perspectiva é enganadora. De facto, as exportações
de cereais dos territórios a leste do Elba cresceram substancialmente
ao longo do século. As estatísticas do porto de Gdańsk (Danzig), a
principal porta de saída dos cereais polacos (e também dos da Volí-
nia e da Ruténia), mostram que as exportações de centeio, com que
se fazia o pão corrente, não ultrapassavam, em finais do século XV,
2300 łast (cerca de 4600 toneladas)[1]: a partir de 1490, os números so-
bem gradualmente: de 10000 łast em 1500 para 14000 łast em 1530.
Apesar de quebras periódicas, em especial nos anos que se seguiram
à morte, em 1572, do último rei Jagelão, que desencadeou uma disputa internacional pelo controlo da coroa polaca, as exportações passaram a exceder regularmente os 20000 łast, e na última década do
século os 30000 łast. A partir de 1600, os números são de uma outra
ordem de grandeza, oscilando entre os 70000 e os 90000 łast. O total
das exportações para o Ocidente era, evidentemente, maior, já que os
cereais eram também embarcados em Szczecin (Stettin), Elbląg (El-
bing), Königsberg, Talin (Reval) e Riga. Os registos das portagens, relativos ao tráfico no Sund, apontam para cerca de 50000 łast de cereais
em 1550, com uma quebra na década de 1570, e regressando em 1600
aos níveis anteriores. Estes números incluem outros cereais duros para
além do centeio, sobretudo trigo, cujas exportações possivelmente

---

1 O łast não era uma medida de peso, mas de capacidade dos barcos. O seu peso
variava, por isso, de acordo com a mercadoria transportada. No caso do centeio, era
próximo das duas toneladas métricas (seria superior, no caso de outros cereais).

terão atingido, no século XVII, um volume próximo de um terço das exportações de centeio.

Contudo, o que impulsionou a intensificação do cultivo de cereais não foi a procura externa, mas sim a procura local e regional. A produção total de cereais polacos atingiu na década de 1560 as 600000 toneladas (depois de deduzidos o dízimo e o grão para semente); 415000 toneladas, mais de dois terços da produção, foram para consumo doméstico. Do terço restante, 60% transaccionou-se no mercado livre da própria Polónia, e só se exportou 40%, 74000 toneladas, cerca de 12% da produção total. Esta baixa percentagem não deve surpreender. A densidade populacional da Polónia era mais elevada do que frequentemente se pensou: 21,3 pessoas por quilómetro quadrado em 1580, um valor que a Inglaterra só atingiu em 1650. A própria cidade de Gdańsk era um grande centro de consumo, com uma população que cresceu dos 26000 habitantes, em 1500, para os 40000 depois de 1550 (atingindo os 70000 no século XVII)[2]. Mas mesmo os cereais que eram exportados destinavam-se, com frequência, a mercados da região do Báltico. Sobretudo no Meclemburgo e na Pomerânia, o centeio destinava-se a portos no Báltico e à cidade de Hamburgo, que crescia de forma acelerada. Nas zonas onde se cultivavam cereais moles, como a aveia e a cevada, a produção destinava-se a um mercado diferente. A cevada, sobretudo, destinava-se à próspera indústria cervejeira de Lübeck, Hamburgo, Rostock e da própria Gdańsk. Isto aplicava-se também à Boémia, único território da Europa de Leste altamente urbanizado neste período, possuindo por isso um grande mercado interno para os produtos agrícolas, onde as famosas fábricas de cerveja de Plzen (Pilsen) e České Budějovice (Budweis) geraram também uma maior procura de cevada do que de cereais duros.

Se olharmos para o comércio a partir da outra ponta do telescópio, rapidamente se verifica que o Norte dos Países Baixos não estava, nem pouco mais ou menos, tão dependente dos cereais do Báltico como em tempos se pensou. Antigas estimativas, que apontavam para que 25% das necessidades holandesas de cereais fossem supridas a partir do Báltico, foram revistas em baixa para os 13% ou 14%, mas mesmo essa percentagem parece hoje demasiado elevada, sobretudo tendo em conta as importações de cereais da Alemanha Ocidental pelos rios Elba, Weser, Reno e Mosa, e também da Inglaterra (sobretudo cereais

---

2 Estes números, tirados de *History of Gdańsk* (Gdańsk, 1995), 103, de Edmund Cieślak e Czesław Biernat, alteram ligeiramente os de *European Urbanization 1500-1800* (Londres, 1984), p. 272, de Jan de Vries.

moles) e do Norte da França. Mais revelador é um cálculo recente, que considera que, se um łast de cereais permite alimentar dez pessoas ao longo de um ano, as exportações do Báltico na segunda metade do século teriam permitido alimentar 600000 bocas – numa altura em que a população holandesa não era tão numerosa! A explicação para isto é que uma quantidade considerável do cereal báltico era reexportada, sendo consumido em Amesterdão talvez apenas um quarto do total. Muito ia para Portugal e para Espanha (mesmo durante a Revolta dos Países Baixos!), algum para Inglaterra, e mais tarde para Itália, onde, num espaço de dez anos, a partir de 1592, o número de barcos chegados a Livorno, o novo porto franco do Grão-Ducado da Toscana, subiu de 200 para 2500 (nem todos, evidentemente, com cargas de cereais). Além disso, os mercadores holandeses especulavam no seu mercado interno, com negociantes de Amesterdão a adiantar dinheiro a mercadores de Gdańsk contra fornecimentos a longo prazo, permitindo-lhes armazenar cereais até que tempos de fome fizessem os preços subir. Não só o comércio de cereais dos territórios a leste do Elba está longe de apresentar os sintomas clássicos de dependência colonial, como as condições do comércio com o Ocidente permaneceram favoráveis, com o custo das exportações de cereais a exceder o custo das importações de produtos manufacturados, como os têxteis.

Este ponto sai realçado quando atentamos no comércio de outros produtos agrícolas, particularmente o gado e o vinho. Algumas áreas da Polónia, sem condições para o cultivo de cereais, como partes da Mazóvia e da Podólia, exportavam gado em quantidades significativas, com valores situados, ainda na primeira metade do século, entre as 20000 e as 40000 cabeças. Com a anexação polaca da Ucrânia, em 1569, as exportações saltaram para as 60000 cabeças, com um máximo de 80000 cabeças em 1584, começando o gado polaco a constituir uma ameaça para outros exportadores da Europa de Leste. Este gado atingia mercados de toda a Alemanha Ocidental, ainda que as exportações pareçam ter diminuído depois de 1600. No entanto, o maior exportador para o Ocidente era, de longe, a Hungria, calculando-se que tenham saído para o estrangeiro, em 1500, 100000 cabeças, constituindo o valor dessas exportações entre 50% e 60% do valor total das exportações húngaras. O impacto do comércio de gado húngaro só se sentiu inteiramente a partir da década de 1560, quando uma nova raça, mais pesada, de gado acinzentado das estepes, chegando a atingir os 500 kg, começou a desalojar nos mercados internacionais o gado mais pequeno dos camponeses (de cerca de 200 kg), ainda que este continuasse a ser comercializado a um nível regional. As exportações húngaras não atingiam apenas a Áustria e a Alta Alemanha, mas também Veneza, e, se se acrescentar o gado criado na Transilvânia (hoje na Roménia), as exportações anuais totais atingiam com regularidade as 150000 cabeças na década de 1570, e podem ter chegado às 200000 em 1600. Este comércio estava, em grande medida, nas mãos da nobreza.

Algumas regiões da Escandinávia tornaram-se também parceiros importantes no comércio internacional de gado com destino à Europa Ocidental. Ainda que as exportações da Dinamarca e da Escânia (o Sul da Suécia) não ultrapassassem no início do século XVI umas modestas 20000 cabeças, um século mais tarde tinham atingido as 50000 a 60000 cabeças; não se tratava de novilhos de má qualidade, mas de gado magro, embarcado na Primavera, com destino às luxuriantes pastagens das zonas húmidas do Weser e do Elba, para engordar e ser depois conduzido para sul, para venda nas metrópoles da Alta Alemanha. Ian Blanchard calculou que, por volta de 1570, o número de animais transaccionados nos mercados internacionais atingisse um milhão, um valor que se pensa ser equivalente ao de 150000 kg de prata e mais do triplo do valor dos cereais do Báltico.

A Hungria era também um importante produtor de vinho. Nas comarcas ocidentais em torno de Sopron (Ödenburg) exportava-se mais de 40% da colheita, embora no conjunto da Hungria as exportações não ultrapassassem 10% da produção anual. Para além de produtos de base, como peles ou cera, exportados ao longo de toda a Idade Média, outras mercadorias da Europa Oriental começaram a encontrar com facilidade mercados no Ocidente: por exemplo linho e cânhamo da Livónia, embarcados em Riga e Talin, numa altura em que, no século XVI, em muitas regiões da Europa Ocidental, a indústria do linho já estava em expansão; ou madeira, sobretudo pranchas de carvalho de árvores de crescimento vertical das florestas da Lituânia e do Sul da Polónia, que eram utilizadas como tábuas para pintura.

Contudo, na Europa Oriental Moderna, os investimentos económicos mais substanciais foram canalizados para a indústria mineira e proporcionaram rendimentos espectaculares, com destaque para a prata, de que havia depósitos no Norte da Boémia, na Eslováquia, na Caríntia e no Tirol. Até então, a prata tinha sido encontrada principalmente em minérios de chumbo, mas, com a descoberta tecnológica da liquação, que suplantou em meados do século XV a copelação, passou a poder ser extraída de cobre argentífero em bruto, pela adição de chumbo. Disto resultou o desenvolvimento de um mercado secundário, tanto do chumbo (da Eslováquia e da Polónia, embora a maior parte viesse de muito mais longe) como do próprio cobre, que, refinado e ligado com zinco, para a produção de latão, permitiu responder a uma procura crescente de artigos de uso doméstico e armamento. Este mercado continuou a crescer mesmo depois de esgotadas as reservas de prata. Foi dito que, para a economia europeia, os metais preciosos eram muito menos importantes do que o ferro. A afirmação é verdadeira, mas a Polónia, a Boémia e, sobretudo, a Eslováquia também possuíam depósitos de minério de ferro, enquanto no Leste da Áustria – em Steyr, junto ao Enns, no ducado da Alta Áustria, e em Judenburg, Leoben e Bruck, junto ao Mur, na Estíria – um conjunto de fundições de ferro, que produziam uma série de artigos especializados, como foices, tinham alcançado renome internacional desde o século XIV, embora o nível de produção mais elevado não tivesse sido atingido antes de 1550. De outros metais encontraram-se quantidades menores: ouro na Baixa Silésia e na Hungria; estanho, zinco e cobalto nos montes Metalíferos, a cordilheira que separa a Saxónia da Boémia. Com minas em Hall, Schwaz, Reichenhall, Hallein e Aussee, numa faixa que se estende do Norte do Tirol para leste, em direcção à Estíria, a Áustria era também um grande fornecedor de sal-gema, que exportava para as cidades da Alta Alemanha. A Eslováquia e a Pequena Polónia também tinham minas de sal, que produziam sobretudo para um mercado regional, na Silésia, Boémia e Hungria.

A indústria mineira no Leste da Europa Central constituiu-se principalmente a partir de investimentos das companhias mercantis e financeiras das cidades da Alta Alemanha, que recorreram aos conhecimentos dos precursores locais. O mais famoso desses precursores foi Johann Thurzo, um alemão dos Cárpatos, de Levoča (Leutschau), na região de Spiš[3], vereador de Cracóvia, que estabeleceu próximo dessa cidade a primeira grande fundição de cobre da Polónia, utilizando a tecnologia da liquação. Em 1494, Thurzo associou-se com Jakob Fugger, de Augsburgo, e financiaram em conjunto as minas eslovacas de cobre e prata de Banská Bistřica (Neusohl), através de uma empresa chamada "Companhia Húngara Comum" (Der gemeine ungarische Handel). Até 1526, os Fuggers devem ter tido, para um total de vendas de 40000 toneladas de cobre argentífero, lucros anuais correspondentes ao triplo do investimento realizado, para isso concorrendo as generosas isenções de direitos alfandegários e de circulação concedidas pela coroa húngara. Depois de comprarem aos herdeiros de Thurzo a

---

3 Região onde existia uma colónia alemã, há muito estabelecida no Norte da Eslováquia, junto à fronteira com a Polónia, num território que fez parte do reino da Hungria.

sua parte, os Fuggers tornaram-se os únicos proprietários da empresa, tendo, até 1596, comercializado um total de 60000 toneladas de cobre e cerca de 120000 quilos de prata.

O grande desenvolvimento das minas de prata à volta de Jáchymov (Joachimsthal), na Boémia, surgiu também a partir da iniciativa local da família nobre dos von Schlick (Šlik), tendo mais tarde recebido o estímulo dos investimentos dos Fuggers e de outras casas de Augsburgo, como os Welsers e os Höchstetters. Até finais da década de 1520, a produção cresceu de forma consistente, segundo um padrão comum a outras regiões mineiras, mas, tomada em conjunto com a produção dos montes Metalíferos, mais a norte, teve, na década de 1530, um enorme aumento, atingindo um valor máximo de cerca de 48000 quilos, que representava entre 40% e 50% da produção da Europa Central, apesar de um posterior declínio acentuado a ter reconduzido, por 1570, à sua anterior posição relativa face a outras regiões.

No Tirol, a história é semelhante. As minas de prata de Schwaz e os depósitos de galena em Vipiteno (Sterzing), a sul do Brenner, estiveram inicialmente sob o controlo de um grande número de pequenos accionistas, mas passaram para as mãos de um punhado de empresários do Norte do Tirol numa altura de recessão, por volta de 1500. No entanto, no espaço de uma década, as casas mercantis de Augsburgo – os Höchstetters, os Baumgartners e os Pimmels, seguindo as pisadas dos Fuggers – penetraram nas minas do Tirol, alcançando, na década de 1520, um ascendente completo, expulsando do negócio as companhias locais. A única firma local que sobreviveu, da família Stöckl, conseguiu-o, porque uniu a sua sorte à dos Fuggers. A produção de Schwaz, à época a maior da Europa, cresceu até um total anual de cerca de 6800 quilos em 1522, e de 12000 quilos no ano seguinte, ainda que se tenha visto rapidamente eclipsada pela produção do Norte da Boémia e dos montes Metalíferos. O que distinguia as minas tirolesas era a alta proporção de prata conseguida, em relação ao cobre argentífero, cerca de 80:20. Em comparação, a Eslováquia só conseguia, no seu melhor, uma relação de 50:50, e a Turíngia 60:40. Ao longo do século XVI, a relação inverteu-se em todo o lado (excepto no Tirol), mas novas fortunas fizeram-se no cobre (ou no estanho). Em 1520, o investimento alemão – a "alta finança" da Alta Alemanha (na expressão de Wolfgang von Stromer) – tinha conseguido substituir as anteriores redes autónomas de comercialização de prata na Europa Central por um sistema internacional integrado de produção e distribuição, nas mãos de um pequeno número de grandes oligopólios.

No entanto, o rápido crescimento da indústria mineira no Leste da

Europa Central não iria durar. As razões foram estruturais e conjun-
turais. A produção de cobre argentífero declinou rapidamente na década de 1540, de cerca de 45000 quilos para 30000 quilos por ano, e
manteve-se nesses valores até à década de 1560, mas depois voltou a
cair para os 20000 quilos no final da década. Anton Fugger já tinha
deixado as minas eslovacas em 1546, apesar de a firma continuar activa, tentando, sem grande sucesso, diversificar o negócio, pela entrada
na extracção de ferro (área onde enfrentava a forte concorrência da
Estíria). Ao mesmo tempo, as casas mercantis alemãs, que comer-
cializavam em Antuérpia metais de base e metais preciosos (e outras
mercadorias) em troca de especiarias, numa estreita aliança comercial
com os portugueses, foram duramente atingidas em 1549, quando a
coroa portuguesa retirou de Antuérpia o seu monopólio de especiarias
e o transferiu para Lisboa, no mesmo momento em que o aumento
dos custos de produção nas minas do Leste da Europa Central retirava
competitividade à prata aí produzida, em comparação com a que era
importada da América.

Isto não significou o fim súbito das minas de prata na Europa. Durante algum tempo, uma nova tecnologia, a amalgamação, que permitia extrair prata de minérios não plumbíferos tratados com mercúrio,
permitiu alargar os tipos de minério que podiam ser trabalhados com
lucro. Mas tratou-se apenas de um adiamento. Na década de 1570, a
prata barata do Peru começou a inundar o mercado, e, apesar de ter
descido o preço do mercúrio, soou o dobre de finados pela indústria
europeia de extracção de prata. Os empresários mais ágeis passaram
para outros metais; alguns investidores italianos voltaram-se para o
cobre e para o ferro, mas os Fuggers (e outras firmas de Augsburgo há
pouco tempo no negócio, como as companhias Haug e Manlich) preferiram jogar no mercado do cobre a envolverem-se directamente na
produção, que passou em muitos casos para empresas estatais.

Seria pois fácil estar de acordo com o velho veredicto marxista (de
que Wallerstein faz eco) que considera o capitalismo comercial das
casas mercantis de Augsburgo e Nuremberga responsável pela devastação económica da Europa Oriental e, portanto, pelo atraso económico e social dessas regiões no período moderno, separadas do mundo
exterior e forçadas a comunicar através de intermediários. Mas este
juízo é demasiado demolidor e superficial. Tudo aponta para que, no
século XVI, a Europa Oriental estivesse tão marcada pelo comércio
entre os diferentes países e regiões do Leste como pelas exportações
para o Ocidente. Um exemplo revelador: os registos alfandegários de
Bratislava (Preßburg), capital da Eslováquia, mostram que, em 1542, os

produtos têxteis estrangeiros correspondiam a 70% de todas as importações – mas a sua origem era a Boémia, a Morávia e a Silésia, e não o Ocidente. O mesmo padrão aplica-se também à indústria do linho e do cânhamo na Polónia e na Silésia, cujos tecidos seguiam para Leste, para a Lituânia, a Ucrânia e a Rússia. Isto sem recordar a procura regional de cereais do Báltico.

Há, pois, que encontrar outro culpado – a nobreza, cuja aversão ao progresso e ao investimento, conjugada com um estilo de vida de ostentação e luxo, a impossibilitava de participar na economia de um modo "burguês racional" (isto é, de acumulação capitalista). É seguro que a nobreza controlava, para além do comércio agrícola de cereais do Báltico, a indústria e as minas da Silésia e da Boémia, e ainda o comércio de gado e de vinho da Hungria. Talvez por isso preferisse, por arrastamento, gerir de forma "feudal" as suas propriedades, fábricas e minas, privilegiando a servidão e a prestação obrigatória de serviços, em vez de recorrer a arrendamentos capitalistas, rendas mais elevadas e trabalho assalariado contratado no mercado livre.

Este argumento só é convincente se for formulado de um modo completamente diferente, e se se distinguir a agricultura comercial a leste do Elba de outros sectores da economia da Europa Oriental. Foi corrente pensar-se que, numa região onde os camponeses, como colonos, tinham a princípio sido livres, os latifúndios de produção de cereais teriam sido obrigados a introduzir a dependência servil como forma de assegurar uma mão-de-obra adequada. Mas esta perspectiva é completamente insustentável, porque a ascensão de um sistema de domínio feudal mais intenso (conhecido na Alemanha por *Gutsherrschaft*) precedeu, em alguns casos dois séculos, a agricultura cerealífera de trabalho intensivo em grandes domínios (o sistema conhecido por *Gutswirtschaft*). As origens do sistema de *Gutsherrschaft* estão nas consequências da peste e da crise agrária do século XIV, quando caíram bruscamente os preços dos cereais; não podem, por isso, ter tido nada que ver com a necessidade de dispor de uma reserva de mão-de-obra para responder à procura externa de cereais. É mais exacto dizer que os senhores feudais de uma região de população já escassa, onde muitas explorações agrícolas tinham sido abandonadas, tiveram uma oportunidade única de consolidar as suas propriedades dispersas, fundindo num só sistema direitos de propriedade da terra e de jurisdição feudal. O que é importante perceber é que o reforço do regime senhorial no século XV visava garantir a dependência do campesinato, no sentido da sua obrigação de permanecer nas terras do senhor; a servidão pessoal hereditária, a imposição de prestação de serviços, a expropriação das explorações dos camponeses (*Bauernlegen*) e a obrigação de os seus filhos trabalharem por períodos determinados no domínio senhorial (*Gesindezwangdienst*) foram essencialmente fenómenos do século *XVII* (e mesmo então não generalizados), quando a procura externa de cereais atingiu o seu ponto mais alto, e a mão-de--obra local diminuiu muito com a guerra (as devastações da Guerra dos Trinta Anos e da Guerra do Norte, entre a Suécia e a Polónia, de 1655 a 1660).

Que a nobreza feudal estivesse, nas regiões a leste do Elba, em condições de levar a efeito uma tal coerção (*Gutsherrschaft*), a um nível sem paralelo noutras regiões, explica-se pela estrutura do poder social e político, tal como se desenvolveu a partir do século XIV, com monarcas e príncipes fracos, em combinação com o rebentamento de guerras e conflitos civis, nomeadamente a luta da Ordem Teutónica por manter a sua integridade territorial face à agressão da coroa polaca. Como resultado, a nobreza adquiriu um grau de influência pouco habitual sobre a coroa ou sobre o príncipe territorial – sendo, em última instância, o exemplo mais famoso o da coroa polaca, prisioneira das assembleias de nobres, no que chegou a ser uma espécie de república aristocrática –, relegando para uma posição marginal as cidades e os burgueses, que existiam, mas não conseguiam aparecer como contrapeso credível.

Em contrapartida, o facto de os senhores feudais se terem dedicado em tão grande escala à agricultura cerealífera pode ser explicado por condições naturais e por custos de oportunidade. Os solos leves e arenosos do litoral báltico eram particularmente adequados ao cultivo de cereais; por outro lado, não é claro que existissem formas alternativas de investimento produtivo. A própria dimensão dos latifúndios e a contínua disponibilidade de terra não cultivada – em 1500, entre 30% e 40% da terra do Brandeburgo ainda era descrita como "maninha" – também encorajava a agricultura cerealífera, já que era possível conseguir lucros sem despesas enormes em maquinaria e sem aumentar a produtividade das culturas. No entanto, ainda resta o enigma de saber por que é que os senhores se dedicaram à exploração directa (*Gutswirtschaft*), em vez de arrendarem as herdades a preços de mercado ou especulativos. Esta é uma questão que foi estudada pelo grande historiador polaco Jan Rutkowski. A sua resposta centrou-se na natureza do poder senhorial. Era mais fácil conseguir lucros reduzindo o nível de vida dos camponeses (relegando-os para uma condição servil) do que procurar rendimentos mais elevados através de rendas em dinheiro (que os arrendatários provavelmente teriam dificuldades em pagar), enquanto o recurso a mão-de-obra assalariada teria tornado os proprietários de terras não competitivos nos mercados internacionais. Desta forma, as exportações podiam ser lucrativas, mesmo que a produtividade das culturas fosse inferior à do Ocidente. Por outras palavras, o regime senhorial e os recursos de que dispunha favoreceram uma agricultura "ineficaz" e desencorajaram o "progresso". Contudo, atingindo a parte comercializada os três quartos das colheitas (nas terras da nobreza), parece também provável que a exploração directa fosse a forma mais "eficaz" e, de facto, mais lucrativa de organizar a produção; vêm logo à ideia os paralelismos que se podem estabelecer com a posterior economia de plantações no Novo Mundo.

Contudo, nalgumas áreas a leste do Elba, o sistema de *Gutsherrschaft* não conduziu, de forma inexorável, a uma economia dominial (*Gutswirtschaft*), sendo dois exemplos claros a Silésia e a Alta Lusácia. Numa região onde a herança era divisível, e eram comuns os empregos complementares e as culturas especializadas, muitos camponeses eram pessoalmente livres e tinham acesso à terra em condições favoráveis. A Silésia era famosa pela sua indústria do linho, e havia culturas de plantas tintureiras, como a garança, à volta de Wrocław, enquanto a Alta Lusácia era uma área de produção de lã. Nestas circunstâncias, era pouco provável que se desenvolvesse a *Gutswirtschaft*, ainda que, na segunda metade do século XVI, se assistisse a um reforço da jurisdição senhorial (*Gutsherrschaft*), com os nobres a usarem os seus direitos combinados de senhorio para incrementarem a sua participação na actividade económica existente, promovendo a produção artesanal e têxtil. Em vez de expropriarem os foreiros, libertaram terras do domínio senhorial e terras comunais para o estabelecimento de novos agricultores e desviaram manufacturas de linho das cidades para os seus domínios rurais, integrando-as no sistema de rendas feudais. Em vez de procurarem o controlo da produção, os senhores usavam o seu poder senhorial de coerção extra-económica (servidão) para imporem o monopsónio (isto é, exigir dos súbditos que comprassem apenas produtos do domínio) e para capitalizarem sobre os seus direitos banais, como o monopólio da cerveja. Algo semelhante ocorreu nos territórios austríacos, onde os senhores feudais usaram os seus direitos de jurisdição para promoverem os seus próprios mercados e para desviarem o comércio dos mercados urbanos com alvará, o que deu lugar, no início do século XVI, a repetidos protestos das cidades dos ducados da Áustria e da Estíria.

Este padrão repetiu-se na vizinha Boémia. Aí, a economia rural girava em torno da criação de gado, da piscicultura e da cervejaria, áreas que, por si, não pareciam apontar para um regime de produção baseado no trabalho servil. Quando havia recurso à prestação obrigatória de serviços, em vez de trabalho assalariado, aquela confinava-se a uma quota anual fixa, em vez das corveias semanais obrigatórias. Os senhores feudais estavam mais interessados em utilizar a coerção extra-económica no recrutamento compulsivo de mão-de-obra paga e no reforço dos monopólios dominiais. Não obstante, o reforço do regime senhorial, no sentido mais amplo de direitos jurisdicionais combinados, pode ser encontrado já no século XV, como consequência do colapso da revolução hussita, quando o poder nas localidades foi entregue à nobreza, católica ou hussita, no sistema de divisão administrativa em distritos chamados *landfrids*. A seguir a 1500, observam-se os primeiros sinais de sujeição hereditária, de restrição de movimentos e mesmo de trabalho obrigatório dos filhos dos servos – muito antes da batalha da Montanha Branca, em 1620, tradicionalmente apontada como marco separador do desenvolvimento social da Boémia. Também na Hungria a servidão foi usada como apoio dos direitos banais dos nobres e do controlo da distribuição, mais do que como instrumento de uma economia senhorial.

A questão do "atraso" da economia da Europa Oriental foi demasiado associada ao reaparecimento da servidão, ao domínio da nobreza e ao carácter da produção. Nenhum destes três factores contém em si qualquer capacidade explicativa intrínseca – ainda que em conjunto possam possuí-la. Em contrapartida, as questões do investimento, do crédito e do quadro institucional da economia merecem mais atenção do que a que receberam até hoje.

O Mediterrâneo

O Mediterrâneo – Itália, Península Ibérica e Sul da França –, com o seu passado de prosperidade, também não escapou ao estigma do "atraso", com tanta frequência aplicado à economia da Europa Oriental no período moderno. Veredicto que não é plausível em relação ao Sul, como não o é em relação ao Leste, ainda que, na tipologia de Wallerstein, o Mediterrâneo se tivesse tornado uma semiperiferia das economias centrais do Atlântico, e não tanto uma sua dependência colonial. A maior parte do Mediterrâneo – o Norte e o Sul da Itália, o Sul de Espanha e a Catalunha e o Midi francês – não se limitava a conservar a herança urbana medieval; as suas maiores cidades continuaram a crescer no século XVI (nalguns casos, de forma hipertrofiada), daí resultando que, em 1600, 17% da população da Itália e da Península Ibérica vivesse em cidades de mais de 5000 habitantes, em comparação com apenas 8% a norte dos Alpes. O Mezzogiorno, por exemplo, muitas vezes superficialmente encarado como uma região "atrasada" da Itália, tinha, no século XVI, quarenta cidades com mais de 10000 habitantes. Isto sugere, pelo menos, uma procura sustentada de bens e serviços por parte dos consumidores – sobretudo de alimentos, com o correspondente impacto na agricultura das regiões em torno. As elites urbanas investiam fortemente nas regiões rurais circundantes, desempenhando com frequência um papel de promotores do desenvolvimento agrícola, como aconteceu, por exemplo, com os patrícios venezianos, que começaram, a partir de 1500, a comprar propriedades na *terraferma*. Contudo, muitas das necessidades cerealíferas das cidades só podiam ser cobertas pela importação, tanto regional (da Apúlia e da Sicília, no caso da Itália) como externa, em especial do Mediterrâneo Oriental – Egipto, Grécia e Bulgária.

A produtividade das culturas de cereais apresentava variações consideráveis. No caso do trigo, se havia em Castela relações semente/produção de 1:8, e de pelo menos 1:7 na Romagna, noutras regiões a produtividade era muito menor, ou então declinou de forma apreciável ao longo do tempo. É possível que em Castela a produtividade das culturas de cereais tenha caído, por volta de 1600, para valores próximos de 1:4, ainda que as razões permaneçam controversas. Contra os antigos pontos de vista de que a *tasa*, o preço máximo imposto pelo governo, tornava o cultivo de cereais pouco atractivo, e de que a transumância de grandes rebanhos da *Mesta*, a corporação dos criadores de gado ovino, levava à erosão dos solos, pensa-se hoje que o que fez com que a agricultura se tornasse uma actividade muito pouco lucrativa foi o aumento dos impostos, especialmente do imposto sobre as transacções, a *alcabala*, que cresceu duas vezes e meia entre 1560 e 1590 (e mais ou menos outro tanto até 1620), combinado com a venda de terras comunais – os baldios –, com que os camponeses contavam para pasto e estrume, por parte de elites urbanas, que procuravam compensar o que pagavam de imposto sobre a propriedade. Na Romagna, onde a produtividade desceu, na última década do século XVI, para valores que não ultrapassavam 1:5, esses obstáculos não se faziam sentir; é mais provável que o declínio tenha ocorrido como consequência de se ter passado a arar terras menos férteis, para alimentar uma população crescente. Um sinal da renovada ênfase no cultivo de cereais foi o recuo da viticultura, documentado no Languedoc e em muitas outras partes da Europa. Para aqueles produtores que dependiam de culturas de mercado, a queda da produção não deve, contudo, ser vista como equivalendo a uma crise, naqueles casos em que o que estava em causa era o abandono de vinhas em solos baixos e pouco drenados, que raramente produziam vinhos de qualidade. Deste modo, é bem possível que um recuo para as melhores vertentes e localizações tenha representado uma contracção globalmente saudável. De facto, em várias partes da França, os lavradores abastados nas aldeias – os que possuíam activos suficientes para arriscarem a produção comercial – aumentavam a dimensão das suas propriedades, para ganharem vantagem no mercado das culturas especializadas, milho ou seda no Sudoeste ou viticultura no Languedoc e na Aquitânia.

Mas, para as grandes massas camponesas, a estratégia de sobrevivência continuava a ser a diversificação, e não a especialização. Comum a muitas partes do Mediterrâneo era a prática das culturas intercalares ou associadas, misturando a plantação de vinha, olival e cereais; aquilo a que os italianos chamam *coltura mista* ou *promiscua*, mais orientada para disseminar o risco e assegurar a subsistência do que para responder a instáveis conjunturas de mercados. Como demonstra a Sicília depois de 1450, verificadas certas condições prévias – acesso a mercados externos, direitos favoráveis de posse da terra e fácil acesso à compra de géneros alimentícios –, consegue-se uma agricultura de sucesso com uma forma de diversificação *sazonal*, muito diferente da agricultura de subsistência, cultivando e fabricando linho no fim do Verão e no Inverno, seda entre Maio e Agosto, vinho na Primavera e no Outono e, mais tarde, azeite (no início da Primavera e a meio do Inverno), criando uma economia vibrante. Completamente diversa, a verdadeira especialização pode ser observada – aqui também em condições específicas, neste caso o uso da irrigação – nas planícies da Lombardia Central, onde se conseguiram altas taxas de produtividade em grandes herdades arrendadas, a preços de mercado, por empresários rurais que utilizavam trabalho assalariado sazonal; aqui, o pousio foi abolido, e a produção de cereais integrada com pastos em zonas húmidas.

Por todo o Mediterrâneo, contudo, as propriedades agrícolas eram habitualmente cultivadas de acordo com contratos de parceria (*métayage* em francês, *mezzadria* em italiano), concedendo o proprietário da terra crédito ao cultivador, sob a forma de sementes, ferramentas, capital, ou da própria terra, contra uma parte da colheita (habitualmente metade). A parceria foi considerada pouco eficiente e atrasada, por não encorajar o proprietário, nem o rendeiro, a investir ou a introduzir melhoramentos. Wallerstein considera-a, de facto, o regime agrário característico da semiperiferia, por permitir à elite urbana adquirir propriedades rurais, como forma de granjear prestígio social e como protecção contra a fome, sem ter de se ocupar directamente com a agricultura. O recurso ao *métayage* no Sul e no Oeste da França foi identificado como a razão para a agricultura destas regiões ter permanecido relativamente atrasada em comparação com a agricultura inglesa, ainda que o seu impacto social possa ter sido benéfico (ao permitir que camponeses mais jovens, sem capital, pudessem iniciar-se na actividade agrícola). Face ao veredicto extremamente negativo da maior parte dos comentadores quanto à parceria, tornam-se necessários alguns esclarecimentos. Não é claro, em primeiro lugar, que *em si* a parceria iniba o avanço da agricultura. Os grandes proprietários, quase todos nobres, que dominavam a economia rural da Andaluzia, começaram por investir numa agricultura orientada para o comércio; só no final do século se viraram para a parceria e se tornaram *rentiers*, quando o rendimento das obrigações emitidas pelo Estado prevaleceu sobre o risco superior do investimento na produção agrícola directa. Para além disso, na Itália Central e no Sul da França, os senhores recorriam à parceria para promoverem culturas de mão-de-obra intensiva (vinhas, pomares, amoreiras para a seda), que proporcionavam lucros mais elevados do que os cereais; a questão é, pois, saber o que faziam com esses lucros. A parceria, e essa é a tese de Robert DuPlessis, pode bem ter começado por dirigir capital para o campo e só subsequentemente se teria tornado a causa de um retrocesso embrutecedor. Não há dúvida de que era característico das áreas de parceria os camponeses terem pouca ou nenhuma terra própria; a vantagem para os senhores era que os camponeses recebiam um "salário" abaixo do preço de mercado, pelo que os mercados de trabalho eram rudimentares e não existia nenhum incentivo a que os camponeses se dedicassem à comercialização ou à especialização. Contudo, a parceria floresceu onde os recursos naturais encorajavam os proprietários rurais e os investidores, por seu lado, a optar por culturas comerciais ou a abandoná-las, e onde existiam mercados locais significativos (nas cidades). Nesse sentido, a parceria pode ter sido funcionalmente eficaz, mas estruturalmente ineficaz, e não era seguramente incompatível com a proto-industrialização nos séculos subsequentes, como se pode ver pelo caso da indústria da seda na Lombardia.

A pastorícia não enfrentava os mesmos constrangimentos, e, durante boa parte do século XVI, a produção e a exportação de lã cresceram de forma significativa, tanto na Itália como na Espanha. As vendas de ovelhas e de lã no reino de Nápoles, organizadas pela *Dogana* (o equivalente da *Mesta* castelhana), quadruplicaram depois de 1550. Já antes disso, em Castela, as exportações de lã para Bruges, que não ultrapassavam, por volta de 1510, os 13000 sacos por ano, atingiam os 70000 sacos por volta de 1550, ainda que tenham descido para metade no século seguinte. O declínio nas exportações de lã está intimamente ligado a perturbações nos mercados externos (a Revolta dos Países Baixos), à mudança para lãs de menor qualidade, em detrimento dos velos de merino, e à crescente auto-suficiência do Novo Mundo. Mas há uma outra face desta moeda. O prejuízo de Bruges foi o lucro de Florença, quando novos fluxos de lã castelhana atingiram a capital toscana.

De qualquer modo, muita da lã de Castela destinava-se aos produtores têxteis castelhanos. Num acesso de mercantilismo, a coroa espanhola deu à indústria autóctone o direito de opção sobre um terço da produção de lã, enquanto proibia as importações e impunha também estritos controlos de qualidade para os tecidos acabados. Duas regiões de produção afirmavam-se em Castela por volta de 1500: uma a norte de Madrid, centrada em Segóvia e Ávila, produzindo grandes quantidades de tecidos de qualidade média; a outra a sul e a leste da capital, à volta de Cuenca, Toledo e Ciudad Real, estendendo-se até Múrcia, Córdova e Jaén, onde se fabricavam com lã de merino tecidos largos de primeira qualidade. Com o tempo, os centros têxteis mais pequenos foram ficando na dependência do capital comercial das cidades maiores, em parte como resposta ao crescente poder institucional das corporações de artesãos (como em Toledo), que pode ter encorajado a indústria a transferir-se para as áreas rurais. Em certa medida, a indústria castelhana foi também a beneficiária involuntária das desgraças de outros, dada a perturbação introduzida na indústria têxtil da França e dos Países Baixos pelas Guerras de Religião e pela Revolta dos Países Baixos. De facto, o século XVI tem sido considerado a idade de ouro dos tecidos castelhanos (com Segóvia a orientar-se com sucesso para tecidos de qualidade), mas assim que foi removida a "protecção artificial" (numa expressão de J. K. J. Thompson) das guerras no estrangeiro, e que a coroa mudou de política, abrindo os mercados internos à concorrência externa, a indústria espanhola de lanifícios entrou em rápido declínio (ainda que alguns negociantes tenham sido suficientemente perspicazes para mudarem de cavalo, tornando-se importadores de tecidos estrangeiros e exportadores de lã).

De qualquer modo, a indústria têxtil castelhana nunca atingiu a dimensão da francesa. Em França, grande parte da produção organizava-se também de acordo com um sistema de trabalho ao domicílio, subsistindo as zonas rurais em simbiose com as cidades mercantis. Contudo, simbiose significava dependência, já que os riscos do sistema de trabalho ao domicílio se tornavam manifestos sempre que se anunciava uma viragem no ciclo económico, e os negociantes se concentravam na produção urbana, deixando as áreas rurais entregues aos seus próprios meios. Na Itália, o sistema de trabalho ao domicílio parece ter sido menos comum, ainda que com variações regionais sensíveis. Nalguns casos, a concorrência era tolerada, como em Veneza, cujas cidades na *terraferma* se tornaram grandes produtoras de lãs no século XVI, contentando-se a República com salvaguardar os seus próprios tecidos de luxo, dando rédea livre à terra firme. Noutros casos, a concorrência era impedida, como sucedia em Florença, que defendeu ciosamente o seu monopólio industrial à custa da economia das cidades do seu *contado* e, a prazo, à custa da vitalidade da sua própria economia.

Em traços largos, a maior parte das regiões mediterrânicas prosperou durante o século XVI, ainda que tenha havido mudanças estruturais em sectores particulares da economia – a tendência para o fabrico de lã, linho e seda passar das cidades para povoações mais pequenas e para as áreas rurais, seja ou não em virtude do sistema de trabalho ao domicílio – e dificuldades em regiões específicas – o declínio da indústria basca do ferro, por exemplo. O comércio com os parceiros tradicionais do Mediterrâneo, no Norte de África e no Levante, manteve-se constante, independentemente do que possa ter acontecido com as exportações para o Norte da Europa. Ao decidir transferir, em meados do século, o seu monopólio das especiarias de Antuérpia para Lisboa, a coroa portuguesa não conseguiu esconder que esse monopólio já tinha sido posto em causa por mercadores venezianos e genoveses. Ao longo do século, a importação de especiarias do Oriente quadruplicou, cabendo a parte de leão às duas cidades italianas, já que as importações portuguesas estagnaram. É notável a resiliência destes pilares gémeos do comércio mediterrâneo medieval, apesar de periódicos declínios. Veneza continuava a ser, para além de entreposto principal do comércio do Oriente, um grande centro industrial – vidro, sabão, açúcar, cera e construção naval – apoiado num monopólio governamental. As suas sociedades financeiras anónimas continuavam a prosperar; Génova foi capaz, de facto, de capitalizar em seu proveito a ruína das bolsas de Antuérpia e Lyon, ao tomar a iniciativa, transferindo em 1579 as feiras de Besançon, criadas por volta de 1530, para Piacenza, na Lombardia, onde se mantiveram ainda, sob o controlo comercial de Génova, durante uma boa parte do século seguinte.

É inegável que em finais do século a economia do Mediterrâneo (como de outras partes da Europa) estava sob pressão, mas as razões para esse facto são ainda objecto de discussão. É frequente apontar- -se o fardo dos impostos e a dívida pública como causas principais da esclerose da economia, mas esse argumento tem de ser tratado com cautela. Em França, a coroa enfrentou a dívida com um aumento ace- lerado dos impostos, mas terá esse aumento acompanhado a inflação? É possível que, entre 1547 e 1574, os rendimentos da coroa tenham su- bido 33%, mas a *livre tournois*, a moeda oficial das contas públicas, perdeu 50% do seu valor. Do mesmo modo, em Espanha, o peso do imposto sobre as transacções, a *alcabala*, não era superior, em termos reais, em 1600, ao que fora em 1500, ainda que tenha disparado de for- ma dramática nas últimas décadas do século; e os totais reais de todas as receitas da coroa em impostos só aumentaram 10% ao longo de todo o século. Para a massa da população, que trabalhava a terra, a história era substancialmente diferente. Muitas terras no Sul da França, na Es- panha e no Sul da Itália caíram nas mãos da Igreja e da aristocracia, ou foram adquiridas por proprietários burgueses, isentos de impostos ou decididos a transferir o seu peso para os camponeses. A questão, por isso, não era tanto a do peso dos impostos, mas a de quem era atingido por esse peso. Para além disso, os lucros dos proprietários rurais eram predominantemente canalizados para um consumo conspícuo ou para títulos e cargos, e acima de tudo para obrigações emitidas pelo Estado; só raramente para investimento agrícola. Entretanto, enquanto os salá- rios desciam, os preços subiam, a fome e a escassez tornavam-se mais frequentes, e cresciam as fileiras dos sem terra, dos sem trabalho, dos empobrecidos – em termos humanos uma miséria, em termos eco- nómicos uma armadilha, porque o subconsumo (como reconheceu Adam Smith) era a derradeira barreira que o crescimento económico enfrentava.

A Europa do Noroeste

A "economia atlântica" é um conceito abrangente, que abarca regiões tão diversas como, por um lado, a Alemanha Ocidental, o Norte da França e os Países Baixos do Sul, e, por outro, os Países Baixos (do Norte) e a Inglaterra, para não falar de áreas (a periferia da Escandi- návia, ou a Escócia e a Irlanda) que permaneceram subdesenvolvidas, em parte ou totalmente. Dentro da região atlântica, a economia do Noroeste da Europa continental foi muitas vezes desfavoravelmente comparada com o crescimento dinâmico ocorrido na Inglaterra e nas Províncias Unidas dos Países Baixos, no século XVI. Numa polémica recente, Peter Musgrave afirmou que foram as economias medievais menos bem sucedidas da periferia do Atlântico (a Inglaterra e os Países Baixos do Norte), e não as mais maduras, as primeiras a "modernizarem-se" (fazendo eco da perspectiva de Wallerstein, que considera o "atraso" como uma condição prévia do crescimento), o que se explicaria por serem mais instáveis (e conterem assim o potencial para uma transformação rápida).

No que respeita à economia agrária, este argumento contesta de modo essencial os pressupostos que subjazem ao recente debate sobre o desenvolvimento da agricultura no Norte da Europa ao longo da Idade Média Tardia e da Época Moderna, iniciado por Robert Brenner. Este autor começou por estabelecer um contraste entre o avanço em direcção a um capitalismo agrário na Inglaterra e a agricultura de subsistência do regime tradicional de propriedade camponesa da terra em França, que conduziu inexoravelmente a uma involução. Mais recentemente, estendeu a sua argumentação às províncias marítimas da República dos Países Baixos. O debate "Brenner", largamente assente em termos de estrutura social (relações de classe), direitos de propriedade e enquadramentos legais e institucionais, não pode ser aqui exposto em detalhe; na essência, centra-se na questão de saber se estamos preparados para admitir que os camponeses proprietários podem agir como empresários agrícolas, desde que devidamente incentivados. Em boa parte do Norte da França – uma área de agricultura de planície, com grandes propriedades de terra arável – observou-se, como na Inglaterra, a concentração da terra nas mãos de "lavradores abastados", com o concomitante empobrecimento dos pequenos camponeses, tornados assalariados. Contudo, na região à volta de Paris, sob pressão demográfica em meados do século, a parte da produção que atingia o mercado diminuiu, com os camponeses a abandonarem outras culturas comerciais ou a criação de gado para cultivarem mais cereais próprio consumo doméstico, e a dividirem as suas propriedades para dotarem com terras os seus muitos filhos. Entretanto, nas regiões onde prevalecia a indivisibilidade da herança, como em boa parte do Noroeste da Alemanha, essa opção não se punha; as herdades de produção de cereais permaneciam intactas, expulsando a mão-de-obra familiar em excesso, e continuavam a produzir para o mercado, enquanto nas regiões do litoral os camponeses se voltavam cada vez mais para uma pastorícia lucrativa. Em termos de produtividade, nenhuma predestinação rege o diferencial entre a agricultura "camponesa" e a agricultura protocapitalista. A produtividade das culturas era baixa na Escandinávia, como seria de prever, dado o clima e o solo pobre, atingindo no máximo 1:4; era ligeiramente melhor na Alemanha Ocidental, com 1:5 – de qualquer modo menos do que na agricultura supostamente protocapitalista da Inglaterra e das províncias dos Países Baixos do Norte, com 1:7 ou mais. No entanto, na Flandres (incluindo as regiões que ficam hoje na França) atingia talvez 1:9 ou 1:10. Estes números exigem vários comentários. A produtividade na Inglaterra começou a declinar por volta de 1630, precisamente na altura em que se considera que a agricultura capitalista estava em pleno desenvolvimento, enquanto, no que diz respeito aos Países Baixos do Norte, os números são, num certo sentido, irrelevantes, já que a sua economia se tornou, a partir de 1500, um importador líquido de cereais. A produtividade nos Países Baixos do Sul e nalgumas partes da Renânia já tinha recebido o impulso de culturas intercalares, como as leguminosas, fixadoras de azoto, e de um maior uso do estrume proveniente da criação de gado, antecipando a agricultura alternada de cultura e de pasto da Inglaterra Moderna, cujo crescimento agrícola se considera ter dependido da integração complementar de terras de cultivo e de pastagens. Contudo, o regime agrícola nos Países Baixos do Sul raramente fez a transição para o capitalismo agrário, de acordo com o modelo inglês. Isto sugere que as questões inicialmente levantadas por Robert Brenner não estão ainda completamente respondidas.

Em qualquer caso, o "debate Brenner" pecou, até tempos recentes, por ter dado pouca atenção a uma transformação, que no século XV estava já em curso na economia rural de boa parte do Noroeste da Europa continental, e que atingiu o auge no século XVI: a expansão da indústria têxtil rural – linho, fustão (um tecido misto de linho e algodão) e lã –, muitas vezes promovida por comerciantes urbanos, através do sistema de trabalho ao domicílio. Na Alemanha Ocidental, as indústrias de linho e fustão do Sul tinham-se estabelecido sobretudo nas cidades maiores, mas em 1500 a produção há muito que se disseminara pelas áreas rurais. Os empresários tentavam assim tornear as restrições corporativas e os regulamentos municipais; nessas zonas encontraram uma indústria familiar já florescente, que aproveitaram para a produção para mercados regionais e internacionais. Mas o papel das companhias mercantis nas cidades médias, como Ulm, Constança,

Nördlingen ou Memmingen, foi progressivamente posto em causa, não só pela emergência de cartéis nas principais metrópoles – Augsburgo conseguia estrangular a iniciativa mercantil dos centros mais pequenos, num raio de 70 quilómetros –, mas também pela concorrência da Alemanha do Norte, na Vestefália e na Saxónia, onde Chemnitz se tornou o centro de uma indústria de linho, que abarcava a cidade e as zonas rurais em volta. Em resposta, algumas firmas têxteis de Nuremberga começaram a dirigir a sua atenção para nordeste, para a Silésia e a Lusácia, onde ajudaram a criar novos centros industriais. No entanto, a produção rural de linho estava menos exposta à penetração do capital urbano do que o fabrico de tecidos de fustão, já que o abastecimento de algodão, nas terras mais frias e mais húmidas a norte dos Alpes, dependia das importações do Mediterrâneo, que só podiam ser feitas por mercadores com as necessárias competências organizativas e recursos de capital. Qualquer que tenha sido o papel desempenhado pelo sistema de trabalho ao domicílio, seria, contudo, imprudente e precipitado considerar a comercialização da economia rural da Alemanha Ocidental o prelúdio de uma transformação capitalista, já que, numa época de crescimento da população, os camponeses do Sudoeste da Alemanha, uma região em grande parte de herança divisível, viam os empregos complementares e o trabalho ao domicílio como válvulas de segurança indispensáveis à sobrevivência de uma economia essencialmente de subsistência.

O linho e o fustão eram panos baratos; a situação era bastante diferente no que diz respeito às lãs finas, para não falar nos tecidos de luxo, como a seda ou o cetim, ou no seu papel no fabrico de fitas, brocados, tapetes e tapeçarias. Como já vimos em Espanha, o século XVI ficou marcado por uma expansão no fabrico de tecidos, tanto de tecidos baratos como de tecidos de alta qualidade, destinados aos mercados internos e externos. O mesmo aconteceu no Norte da França, onde se produziam lãs baratas na Picardia, na Normandia e na Champagne, ao lado de produtos de luxo, como as sedas de Tours ou de Lyon ou as tapeçarias de Paris e Orleães, que se vendiam no Mediterrâneo, no Norte de África e no Levante. Na Flandres, em contrapartida, o sucesso das três cidades principais, Gand, Bruges e Ypres, que reservaram para os seus próprios tecelões urbanos o direito ao fabrico de tecidos de lã de alta qualidade, encorajou nas áreas rurais a passagem da tecelagem de lã para a de linho, que podia ser levada a cabo como indústria familiar, independente do capital urbano. Depois de uma recessão no século XV, a produção reanimou-se, quando a Flandres e o Brabante se voltaram para a produção de tecidos mais ligeiros. Em 1565, em

Eeklo, o principal mercado da Flandres, a venda de panos de linho tinha decuplicado relativamente ao início do século, enquanto Bruges se afirmava como centro de uma nova indústria de fustão. Nos sítios onde se mantinha a tecelagem de lã, esta organizava-se num sistema de pequena produção (o chamado *Kaufsystem*), cabendo a iniciativa em grande medida aos produtores, em vez de depender dos negociantes que controlavam o sistema de trabalho ao domicílio.

A capacidade de adaptação rápida dos Países Baixos do Sul a novas modas nos tecidos pode ser atribuída ao facto de possuírem uma economia comercial plenamente desenvolvida, onde os direitos de jurisdição sobre os territórios envolventes permitiam às cidades o controlo de um mercado de trabalho especialmente flexível, já que as terras dos camponeses eram habitualmente demasiado pequenas para permitirem sustentar uma agricultura de subsistência. Esta capacidade de adaptação foi evidente no século XVI, sobretudo com o surgimento dos chamados "panos novos" (*nieuwe draperie*). Estes não dependiam de nenhuma nova tecnologia; imitavam abertamente os "panos velhos" (*oude draperie*), de alta qualidade, mas usando lãs mais baratas, simplificando o processo de acabamento, deixando os tecidos quase por pisoar e tosar, e misturando a lã com outros fios, como o linho (na serguilha) ou o algodão. Estes novos tecidos, conhecidos como sarjas, tornaram de novo próspera, a partir de 1500, a indústria têxtil flamenga, sendo o caso mais espectacular o de Lille, onde a produção de panos novos decuplicou, da década de 1530 à de 1550; só o fabrico de tecidos baratos com o brilho da seda, conhecidos como *changeants*, subiu de cerca de 2000 peças na década de 1540 para 175000 peças em 1619. No entanto, em partes da Alemanha Ocidental (e da Inglaterra), os panos novos tinham uma conotação diferente. Aqui não se tratava de lãs de fibras curtas, mas de tecidos de estambre (fibra longa) ou de tecidos mistos, com teia de estambre e trama de lã. Mais leves do que os tecidos largos tradicionais, estes panos destinavam-se a um novo mercado de qualidade; eram produzidos pela indústria doméstica, principalmente na Floresta Negra, onde os tintureiros de uma região de produção de ovelhas, à volta de Calw, começaram, na viragem do século, a organizar os pastores e tecelões da região num sistema de integração vertical, que conduziu à fundação, em 1650, da famosa *Calwer Zeughandelscompagnie*.

A economia rural do Noroeste da Europa continental estava, portanto, no início do século XVI, profundamente envolvida no sector secundário (indústria manufactureira) e numa rede de relações cidade-campo, o que levou ao aparecimento de diferentes paisagens económicas. Estes desenvolvimentos eram sustentados pelo cultivo industrial de plantas necessárias à indústria têxtil, sobretudo plantas tintureiras. A região à volta de Erfurt, na Turíngia (Saxónia Ocidental), ficou famosa pelo glasto, cuja produção exigia um considerável investimento de capital, dado o intervalo de tempo necessário para ser plantado, colhido, triturado e amadurecido; fornecia as indústrias de lanifícios do Hesse e da Lusácia, beneficiando esta região também do corante vermelho da garança, cultivado na zona a oeste de Wrocław. O único sector da economia rural mercantilizada do Noroeste da Europa a sofrer um retrocesso decisivo foi a viticultura, mas aqui o declínio deve ser visto como uma transformação estrutural, e não como uma crise, já que o abandono de terrenos menos favorecidos, com a concentração da produção nas melhores encostas e solos, foi acompanhado pela expansão da produção de cerveja. Aquilo que tinha sido até aí uma bebida produzida para consumo imediato, para satisfazer uma procura local, tornou-se, pela adição de mais uma cultura industrial, o lúpulo, um produto que melhorava com o armazenamento e que podia ser exportado para mercados regionais. A prosperidade das indústrias cervejeiras da Francónia (Kulmbach, Bamberg, Nuremberga), da Baixa Saxónia (Braunschweig, Einbeck, Goslar) e das cidades litorais hanseáticas já mencionadas tem, em todos os casos, os seus alicerces no século XVI.

Contra o fundo de uma economia europeia atlântica continental, cujo traço distintivo foi a diversificação rural orientada para a indústria manufactureira, não é imediatamente evidente que a Inglaterra e os Países Baixos do Norte devam ser vistos como casos especiais. A história agrícola dos Países Baixos do Norte que tem sido escrita fala de fraco controlo senhorial, servidão residual (se é que alguma vez existiu), propriedade da terra em geral nas mãos do campesinato, conservada por um sistema de herança indivisível, e de um activo mercado de terras. Parecem estar presentes as condições prévias para o aparecimento de uma sociedade de "lavradores abastados", mais do que para a expropriação ou o desaparecimento do campesinato tradicional. No entanto, sob a pressão do crescimento da população e de uma forte procura urbana, as principais províncias (Holanda, Zelândia, Frísia e Utreque) seguiram um caminho diferente, coexistindo lado a lado as *duas* configurações; e só as províncias orientais (Drente, Overijssel e Guéldria) continuaram a apresentar muitos traços característicos de um regime feudal. Alguns agricultores das províncias marítimas dedicaram-se a tempo inteiro à produção para o mercado – principalmente de gado e lacticínios –, em grandes explorações agrícolas de capital intensivo, enquanto a população rural em excesso, em vez de emigrar, se voltou para novos empregos nas zonas rurais – construção de estradas e canais, fabrico de tijolos, extracção de turfa, trabalho do ferro e pequeno comércio.

Há uma discussão interminável (com a qual não é necessário que aqui nos ocupemos) sobre se esses agricultores especializados ainda podem ser considerados camponeses, ou se aqueles que trabalhavam em zonas rurais em actividades não agrícolas constituíam um proto-proletariado. O que é de facto importante é compreender por que é que camponeses com bons direitos de propriedade seguiram estratégias económicas potencialmente capitalistas, ao que parece apenas nos Países Baixos do Norte. Neste ponto a ecologia desempenhou um papel decisivo. O afundamento das turfeiras no fim da Idade Média levou, primeiro, a que secassem e, depois, a que fossem inundadas: o resultado foi uma degradação da agricultura. A população rural, mesmo permanecendo, em geral, proprietária das suas terras, viu-se privada dos seus meios de subsistência (mas não dos seus meios de produção), o que explica que as estratégias que, noutras regiões, reforçaram a agricultura de subsistência (divisão da propriedade, empregos complementares) tenham sido rejeitadas, em favor de uma especialização de maior risco, onde os camponeses eram levados pelo mercado a investir e a acumular, por não terem alternativa viável a que recorrer, ou então a abandonarem de todo a agricultura. Uma forma de testar este argumento é considerar o que aconteceu durante a depressão agrícola que atingiu, a partir de 1660, os Países Baixos do Norte; a dinâmica capitalista manteve-se, mesmo face ao colapso dos preços e aos atrasos no pagamento das rendas. Os rendeiros em falta eram expulsos pelos senhorios e substituídos por recém-chegados que possuíam os recursos necessários à sobrevivência; não houve divisão das explorações agrícolas nem nenhuma tentativa de regresso dos camponeses a uma agricultura de subsistência, ao contrário do que sucedeu nos Países Baixos do Sul. Portanto, como concluiu Jan de Vries, a questão central na transformação da agricultura holandesa a partir do século XVI não é a de saber se os camponeses eram, enquanto tal, proprietários da terra e, nessas condições, qual terá sido a sua motivação ou racionalidade, mas antes, como ele diz, a "qualidade dos recursos" à sua disposição – no contexto de uma sociedade urbanizada, com avançada integração de mercados, boas comunicações, amplas facilidades de crédito e um comércio externo em expansão.

Nalguns aspectos relevantes, o crescimento da economia rural inglesa, a partir de 1500, é o exacto reflexo do que sucedeu nos Países

Baixos do Norte. O campesinato tradicional, que detinha a terra num regime consuetudinário, foi supostamente expropriado, à medida que se foram alargando os direitos dos proprietários, fortalecidos pela autorização dos tribunais e do parlamento à conversão dos aforamentos (*copyhold*) em arrendamentos (*leasehold*), permitindo o aluguer da terra a preços competitivos, com rendas determinadas pelo mercado, e a subida dos direitos de entrada. Calcula-se que, entre 1450 e 1700, a pequena nobreza (*gentry*) se tenha tornado proprietária de metade das terras inglesas, ainda que uma parte, que se situará talvez entre um quarto e um terço da terra de cultivo, estivesse nas mãos de pequenos agricultores independentes, os *yeomen*. Na mesma linha, terras antes trabalhadas em campos abertos foram vedadas ou "colocadas em *severalty*" (isto é, entregues a agricultores individuais), passando com frequência de terra cultivada a pastagem para criação de ovelhas, abastecendo assim uma indústria de lanifícios que respondia a uma crescente procura interna, num período de grande crescimento demográfico. Estava aberta a estrada para o capitalismo agrário, que distingue a Inglaterra Moderna dos seus vizinhos continentais, constituindo o ponto de partida da análise comparativa das transformações da agricultura, feita por Robert Brenner.

Em anos recentes, esta avaliação da economia rural inglesa (que não inclui a Escócia e a Irlanda) tem vindo a ser atacada de muitos lados. A maior parte dos historiadores, mesmo aceitando os pressupostos básicos, considera que as mudanças foram, em geral, mais lentas e menos homogéneas do que até hoje se tem pensado; por exemplo, a erosão dos direitos dos *copyholders* quase não é detectável antes de 1650. Do mesmo modo, foi também posta em questão a extensão e o ritmo da vedação de terras (*enclosure*) e da concentração fundiária (a reunião de explorações agrícolas em unidades mais vastas). Num condado bastante típico das Midlands, o Leicestershire, em 1600, só 10% das terras de cultivo estavam vedadas, ainda que se tenha chegado aos 50% no decurso do século seguinte. Em geral, foi nos condados das Midlands, que abasteciam o vasto mercado de Londres, que mais se recorreu às *enclosures*. No entanto, antes de 1500, num tempo em que a economia estiolava, já era substancial o número de *enclosures*, o que suscitou os protestos tanto de políticos como de homens da Igreja (o caso mais famoso é o de Tomás Moro, que, na *Utopia*, se queixava das ovelhas, «de tal maneira vorazes e ferozes, que chegam, dir-se-ia, a comer os homens!»); mas as *enclosures* confinavam-se, em regra, aos territórios do Noroeste, onde as pastagens tinham sempre predominado. O Parlamento, quando intervinha em casos de vedação de terras, habitualmente protegia os foreiros, e não os proprietários que vedavam. Em qualquer caso, a terra explorada no regime de propriedade alodial (*freehold*) – talvez um quarto do total da terra de cultivo – não podia ser vedada.

No entanto, é na questão dos direitos legais dos foreiros que os argumentos recentes mais têm vindo a retocar o quadro preexistente. A difusão do regime de *copyhold* não provocou a erosão dos direitos de propriedade dos camponeses; pelo contrário, em 1600, tinha mesmo sido enquadrado na lei como equivalendo a posse absoluta. Como resultado, aqueles que tinham sido foreiros tradicionais – vilãos dos domínios senhoriais – tornaram-se, de acordo com a opinião de R. C. Allen, camponeses proprietários, e foi também das suas fileiras, e não só das dos *leaseholders*, que surgiu uma classe de "lavradores abastados". Não há nenhuma legislação parlamentar do século XVI que promova o regime de *leasehold* em detrimento do de *copyhold*: para historiadores como Richard Smith é assim indubitável que esses *yeomen* em regime de *copyhold* mantiveram a sua condição de camponeses. Que tanto os grandes proprietários como os *yeomen* se tenham dedicado a uma agricultura capitalista foi o resultado de uma evolução política e sociojurídica particular da Inglaterra, onde um reino precocemente unificado reconheceu, através dos tribunais, o direito à propriedade individual em detrimento da jurisdição senhorial privada, e onde a apropriação feudal não foi substituída (como na França e noutros lados) por pesados impostos estatais. Para além disso, o aparecimento de um mercado nacional, conduzido por Londres e sustentado por uma rede de feiras regionais estabelecidas na Idade Média Tardia, encorajou o investimento e a especialização na agricultura.

Uma consequência deste processo foi o facto de a indústria inglesa de lanifícios ter sofrido uma significativa mudança de orientação. As exportações de lã, como matéria-prima, foram abandonadas em favor da produção interna de tecidos, encorajada pela existência de uma reserva disponível de mão-de-obra rural assalariada, em boa parte desregulada, que já não estava ligada ao regime da agricultura de subsistência. O coração geográfico da indústria de lanifícios, anteriormente localizado no Sudoeste (especialmente na região dos Cotswold), começou a mudar-se para East Anglia, Lincolnshire e Yorkshire, localização mais conveniente para as exportações para o continente. Antes de 1500, só se exportavam tecidos largos de lã e *kerseys* (peças estreitas de tecido canelado), mas, a partir de meados do século, passou a seguir para o estrangeiro uma gama variada de tecidos, incluindo panos novos. Essas exportações eram facilitadas pelos alvarás concedidos pela coroa às companhias mercantis envolvidas; em 1555, à Muscovy Company, que comercializava lãs na Rússia e em territórios para lá da Rússia, como a Pérsia; em 1579, à Eastland Company, que comerciava no Báltico, a partir da sua base de Elbląg; e, em 1581, à Levant Company, que vendia no Mediterrâneo Oriental tecidos de qualidade de Suffolk e, mais tarde, panos novos de East Anglia.

No entanto, o motor do crescimento inglês continuou a ser, no essencial, o mercado interno, ao passo que a economia dos Países Baixos do Norte estava mais orientada para as exportações, e iria conhecer recuos, no século XVII, com as quebras dos mercados internacionais. Apesar de terem seguido trajectórias um tanto diferentes, as economias rurais da Inglaterra e dos Países Baixos do Norte, assim como as indústrias têxteis construídas a partir delas, partilhavam alguns traços institucionais, que em certa medida as distinguiam do resto do Noroeste da Europa. O mesmo não se passava com outros ramos da produção manufactureira e da indústria mineira. O século XVI foi uma idade de pouca inovação tecnológica na Europa (com excepção, talvez, da rápida difusão da imprensa com tipos móveis), mas tanto as indústrias extractivas como processadoras, que consumiam grandes quantidades de combustível, foram capazes de utilizar, nas forjas e nos fornos, os primeiros fornecimentos de carvão mineral, em substituição do carvão vegetal e da madeira. Na Alemanha, em alternativa à lenhite, mais amplamente disponível, mas mais pobre, e que se obtinha em minas a céu aberto, os primeiros veios de carvão betuminoso começaram a ser explorados antes de 1500, nas regiões onde já havia experiência de minas e de metalurgia, como o Ruhr, a bacia de Aachen ou o sul da Saxónia, mas só asseguravam uma parte do combustível necessário. Pelo contrário, mais para oeste, as minas de carvão de Liège produziam, em 1545 (data dos primeiros registos), 48000 toneladas por ano, e 90000 toneladas em 1562, que alimentavam os altos-fornos da indústria do ferro das Ardenas. Aqui, o número de fornos e de forjas subiu de 90 em 1500 para 220 em 1565. Mas a reimposição do catolicismo nos Países Baixos do Sul, a seguir à Revolta dos Países Baixos, levou muitos artesãos à emigração e mergulhou a indústria num declínio de que só recuperaria nos primeiros anos do século XVII. A indústria inglesa do carvão foi poupada a essas quebras. As minas de Northumberland e Durham situavam-se na vizinhança de zonas povoadas e de florescentes indústrias locais dependentes de combustível – que produziam cerveja, vidro e sal. Mas o carvão também era embarcado em grandes quantidades, sobretudo para o Sul de Inglaterra, onde era utilizado como combustível para a indústria ou no aquecimento doméstico: as exportações, de 45000 toneladas em 1510, subiram até às 500000 toneladas em meados do século seguinte.

No que respeita ao ferro, a balança voltava a inclinar-se com vantagem para o continente. Apesar de a produção inglesa ter aumentado rapidamente, de cerca de 5000 toneladas na década de 1550 até às 24000 toneladas um século mais tarde, isto representa apenas uma fracção da produção total da Europa do Norte e da Europa Central, que era de cerca de 70000 toneladas por ano em 1500, atingindo em 1600 o dobro desse valor, com dois centros principais de produção na Alemanha: um no Süderland, a leste de Colónia; outro no Alto Palatinado, a norte de Nuremberga. O Süderland já antes de 1500 era famoso pelo fabrico de arame, ferramentas e cutelaria; a produção, que usava altos-fornos e energia hidráulica, era tão especializada, nos principais centros – Solingen, Altena, Iserlohn e Lüdenscheid –, que abandonou a refinação de minério de ferro e passou a importar gusa do Siegerland, mais a sul. No Alto Palatinado surgiu uma verdadeira paisagem industrial, à volta de Amberg e Sulzbach, com vinte por cento da população empregada na indústria do ferro. A sua produção alimentava a avançada metalurgia de Nuremberga, onde as técnicas de fabrico de folha-de-flandres e arame se desenvolveram no século XV. A cidade tornou-se o centro de uma série de artigos especializados em metal, desde lâminas, facas, agulhas e bússolas a armaduras e armamento. Inicialmente, o Alto Palatinado produzia mais ferro do que toda a França (as 460 forjas que existiam em França, em 1542, eram, na sua maior parte, de fundação recente), mas, à medida que o século avançava, o número de forjas foi declinando, até que, em 1609, a produção tinha descido para apenas 9500 toneladas, provenientes de 182 forjas, dois terços das quais encerrariam na década seguinte. Mas, se o Alto Palatinado declinava – produzindo, em 1600, apenas um terço do ferro alemão –, outras regiões continuaram a prosperar: a indústria do ferro estendeu-se, a partir do Süderland, até aos confins orientais do Sauerland, ao Norte do Hesse e ao Sul da Vestefália, enquanto novos centros surgiam, no fim do século XVI, na Saxónia e nas montanhas do Harz, para não falar do extenso conjunto de minas de ferro a céu aberto no vale do Sarre.

A Saxónia e a Turíngia também eram centros importantes de produção de prata, atraindo investidores, que iam dos pequenos accionistas capitalistas locais (o pai de Martinho Lutero, por exemplo) até casas comerciais de dimensão internacional, como a dos Fuggers. Estes chegaram a enviar por terra minério de cobre, das suas minas na Eslováquia, para ser refinado, em conjunto com a produção das áreas de xistos cupríferos à volta de Mansfeld, nas suas fundições em

Hohenkirchen, na floresta da Turíngia. Mesmo quando, em meados do século, houve uma quebra na produção de prata, o cobre remanescente foi utilizado para fabricar utensílios domésticos ou então exportado para os prósperos centros metalúrgicos da Renânia, à volta de Aachen, onde era processado, com zinco e calamina de depósitos locais, para fabricar latão, vital para a crescente indústria de armamento do século XVI. O declínio da extracção de cobre não provocou, de qualquer modo, nenhum desastre na Saxónia, porque foi substituída pela extracção de estanho. A produção no Sul da Saxónia, que era de apenas 10 toneladas em 1470, atingiu as 200 toneladas em 1600. O único metal essencial à refinação da prata em que a Saxónia era deficitária era o chumbo, que tinha de ser importado do Harz ou das montanhas do Eifel e dos Vosges a ocidente, ou mesmo de Inglaterra (chumbo inglês do Nordeste, de Derbyshire ou Devon).

Recentemente, têm vindo a ser contestadas as análises do crescimento económico na Europa Moderna que se centram nos dados fundamentais da produção. Esses ataques partem daqueles que chamam a atenção para o consumo, sobretudo naquelas economias que se pensa terem sido a vanguarda do desenvolvimento capitalista. Ninguém põe em questão que o aparecimento de uma sociedade de consumo alargada tenha sido, de facto, um traço distintivo tanto da Inglaterra como dos Países Baixos do Norte, e é certo que isso contribuiu, com a passagem do tempo, para o carácter excepcional dessas economias. Mas é controverso que uma sociedade desse tipo tenha aparecido antes de meados do século XVII. No século XVI, o consumo conspícuo de bens materiais – ou, já agora, de bens culturais – vistos inicialmente como artigos de luxo e confinados aos ricos, permaneceu uma reserva das cidades que foram o centro do mecenato renascentista (Veneza, Milão ou Florença, na Itália) e das suas elites, ou então daquelas que emergiram como capitais de monarquias e principados com governantes que compreendiam o significado ideológico da exposição pública e da cultura de corte (Madrid, Nápoles, Lisboa, Bruxelas, Viena), ou ainda das cidades que eram entrepostos ou empórios (Sevilha, Antuérpia). Enquanto a economia quotidiana dos Países Baixos do Sul foi muito afectada pelo impacto da guerra e das perseguições religiosas, o seu comércio de artigos de luxo permaneceu relativamente incólume: bordados e lapidação de diamantes, em Antuérpia; majólica, jóias, móveis, tapeçarias, vidros e espelhos, em Bruxelas e Antuérpia. De facto, com o passar do tempo, esses gostos, ainda que exibidos com menor ostentação, foram também adoptados pela cultura burguesa dos Países Baixos do Norte, onde as cerâmicas de Delft e as tapeçarias e tapetes de Leiden adornam as telas da pintura de género holandesa, ao lado de baixelas e vidros, que irão conter produtos sedutores, como açúcar, tabaco, café e vinhos finos. Há alguns exemplos em que o comércio de artigos de luxo pode ser visto como uma compensação para o declínio da procura de bens de consumo de massas. Quando, a partir de 1600, a indústria de produção de fustão foi perdendo o pé em Augsburgo, a cidade construiu uma nova reputação no campo das artes decorativas e aplicadas, com movimentadas oficinas de ourives, prateiros, gravadores, impressores, marceneiros, fabricantes de objectos em marfim ou de instrumentos musicais e científicos, com destaque para os armeiros.

Conclusão

Em conclusão, as diferentes trajectórias económicas que se manifestaram na Europa atlântica deveriam encorajar-nos a uma reflexão mais ampla sobre os padrões subjacentes à mudança económica no período moderno, em especial sobre a alegada ascensão do capitalismo e sobre o lugar que ocupa, no desenvolvimento da economia europeia, o chamado "longo século XVI". O aparecimento do capitalismo agrário, em primeiro lugar, levanta várias questões controversas. É possível, de alguma maneira, comparar a economia agrária do Nordeste da Europa, mercantilizada, orientada para a exportação e baseada em latifúndios, que eram propriedade da nobreza (*Gutswirtschaft*), com a expansão, na Inglaterra, da propriedade aristocrática da terra, arrendada, a preços de mercado, a *yeomen*, que empregavam trabalhadores sem terra como mão-de-obra assalariada? Por causa do seu papel no aparecimento de uma economia mundial capitalista, Wallerstein defende que o carácter do sistema de *Gutswirtschaft* é essencialmente capitalista. Outros apontaram as óbvias semelhanças entre as propriedades das regiões a leste do Elba, trabalhadas por servos, e a economia das plantações no Novo Mundo, trabalhadas por mão-de-obra escrava. No entanto, a economia agrária das regiões a leste do Elba não tinha nada de capitalista em sentido estrito. Sendo reduzidos os custos monetários de produção suportados pelos senhores, estes eram, por isso, pouco sensíveis a indicadores de preços e de mercado; nestas circunstâncias, uma quebra nos preços podia não conduzir a um recuo na produção, já que a disponibilidade de mão-de-obra forçada podia levar a um aumento da oferta, como forma de compensação. Seria melhor descrever a economia agrária da Europa de Leste como um "feudalismo orientado para o mercado" (na expressão de Robert DuPlessis), uma definição que também se adequa aos domínios nobres voltados para o artesanato rural, para as culturas industriais ou para a produção têxtil, onde a coerção se aplicava mais na distribuição do que na produção.

No caso da Inglaterra, a historiografia recente sugeriu, como vimos, que os camponeses tradicionais podiam fazer a passagem para o capitalismo agrário da mesma forma que os *yeomen* em propriedades arrendadas (*leaseholders*). No que diz respeito aos Países Baixos do Norte, o revisionismo foi ainda mais severo: o aumento da dimensão das explorações agrícolas (e o crescimento do número de arrendamentos comerciais) representou só uma entre várias vias para o capitalismo agrário, e este, quando surgiu, fê-lo a alguma distância geográfica das áreas de capitalismo mercantil. No caso específico da Holanda, Peter Hoppenbrouwers propôs quatro configurações distintas de capitalismo agrário, sendo que apenas a última – um sistema completamente estratificado, com três níveis: proprietários, que forneciam terras e capitais, rendeiros e trabalhadores assalariados – corresponde ao modelo inglês. De qualquer modo, acrescenta, ainda existiam em grande número pequenas propriedades nas mãos de camponeses. Esta argumentação foi levada mais longe por Bas van Bavel, num estudo recente sobre a região fluvial do Sul dos Países Baixos do Norte, que mostra que o aparecimento de empresários rurais arrendatários não excluía a sobrevivência de camponeses com bons direitos de propriedade; contudo, os primeiros agiam por sua própria iniciativa, e não por pressão de comerciantes ou proprietários nobres ou em resposta à penetração de capital urbano; e os últimos, face à pressão demográfica e à falta de terra, não subdividiam as suas propriedades nem regressavam a uma agricultura de subsistência, contrariando assim o esquema de Brenner de involução do campesinato. Não há, pois, que apresentar a Inglaterra e os Países Baixos do Norte como claros pioneiros do capitalismo agrário, em contraste com o resto da Europa: as diferenças entre os dois territórios, *e mesmo no interior de cada um*, são demasiado grandes para encaixarem num modelo tão rigidamente bipartido.

Cautelas similares devem observar-se quando se avalia o papel do sistema de trabalho ao domicílio (*Verlag*) como ponte entre o capitalismo mercantil medieval e o capitalismo industrial moderno. A sua prevalência generalizada naquelas regiões da Europa – Espanha, França, Alemanha Ocidental – que não estiveram entre as primeiras a industrializar-se, em conjunto com uma tendência crescente, a partir do século XV, para a subcontratação de trabalho ao domicílio nas zonas rurais como base de uma indústria têxtil rural, servindo assim de apoio a uma economia e a uma sociedade camponesas, deveria tornar-nos cépticos quanto à sua capacidade *autónoma* de provocar mudanças decisivas na economia. São raros os casos em que o sistema de trabalho ao domicílio levou os fornecedores de capitais e os empresários a um empenhamento total no processo de produção, e é questionável que a dispersão da produção nas zonas rurais, em vez da sua concentração em centros urbanos, tenha conduzido a uma eficácia institucional, pela diminuição de custos de transição e de transacção. Neste sentido, o *Verlag* era, de facto, um fenómeno capitalista *primitivo*, que por isso não continha em si nenhuma teleologia de crescimento económico. Isto é verdade mesmo nos casos em que o sistema se desenvolveu em genuínas proto-indústrias; as empresas metalúrgicas de Nuremberga, por exemplo, estabeleceram "protofábricas" antes de 1500, mas, nos séculos que se seguiram, continuaram a ser apenas isso, sem nunca terem evoluído para instalações industriais.

Mesmo os exemplos ocasionais de integração vertical não eram sinal de nenhuma viragem decisiva. É possível que a empresa de lanifícios fundada por Heinrich Cramer, em Altenburg, no Siegerland, no fim do século XVI, tenha empregado tecelões holandeses imigrantes, que usavam as mais modernas rodas de fiar em cem oficinas de tecelagem, a que havia que acrescentar um pisão e uma tinturaria, e que tenha ido buscar a lã às grandes propriedades de criação de ovelhas da zona rural envolvente, em que Cramer tinha investido; mas nunca se transformou no ponto de partida de uma industrialização completa da região. Do mesmo modo, em Espanha, faliu em 1600 uma empresa têxtil de Segóvia, que empregava, na década de 1570, em todas as fases do fabrico, mais de cem trabalhadores, e recorria a fiandeiras das zonas rurais como trabalhadoras ao domicílio. Destino semelhante teve a empresa de construções fundada, na década de 1540, em Antuérpia, por Gilbert van Schoonbeke, que tinha os seus próprios fornos para cozer tijolos e para queimar a cal, bem como dormitórios para mais de cem cavadores, que trabalhavam nas turfeiras. A empresa perdeu a sua razão de ser com a conclusão das novas fortificações em torno da cidade, tendo o negócio sido abandonado. Mesmo os Fuggers, que tinham recorrido à integração vertical nas suas minas de cobre da Eslováquia, afastaram-se, como vimos, da intervenção directa na produção e na distribuição, para se concentrarem na participação no mercado do cobre.

Por outro lado, o aparecimento de sociedades anónimas no século

XVI prenuncia os métodos modernos de acesso a capital de investimento. É certo que a *commenda* italiana da Idade Média já prefigurava as sociedades anónimas; mas, enquanto naquele caso os riscos eram igualmente partilhados por todos os sócios, envolvidos no negócio por sua própria conta, nas novas sociedades que então surgiam, chamadas *rederijen*, um número muito maior de investidores, tanto grandes como pequenos, podia ter acções, na qualidade de sócios ocultos. As primeiras sociedades deste tipo estabeleceram-se nos Países Baixos do Norte no século XV, como consequência da necessidade de reunir capital para a construção naval e para o comércio, numa região ainda subdesenvolvida. Em finais do século XVI, estas sociedades anónimas tinham tomado o controlo do comércio externo inglês, com a Muscovy Company a ser considerada a primeira verdadeira empresa do género: foram as precursoras das Companhias das Índias Orientais e das Índias Ocidentais.

De facto, o que distingue a economia europeia do século XVI é a explosão do crédito e dos instrumentos de crédito. A afirmação de Antuérpia como centro financeiro e comercial (até às perturbações de meados do século) é uma história muitas vezes contada; menos conhecido é o aparecimento, nesse mesmo período, de Basileia como capital financeira da Confederação Suíça, fornecendo mais de metade de todos os créditos públicos e atraindo investidores do estrangeiro, incluindo príncipes e prelados do Sul da Alemanha. A chave desta revolução financeira foi a negociabilidade: incontestavelmente, a Inglaterra tinha aberto o caminho, já em 1437, para estes instrumentos de crédito negociáveis. No fim do século XV, a capital hanseática Lübeck reconhecia as letras ao portador, no que foi seguida em 1507 por Antuérpia, e em 1541 por todos os Países Baixos espanhóis dos Habsburgos. Nesse mesmo ano, os Habsburgos legalizaram o pagamento de juros sobre empréstimos até 12% (ignorando as disposições canónicas sobre a "usura"), removendo assim o principal obstáculo ao desconto das letras negociáveis. As promissórias dos empréstimos a curto prazo tornaram-se também completamente negociáveis, assim como as obrigações do Tesouro (*rentes*), o que permitiu criar um enorme mercado de créditos, sobretudo depois da fundação, em 1531, da Bolsa de Antuérpia. Apesar de a cidade – e os Países Baixos do Sul em geral – ter sido vítima da intransigência dos Habsburgos na Revolta dos Países Baixos, os instrumentos financeiros desenvolvidos no Sul foram adoptados no Norte na sua totalidade: Amesterdão suplantou Antuérpia, com o seu banco de operações cambiais a abrir portas em 1609. É claro que uma expansão tão rápida do crédito gerou os seus próprios problemas: a bolha rebentou na década de 1560, ao falir o primeiro de uma série de bancos internacionais, quando os monarcas de Espanha e de França não cumpriram os prazos de pagamento e converteram as dívidas em obrigações do Estado, deixando os credores das respectivas coroas encalhados, com papéis sem qualquer valor. Mesmo o governo dos Países Baixos teve dificuldades em pagar os juros das suas *rentes*, atingindo duramente os pequenos investidores. As origens do carácter excepcional dos Países Baixos, que abriu caminho à grandeza comercial da idade de ouro da sua economia, entre 1580 e 1700, devem talvez procurar-se na sua vantagem institucional no domínio do crédito e das finanças, desde que nos lembremos de que as origens repousam tanto no Sul (com as letras negociáveis) como no Norte (com as *rederijen*).

As Províncias Unidas dos Países Baixos beneficiaram também daquilo a que, em linguagem actual, se chamaria transferência de tecnologia, com a chegada dos refugiados religiosos das perseguições católicas, que traziam consigo as suas qualificações e as suas competências. Por exemplo, os flamengos que fugiram para a Holanda, como consequência da Revolta dos Países Baixos, ajudaram a reanimar a aflita indústria têxtil de Leiden. Essa dispersão, evidentemente, não se confinou aos Países Baixos – tenha-se em conta a fuga para Genebra de calvinistas de França e de Itália em meados do século – e alcançaria o seu clímax extraordinário no início do século XVII com a expulsão dos mouriscos (que já tinham sido dispersos à força por todo o lado em Castela, como consequência da sua rebelião entre 1568 e 1570). No entanto, a principal diáspora económica teve origem nas províncias dos Países Baixos do Sul, dos Habsburgos, com artesãos, empresários e financeiros a espalharem-se até muito longe, não apenas pela Holanda, mas também pela Inglaterra (e Escócia) e pela Alemanha Ocidental, onde várias novas cidades foram fundadas expressamente para acolher refugiados e aproveitar as suas qualificações como tecelões (Frankenthal), fabricantes de meias (Hanau) ou marceneiros (Neuwied).

Se a Inglaterra e a República dos Países Baixos devem ser vistas como casos excepcionais, então isso é testemunhado pela capacidade de ambos os países ultrapassarem as dificuldades económicas que assediaram a Europa a partir da década de 1560. Essas dificuldades manifestaram-se sob a forma daquilo a que, em termos não muito precisos, se pode chamar uma crise malthusiana, quando uma população crescente já não conseguia alimentar-se de modo adequado com o que produziam as terras de cultivo, sucumbindo à fome e à doença, numa situação exacerbada por uma série prolongada de colheitas perdidas no início da década de 1570, em meados da de 1580 e em finais da de

1590. Em vez de atribuírem simplesmente a crise à pouca elasticidade de uma economia agrária sob tensão e ao conservadorismo camponês, os historiadores têm recentemente dado atenção ao papel das alterações climáticas. A partir de cerca de 1560, uma boa parte da Europa foi atingida por uma "pequena idade do gelo", que durou até 1630. O período caracterizou-se por uma queda generalizada das temperaturas médias anuais, por uma redução do período de crescimento das culturas e por correntes frias de ar polar. Esta deterioração do clima, no entanto, foi mais pronunciada nas regiões do interior do que nas regiões costeiras (dando assim alguma vantagem à Inglaterra e à Holanda), e parece ter afectado a Europa do Norte, mais fria, onde o cultivo de cereais e da vinha, como culturas mediterrânicas, sempre enfrentou um risco de perda de colheitas maior do que no Sul, mais quente e mais ensolarado. Aqueles que escreveram sobre o "longo século XVI", prolongando-o até 1650 – Fernand Braudel e outros – tinham o Mediterrâneo firmemente debaixo dos olhos; defendem que a época só se aproxima do fim com a chamada "crise do século XVII". Mas a norte dos Alpes são as décadas a seguir a 1560 que marcam o fim gradual de um ciclo económico iniciado na década de 1470.

Braudel apontou também o enfraquecimento da vitalidade empresarial na Europa continental como causa da esclerose económica do fim do século XVI. Mercadores e financeiros, *parvenus* num mundo de valores aristocráticos feudais, aspiravam a ter títulos de nobreza e grandes propriedades rurais. Pretende-se que um exemplo clássico desta tendência "refeudalizante" – Braudel chamou-lhe "traição da burguesia" – seja a retirada dos Fuggers para a condição de grandes proprietários. Em 1600, tinham comprado terras no valor de dois milhões de florins, a mesma quantia que iriam perder com a bancarrota da coroa espanhola em 1607! Não se põe em dúvida que os burgueses desejassem tornar-se senhores; mas a este argumento escapa o essencial. A longo prazo, o que conta é saber se os factores institucionais favorecem o investimento e o risco. Se o Estado – seja uma monarquia, uma cidade-estado ou uma república – garante direitos de propriedade, protege os mercados de exportação e elimina os obstáculos corporativos ao comércio, então os riscos do investimento diminuem. No entanto, em boa parte da Europa continental, em 1600, as oportunidades de obter rendas sem correr riscos começavam a ser mais remuneradoras do que o investimento empresarial – e, neste aspecto, a Inglaterra e a República dos Países Baixos eram, de facto, a excepção que prova a regra.

2

A política
e a guerra

Mark Greengrass

A 7 de Maio de 1511, o *Consejo Réal* da coroa espanhola reuniu em Sevilha. A assembleia de juízes ouviu um secretário régio ler uma petição, dirigida por Dom Diego Colombo, Almirante das Índias, à «minha muito poderosa senhora» rainha Joana de Castela. Acompanhava a petição um processo, cujo volume correspondia à importância dos privilégios reclamados. Em seis artigos, Diego (filho de Cristóvão Colombo) exigia o reconhecimento de enormes "direitos", uma percentagem substancial dos lucros do comércio das Índias, que seu pai afirmava terem-lhe sido concedidos pela coroa espanhola em várias "capitulações", como recompensa pela sua extraordinária descoberta do Novo Mundo. O grande explorador verificara que era mais fácil naufragar no mar da política do século XVI do que no Atlântico. Regressara a Sevilha, após a sua última viagem, assoberbado de dívidas e determinado a reclamar a justa recompensa dos seus esforços. Enviara várias cartas à rainha Isabel (1474-1504) e ao rei Fernando (1452-1516). Em Novembro de 1504 argumentava: «É certo que servi Vossas Majestades com mais diligência e mais amor do que os que emprego para alcançar as portas do paraíso. Se nalguma coisa falhei, é porque estava para lá do meu conhecimento e do meu poder». Recorreu a familiares, parentes e amigos, para que intercedessem em seu favor: seu irmão, o *Adelantado*, seu filho Diego, o secretário régio Juan de Coloma e um banqueiro florentino, a quem devia dinheiro, Américo Vespúcio (1454-1512). Vespúcio apresentou-se na corte, em Segóvia, em representação de Colombo, em Fevereiro de 1505, levando no bolso uma carta para um príncipe da família dos Médicis, acabada de imprimir e posteriormente intitulada "O Novo Mundo", que sugeria que o "Novo Mundo" era descoberta sua. Foi este livro que levou, em 1507, um cartógrafo ao serviço do duque de Lorena, no longínquo Norte da Europa, a imprimir a legenda "América" no seu mapa e na nossa consciência posterior: um monumento à argúcia política florentina. Insatisfeito com o atraso interminável, Colombo acabou por decidir apresentar-se em pessoa na corte, apesar das dores terríveis causadas pela gota, que o levaram a tentar saber se poderia pedir emprestado um catafalco com rodas, pertencente ao arcebispo de Sevilha. Mas Colombo era suficientemente arguto para perceber que lhe seria desfavorável apresentar-se na corte num carro funerário. Para ele, honra, reputação e posição eram valores essenciais. Viajou assim montado numa mula até Medina del Campo, e depois até Valladolid , onde morreu a 20 de Maio de 1506, com o caso ainda pendente, tendo o seu filho – e depois os seus herdeiros (no século XVIII, a família Colombo continuava a reclamar activamente aquilo a que julgava ter direito) – continuado a pedir justiça. Em 1511, os juízes não lhe deram razão. Apesar de Dom Diego, casado com uma prima do rei e nomeado Almirante das Índias, ocupar uma posição poderosa e ser uma figura de relevo na corte de Espanha, os juízes, na sua sentença, datada de 11 de Junho, rejeitaram a petição, considerando que esta infringia os direitos soberanos inalienáveis da coroa espanhola.

Esta petição conduz-nos ao coração do processo político na Europa do século XVI. Por um lado, existiam estruturas políticas formais – conselhos régios, tribunais superiores de justiça, tronos e câmaras, leis e ordenações. Mas, ao lado desses elementos formais, estendiam-se redes informais de poder – favor e influência, promessas e recompensas, honra individual e familiar, privilégio e *status*. Essas estruturas políticas, tanto as formais como as informais, tinham as suas próprias regras. Umas dependiam dos precedentes históricos, de pretensões jurídicas e da tutela da *res publica*. As outras baseavam-se na amizade e nas relações pessoais. No século XVI, a política situava-se na intersecção destes dois tipos de estruturas, já que o funcionamento dos sistemas políticos dependia da sua interacção.

Espaços unificados

Desde a Idade Média Central que as formas de governo na Europa eram extremamente variadas, no seu carácter e nas suas origens. No século XVI, incluíam repúblicas com pretensões a serem impérios marítimos (Veneza, Génova), cidades-estado quase sem *hinterland* (Genebra, Dubrovnik, Gdańsk) e uma república provincial embrionária, que, em 1600, já dispunha de uma estrutura de tipo estatal (a República dos Países Baixos). Havia um velho império (o Sacro Império Romano-Germânico), que ia adquirindo, nos seus territórios centrais, dos Habsburgos, o aparato de um estado dinástico, ao lado de um novo condomínio (Polónia-Lituânia, fundidas na União de Lublin em 1569), que se apresentava como uma república (*Rzecspospolita*) e que tentava evitar idêntico caminho. Oligarquias rurais independentes (as Ligas Cinzentas – Grisons/Graubünden –, que governavam os vales dos flancos meridionais dos Alpes Suíços, do lado da Itália) coexistiam com uma confederação pouco estruturada de repúblicas, habitualmente sob o domínio de uma cidade (a Confederação Suíça). Um elevado número de pequenos principados – mais do que habitualmente se imagina, já que havia entidades políticas deste tipo na península da Itália, em partes dos Pirenéus, no Norte da Alemanha e nos Países Baixos – governavam-se a si mesmos na maior parte dos assuntos, ainda que ligados frequentemente a vizinhos maiores por laços frouxos de fidelidade. Alguns eram as crateras vulcânicas em declínio do que, retrospectivamente, pode ser visto como anteriores estados "falhados" (Borgonha, Navarra). Havia também muito espaço desocupado na Europa política, sobretudo nas suas margens – lugares geralmente isentos de qualquer domínio político formal, que possa ser avaliado. Bandos cossacos de polacos e moscovitas dominavam as estepes do fim da Europa, os senhores gaélicos da Irlanda governavam para lá do *English Pale*, e os piratas uzkoks controlavam a costa da Dalmácia, no Adriático. Havia ainda monarquias electivas no Leste e no Norte (Boémia, Hungria, Polónia, Dinamarca, Suécia), e uma singular monarquia electiva governava o maior território da Itália Central (os Estados Pontifícios). Por fim, os estados que melhor recordamos, e que tendem a servir de padrão para os outros: as monarquias hereditárias. Algumas assentavam em velhas fundações, mesmo que fossem recentes as dinastias reinantes (os Valois, no trono de França desde 1328, com o ramo mais novo dos Valois-Angoulême desde 1515; os Tudors, no trono inglês desde 1485; em Espanha, desde 1516, os Habsburgos).

Em parte alguma podemos encontrar um "estado-nação" no século XVI. Trata-se de um quadro conceptual do século XIX, que os historiadores desse período impuseram às monarquias hereditárias, que a ele não se ajustam, já que eram essencialmente empreendimentos dinásticos – mais ligados aos caprichos da fortuna da família do que às pretensões de identidade nacional. Os percalços dinásticos redesenharam o mapa político do Baixo Reno, em 1477, com a morte em batalha de Carlos, o Temerário, o último varão na linhagem dos duques da Borgonha. O mesmo sucederia na Península Ibérica, em 1580, com a morte, aos 24 anos, do jovem rei Sebastião de Portugal, que se recusara a casar (aparentemente por temer sofrer de impotência). A conjuntura dinástica uniria os tronos da Inglaterra e da Escócia em 1603, criando, pela primeira vez, uma coroa britânica conjunta. E também não foi apenas o engenho político de Carlos da Borgonha que o levou a unir o domínio dos Países Baixos às coroas recentemente reunidas de Castela, Aragão e Nápoles, mas a morte inesperada, em 1497, de Dom João, herdeiro do trono de Castela (morreu aos 19 anos, segundo se disse, de um excesso de "cópula"), seguida pela morte de seu pai, Filipe, o Formoso, em 1506, e, por fim, pelo falecimento, uma década depois, em 1516, de Fernando, rei de Aragão. Foi esta a origem da maior confederação dinástica que a Europa alguma vez conheceria: o império dinástico dos Habsburgos, uma superpotência dominante na Europa do século XVI. Mesmo na Europa Ocidental, os limites dos estados eram muitas vezes incertos, reflectindo reclamações dinásticas recíprocas, mais do que questões de cultura, língua ou instituições. O reino de França cresceu de forma espectacular, cerca de um terço, no século que se seguiu à Guerra dos Cem Anos, através sobretudo de hábeis alianças dinásticas na Bretanha, na Borgonha e noutras regiões. Na Europa Oriental, as fronteiras eram ainda mais incertas, sobretudo depois da divisão da Hungria com os turcos, na sequência da batalha de Mohács (1526).

Qual era o segredo de um estado dinástico com sucesso? Melhor do que ninguém, sabiam-no os Habsburgos. «Nenhuma família atingiu alguma vez tanta grandeza e tanto poder, por alianças matrimoniais e relações de parentesco, como a Casa de Áustria», escreveu Giovanni Botero no seu *Da Razão de Estado* (1589). Há quem tenha especulado que o sucesso dos Habsburgos terá sido, em parte, o resultado dos costumes sucessórios alemães, que permitiam a transmissão da herança por via feminina, em contraponto com o costume sucessório régio francês, governado pela "Lei Sálica" (na realidade, uma invenção de juristas do fim da Idade Média, para excluir as pretensões inglesas ao trono de França), que a proibia. Mas os costumes sucessórios eram sempre convenientes numas circunstâncias e inconvenientes noutras, e existiam para ser cumpridos, e não mudados. Os mesmos costumes sucessórios alemães encorajavam a divisibilidade da herança, que continuava a subdividir os principados do Norte da Alemanha. A questão central é que uma dinastia não era apenas uma família. Era uma colectividade de direitos e títulos herdados, que transcendiam os indivíduos. Carlos V e Francisco I justificaram a sua intervenção militar em Milão, Nápoles e nos Países Baixos, com reclamações que remontavam, nalguns casos, ao século XIII. Tradições ancestrais estavam no coração da política dinástica. No seu famoso discurso de condenação de Martinho Lutero, na Dieta de Worms, em 1521, Carlos V começou por uma alusão explícita aos «meus antepassados ... imperadores cristianíssimos, arquiduques de Áustria e duques da Borgonha», defensores da fé, que «transmitiram esses sagrados ritos católicos, depois da sua morte, por direito natural de sucessão». O poder dinástico era assim conservador por natureza, maçadoramente conservador para os historiadores do século XIX, que, com frequência, procuraram em vão, no comportamento dos seus soberanos, qualquer tipo de dinâmica racional de edificação do Estado. Um soberano legítimo não era apenas o que tinha o direito a reclamar para si o poder, mas também o que preservava os "direitos" e "privilégios" do seu povo – direitos e privilégios complementares e co-extensivos com os da própria dinastia. Assim, a política do século XVI não era determinada por projectos racionais de edificação do Estado, mas pelos factos dinásticos da vida: casamentos, nascimentos e mortes.

Dos três, o casamento era o mais susceptível de ser utilizado em acordos políticos. Das alianças dinásticas, como Erasmo observou na sua *Educação de um Príncipe Cristão*, «diz-se serem os principais negócios humanos», «geralmente consideradas cadeias inquebráveis da paz geral». As promessas de casamento, apresentadas pelos príncipes, após cuidadosa deliberação nos seus conselhos, sustentavam as alianças militares e diplomáticas. O arcebispo de Cápua escreveu a Carlos V: «Em tempo de guerra, os ingleses utilizam as suas princesas como utilizam as corujas, como chamarizes para atraírem pássaros mais pequenos». E o próprio Carlos observou que «o melhor meio de conservar íntegro o reino é fazer uso dos filhos». O ponto principal do acordo vitorioso, imposto por Carlos a Francisco I, em 1526, foi o matrimónio do rei de França com sua irmã Leonor. O famoso tratado de Cateau-Cambrésis (1559) foi selado com três propostas de casamentos reais. Mas os termos desses tratados eram flexíveis. Reconheciam níveis diferentes de compromisso, podendo muita coisa acontecer entre um noivado, um casamento e a sua consumação, especialmente quando as partes em questão não tinham ainda atingido a maioridade canónica (12 anos), como acontecia com frequência. Em geral, era aceite que, quanto mais estreitas fossem as relações entre uma e outra dinastia, mais provável era que o acordo fosse entendido como obrigatório. Os casamentos dos príncipes eram acontecimentos políticos: ocasiões para as dinastias renovarem o seu sentido de destino e momentos de reconciliação política. Catarina de Médicis investiu tanto neste último aspecto, que passou meses a negociar cuidadosamente o casamento de sua filha Margarida ("Margot") com Henrique de Navarra, que se afirmava como chefe protestante em França. O casamento, celebrado em Paris em Agosto de 1572, foi planeado como um triunfo do amor cortês e neoplatónico sobre as forças destrutivas da controvérsia religiosa, apesar de ter levado, no prazo de dez dias, ao maior desastre político do século: o massacre de São Bartolomeu (24 de Agosto de 1572). Na Inglaterra, a aberta relutância de Isabel I em casar-se tornou-se o principal motivo de discórdia entre a rainha, os seus conselheiros e o Parlamento. Não havia dúvidas, entre os contemporâneos, de que o casamento dinástico trazia consigo honra, *status*, riqueza e herança. Era um meio de estabelecer uma suserania sem necessidade de recorrer à anexação, apesar de se ter também tornado, pela grande complexidade de um elevado número de casamentos cruzados, uma fonte de conflito, ao gerar pretensões dinásticas rivais (e em Erasmo este era o ponto essencial). Na realidade, no século XVI, o princípio dinástico fazia girar o mundo.

As dinastias funcionavam como clãs. Eram, ao mesmo tempo, corporativistas e hierárquicas. O velho imperador Maximiliano considerava que ele próprio, a sua filha, Margarida de Áustria, e o seu neto e provável herdeiro, Carlos V, eram «um e o mesmo, correspondendo ao mesmo desejo e à mesma afeição». Mais tarde, em 1526, Carlos V ofereceria ajuda a seu irmão Fernando, «a quem amo e estimo como um outro eu (*comme ung aultre moymesmes*)». Aconselha Fernando, dizendo-lhe que os inimigos dos Habsburgos procurarão «certamente desunir-nos, dividir-nos, para quebrarem o nosso poder comum e destruírem a nossa casa». Este receio era partilhado por todas as dinastias, ainda que, na realidade, as suas divisões viessem geralmente de dentro e fossem, quando isso sucedia, altamente destrutivas. Carlos, filho de Filipe II, foi a primeira pessoa a desafiar directamente o poder do pai, tendo procurado, nos meados da década de 1560, criar o seu próprio partido na corte e sondar, através de enviados seus, os rebeldes dos Países Baixos. Os resultados levaram à sua morte em circunstâncias trágicas. A mal disfarçada inimizade entre o último rei Valois de França, Henrique III, e seu irmão mais novo, Francisco Hércules, duque de Alençon, e depois duque de Anjou, foi evidente, desde 1576 até à morte de Francisco, em 1584, tendo contribuído para o desastre que se abateu sobre uma das principais dinastias da Europa. Foi este receio que levou todas as dinastias reinantes da Europa a desenvolver uma hierarquia informal de gradações dentro do clã, que se abria para incluir os membros masculinos e femininos, legítimos e ilegítimos, e que se reflectia nas numerosas histórias dinásticas desse período. De um modo geral, os ramos mais recentes de um clã aceitavam a necessidade de fidelidade ao titular da dinastia e ao seu papel de garante do destino comum, em troca de uma protecção efectiva dos seus interesses pessoais.

Nos estados dinásticos, os nascimentos eram acontecimentos políticos. O sexo era o substrato da política de corte. As noites de núpcias eram públicas. A lei castelhana não era a única a exigir, nessas circunstâncias, a presença de notários junto do leito real. Tanto Francisco I como o papa Clemente VII observaram o jovem Henrique II, de 14 anos, e Catarina de Médicis a «enfrentarem-se na cama», na sua noite de núpcias. As dificuldades tornavam-se rapidamente conhecidas, e eram por vezes fonte de sátiras e de humor. Brantôme assegurava ter visto Francisco II de França «falhar muitas vezes» na cama com Maria Stuart – os testículos do pobre rapaz não teriam descido da pélvis. Joyeuse e Épernon, *mignons* da corte de Henrique III, irmão de Francisco, mais novo do que este, foram amplamente apresentados em França como «os príncipes de Sodoma» de um rei homossexual, que não tinha sido capaz de produzir um herdeiro. Os partos reais eram assunto de intensa especulação política. «Neste país, a maternidade da rainha é o fundamento de tudo», escreveu, da corte dos Tudors, o embaixador imperial Simon Renard em 1536. Os rituais não deixavam dúvidas quanto à magnitude do acontecimento. Tapeçarias que recordavam a história ilustre da dinastia ornavam as paredes do quarto de "partos" dos Tudors. A futura mãe vestia roupas de significado histórico para a dinastia, e exibiam-se relíquias auspiciosas, para a assistirem no parto. Tudo isto é perfeitamente compreensível. Mais de metade das rainhas Habsburgo do século XVI morreram a dar à luz. A mulher do rei D. João III de Portugal teve nove filhos, mas só uma das crianças viveu até à idade de vinte anos. Há registo de catorze concepções nos dois primeiros casamentos de Henrique VIII, mas só sobreviveram duas filhas. Os estados dinásticos dependiam do facto biológico de, no século XVI, a principal ameaça à continuidade dinástica não ser a concepção, mas a dificuldade de levar a gravidez a seu termo.

A morte do titular de uma dinastia era um momento extraordinário de transição política. Os funerais eram uma ocasião para manifestar solidariedades pessoais e familiares, de acordo com as leis, as tradições e os costumes herdados, elaboradamente preparados e registados. Ao mesmo tempo eram, no entanto, momentos de ruptura. Conselheiros de Estado descobriam ter perdido o favor. As pensões concedidas por um príncipe não eram automaticamente assumidas pelo seu sucessor. Na tradição francesa, o mordomo-mor da casa real, quando um monarca falecia, partia solenemente o seu bastão de comando, para indicar que o seu serviço terminava, como o de toda a corte. Em França e Inglaterra, as tradições dos funerais reais tinham as maiores dificuldades em fazer passar a ideia de continuidade, expressa na frase, que o filósofo político Jean Bodin regista como um lugar-comum: «O rei nunca morre», e que em França se manifestava pela construção de uma efígie em cera, em tamanho natural, representando o rei morto, colocada em exposição cerimonial (*lit de parade*). A essa efígie eram apresentadas refeições a intervalos regulares, e era reverenciada como rei, de nome e de facto, até se completarem os funerais do rei e a subida ao trono do seu sucessor. Essas efígies, em conjunto com retratos, esculturas, troféus e relíquias, servirão, a seu tempo, para educar os mais jovens descendentes do clã. Erasmo, cujo tratado dá ênfase à importância da educação dos príncipes, sublinha o significado que esses "exempla" tinham para os romanos. «Como brilha na tua face a nobreza de teu pai» (*Quantus in ore pater radiat* – o texto vem de Claudiano) era o emblema de uma medalha comemorativa da subida de Erik XIV ao trono da Suécia, em 1560. O retrato ocupava um lugar importante na cultura política do século XVI, por ser um instrumento dessas continuidades pedagógicas, criando uma presença ausente, que capturava não só a parecença física, mas também as virtudes interiores associadas. Por toda a Europa, as dinastias do século XVI construíam galerias, para exporem esses retratos pintados e outras recordações. O equivalente funerário era o mausoléu, de que é exemplo a capela dos Médicis, na Igreja de São Lourenço, em Florença, que inspirou o monumento dos Valois, em Saint-Denis, encomendado por Catarina de Médicis. O trabalhado mausoléu dos Habsburgos de Espanha, no Escorial, foi desenhado por Juan de Herrera de modo a incluir uma cela que Filipe II podia visitar, para estar em comunhão com os antepassados, aí representados por estátuas de Leoni.

A abdicação imperial de Carlos V, em 1555, foi a mais extraordinária transição política do século. Não havia precedente para uma morte "política", e teve de ser inventado o cerimonial, que começou a 22 de Outubro, em Bruxelas, com a resignação formal do imperador ao cargo de grão-mestre da Ordem do Tosão de Ouro, em favor de seu filho Filipe. Carlos V ordenou aos cavaleiros da Ordem, reunidos em assembleia, que renovassem pessoalmente a Filipe, na sua presença, os seus votos de fidelidade. Três dias depois, teve lugar a abdicação propriamente dita. O imperador sentou-se num estrado, no grande salão do palácio de Bruxelas, perante uma assembleia de mais de mil dignitários, tendo o filho, Filipe, à sua direita, e à esquerda sua irmã Maria da Hungria, regente dos Países Baixos. Ao fazer o discurso de abdicação, apoiou-se no ombro do príncipe de Orange, teve dificuldade em ler, de óculos postos, as notas que levava, e chorou. No fim, falou com o filho em espanhol, e este ajoelhou perante ele. O imperador investiu-o solenemente com a sua autoridade, recomendando-lhe que defendesse as leis e a fé verdadeira, e que governasse o povo com justiça e em paz. No dia seguinte, Carlos assinou em privado o acto de abdicação, enquanto Filipe recebia os juramentos de obediência dos delegados dos Estados Gerais dos Países Baixos, jurando, por sua vez, manter as suas leis e privilégios. A continuidade foi preservada por um acto formal; e, no plano informal, a lealdade das elites políticas foi transferida de uma geração para a geração seguinte.

As elites políticas

É bastante mais fácil apresentar as dinastias da Europa do século XVI do que as suas elites políticas. A partir da Idade Média Central, a política europeia tornou-se multifacetada no seu carácter, nas suas origens e no seu contexto institucional. Isto é evidente no que diz respeito às suas instituições centrais, os conselhos e as cortes – estruturas de poder formal e informal, trabalhando em geral de forma co-extensiva e em colaboração. O governo pelo conselho era uma realidade estabelecida, mesmo nas monarquias de pretensões mais absolutistas. Nas monarquias electivas da Europa Central, do Norte e de Leste, o conselho régio era a moldura para a continuada participação da aristocracia no poder, dando por vezes corpo às pretensões dos parlamentos a uma representação do reino na sua totalidade. Nas emergentes Províncias Unidas dos Países Baixos, o Conselho de Estado, de doze membros, historicamente descendente do seu remoto homónimo borgonhês, tornou-se um comité executivo dos Estados Gerais. Noutros lugares, sobretudo quando a monarquia se compunha de territórios distintos, quase autónomos, o conselho régio dividia-se em entidades territoriais separadas. Os Habsburgos espanhóis tinham conselhos diferentes para Castela, Aragão, Portugal e os Países Baixos, bem como para as suas possessões na Itália e nas Índias. Os Tudors tinham conselhos separados, subordinados, para o Norte de Inglaterra e para o País de Gales. Em todo o lado, o número crescente de conselheiros levou ao estabelecimento de conselhos internos "privados" mais pequenos, com amplas responsabilidades políticas, especializados nas "grandes questões" de Estado, em que era essencial a confidencialidade. A pertença a um destes conselhos era com frequência predeterminada por nascimento e condição. Em França, a família real e os príncipes de sangue consideravam-se membros de direito do conselho régio. Nalguns países católicos, alguns prelados alcançavam também esse estatuto. Na Polónia, o chanceler, o tesoureiro, o comandante do exército e os bispos eram membros *ex officio* do conselho. Tentar excluir algum desses indivíduos, que pretendiam ter direito a um lugar na mesa, era arriscar uma acusação de autocrático, refém de favoritos, presa de uma voz no conselho com exclusão de outras. Incluir todos significava dispor de uma elite governativa demasiado pesada. O "bom conselho" era um problema político central para os príncipes electivos e dinásticos do século XVI.

Uma forma de responder a este problema era permitir que os assuntos administrativos correntes se tornassem uma rotina institucional, e entregá-los a "profissionais". A administração da justiça no seu nível mais elevado, originalmente tratada pelo rei no seu conselho, foi sendo cada vez mais delegada em conselhos autónomos ou em secções do conselho régio. Os Conselhos de Castela e Aragão tinham, já em 1500, ramos judiciais e governamentais. Em França, o *conseil d'état privé* (que tratava de questões judiciais levadas ao conselho régio) e o *conseil d'état et des finances* (que administrava as finanças da coroa) emergiram gradualmente, como entidades separadas, na segunda metade do século XVI. No Império Alemão, e na maior parte dos seus principados, formaram-se, durante o século XVI, a partir do conselho geral da corte do rei ou príncipe (*Hofrat*), tribunais judiciais (*Hofgerichte*), habitualmente seguindo o modelo do *Reichskammergericht* imperial, fundado em 1495. Organizações do mesmo tipo, muitas vezes chamadas "câmaras" (o que reflecte a sua origem na administração dos principados), administravam os assuntos financeiros dos estados, cada vez mais complexos. No Império Alemão, a *Hofkammer* dos Habsburgos, fundada em 1527, é o modelo que irá ser seguido por outros estados territoriais, como a Baviera. Em Nápoles, a *Camera della Sommaria* tinha funções fiscais e de verificação das contas. Questões monetárias, obscuras, mas politicamente importantes, tendiam cada vez mais a ser tratadas por câmaras administrativas autónomas de um ou outro tipo. Esta tendência não teve, de modo algum, um carácter universal. O Senado de Milão mantinha-se como organismo judicial e de governo, e também o *Privy Council* inglês continuava a não ter secções especializadas. Mas há em toda a parte a impressão de que uma série de questões, como a obtenção de receitas, a administração dos impostos indirectos, a gestão da dívida, a administração territorial, a política monetária, o pagamento dos funcionários, a nomeação do clero, a movimentação diplomática, se vão tornando cada vez mais complexas e difíceis de gerir. Não é de surpreender que os conselhos dos príncipes alterem a sua composição, para incluírem como membros aqueles que detêm competências profissionais. O grau em que o fazem varia, contudo, em função do nível de especialização adoptado e da cultura política em que se inserem. Assim, no século XVI, quase todos os membros do conselho de Castela possuíam formação universitária. Em França, pelo contrário, "mestres de petições", com formação jurídica, preparavam processos para submeter à consideração de um Conselho de Estado dominado por notáveis de diferentes origens, podendo ter ou não preparação jurídica.

Havia, em todo o lado, uma tendência para a tomada de decisões ser, sempre que possível, colectiva, como meio de prevenir as consequências políticas negativas da divisão e o encorajamento de perigosas lutas de facções, o que levou em Espanha a uma organização mais elaborada do governo do conselho, num modelo seguido pelo papado quando, em 1588, o papa Sisto V subdividiu o Colégio dos Cardeais em quinze "congregações" (ou seja, conselhos), delegando em cada uma delas uma área de responsabilidade pelos Estados Pontifícios ou pela Igreja Universal. Por outro lado, a crescente complexidade dos assuntos de governo e a proliferação de conselhos foi tornando necessária a existência de algum tipo de coordenador, sobretudo quando era impossível ao príncipe, por razões pessoais ou institucionais, cumprir ele mesmo essa função. Esses coordenadores funcionavam num desconfortável interstício entre as estruturas de poder formais e informais, sem serem detentores de um cargo proporcional à autoridade que exerciam, dependendo o seu poder do favor pessoal e da sua posição na corte. O seu papel tornou-se em Roma, durante o século XVI, mais formal do que em qualquer outro lado, com a evolução do cargo de cardeal nepote (*cardinal nipote*, isto é, cardeal sobrinho), uma figura com poderes amplos, mas bem definidos. Noutros casos, a coordenação nasceu dos cargos tradicionais, militares e judiciais, da coroa. Em França, o primeiro dos grandes favoritos na corte dos Valois foi o condestável Anne de Montmorency, grande favorito de Francisco I a partir de 1529. Na corte austríaca dos Habsburgos, foi figura equivalente o mordomo-mor (*Obersthofmeister*) ou o marechal da corte (*Obersthof-mareschall*). Noutros lugares ainda, o papel foi desempenhado pelo chanceler (ou pelo equivalente "guardião" do Grande Selo do Estado), cargo supremo da administração da justiça, em muitos casos também responsável pelo governo e pela administração pública. Em Inglaterra, o cardeal Wolsey e Tomás Moro demonstraram, enquanto chanceleres, o poder do cargo, apesar de não terem tido sucessores directos no século XVI. Na Dinamarca, o chanceler do rei (*Kansler*) teve um papel similar em vários momentos do século XVI. Os favoritos de Henrique III, o último rei Valois de França, deveram a sua influência apenas à visão de um rei que queria indivíduos livres do facciosismo aristocrático que dilacerava o reino, que funcionassem como modelos de uma aristocracia "reformada", servindo o rei com fidelidade absoluta.

Contudo, a mudança mais notável na coordenação do governo central no século XVI foi a ascensão do secretário de Estado. Tendo surgido como notários ao serviço do príncipe, os secretários de Estado começaram a ter um papel político significativo nos estados italianos, no fim do século XV. Em 1500, os duques de Milão tinham quatro secretários, cada um encarregado de um tipo específico de assuntos de Estado (políticos, judiciais, eclesiásticos e financeiros). Os duques de Sabóia tinham três (Negócios Estrangeiros, Interior e Guerra). O secretário de Estado desempenhou um papel central em Inglaterra a partir de 1530, com Thomas Cromwell. Os seus sucessores – William Cecil, Francis Walsingham, e depois Robert Cecil (que iria ser conde de Salisbury) – foram as principais figuras políticas da corte de Isabel I. Os secretários de Estado em Portugal e Espanha usaram as suas posições de secretários do Conselho de Estado para reforçarem a sua influência, igualmente notável. Em França, aos secretários de Estado, que começaram por ser notários régios na chancelaria, foram confiadas responsabilidades na área das finanças, e mais tarde, a partir de 1547, na resolução dos "assuntos de Estado. A seu tempo (pelo menos a partir de 1561), tornaram-se membros do Conselho de Estado e cimentaram a sua posição como notáveis do reino através de casamentos, sucessão nos cargos e aquisição de títulos de nobreza. A família de l'Aubespine, de mercadores e advogados no Loire, chegou a prover a monarquia francesa com uma sucessão de secretários de Estado. Cláudio II de l'Aubespine (1510-67), barão de Châteauneuf-sur-Loire, foi um dos principais negociadores do tratado de Cateau-Cambrésis. Com Jean de Morvillier, seu tio pelo casamento, bispo de Orleães e guardião dos selos de 1568 a 1571, e com os seus cunhados, Jacques Bourdin, secretário de Estado a partir de 1558, e Bernardin Bochetal, bispo de Rennes, foi um dentre um pequeno núcleo de negociadores e burocratas competentes, que rodeavam Catarina de Médicis e a ajudaram a manter abertos os difíceis caminhos para a paz nas fases iniciais das Guerras de Religião. O seu genro, Nicolau III de Neufville, senhor de Villeroy, que descendia de uma família de mercadores parisienses de peixe, iria prosseguir a tradição da família de 1567 até à sua morte em 1619, exceptuando um curto período de afastamento dos assuntos de Estado, de 1588 a 1594, no tempo da Liga.

A importância política dos secretários de Estado no século XVI sublinha uma evolução relevante no processo político: cada vez mais as decisões eram registadas e comunicadas sob forma escrita ou impressa. Os grandes assuntos de Estado, os éditos, os tratados de paz entre estados sempre tinham sido, e continuavam a ser, promulgados e autenticados com o Grande Selo, ou o seu equivalente. A mudança surgiu nos territórios da Europa dinástica com governos mais fortes, através do uso e da predominância de documentos promulgados e autenticados com os selos privados, ou pessoais, dos soberanos, assumindo uma desconcertante variedade de formas – cartas de missão, de certificação, de licença, de nomeação, de verificação, passaportes, etc.. Alguns desses documentos eram por vezes honrados com o nome de "ordenação", para indicar que, como de resto era vulgar, não se aplicavam apenas a um caso específico ou a um dado momento no tempo. A carta estava no coração do processo de comunicação e negociação entre as elites políticas da Europa e as suas entidades de governo. As cartas de nomeação determinavam os direitos e regalias dos cargos, as cartas de privilégio delineavam as isenções fiscais aplicáveis, as cartas de nobreza concediam títulos, as cartas de missão proviam os titulares com a autoridade delegada que lhes permitia impor a outros a vontade do soberano. Conservam-se ainda sete mil cartas de Catarina de Médicis. Às suas queixas quanto ao peso do trabalho de administração, o jovem Henrique de Navarra respondeu-lhe uma vez, sem rodeios, que era com gosto que ela fazia esse trabalho. Filipe II trabalhava nos seus papéis à noite, até tarde, lendo despachos e escrevendo ou ditando as respostas, queixando-se com frequência de exaustão, perturbações da vista e dores de cabeça. Em Maio de 1571, por exemplo, recebeu um total de 1200 petições. O seu secretário, Mateo Vázquez de Leca, conta que o rei se terá queixado de ter tido de assinar 400 cartas num dia. Para as estruturas de governo na Europa do século XVI, as redes de correios e os serviços postais eram tão importantes como as guarnições militares.

Como devem então ser vistas as cortes da Europa? As memórias de estadistas e militares da Europa do século XVI, já para não falar dos despachos dos embaixadores, recordam-nos a importância central da corte para a dinâmica de funcionamento das políticas europeias, como complemento informal essencial do carácter formal das suas instituições de governo. Mesmo quando simulavam desprezo, pela perda de tempo e pela despesa a que a corte obrigava, as elites políticas da Europa afluíam à corte como borboletas à volta de uma chama. Como disse Blaise de Monluc, um nobre da província com anos de experiência militar, era necessário aparecer na corte de tempos a tempos, «para nos aquecermos, como nos aquecemos ao sol ou junto a uma fogueira». Contudo, a corte não chegava a ser bem uma instituição; era mais um modo de vida. Começou por ser um conjunto de servidores e de criados, encarregados de guardar, escoltar, alimentar, vestir e proteger um soberano e a sua família. No século XVI, era preciso um pequeno exército para limpar os estábulos, gerir as contas, conservar os edifícios, manter as bibliotecas e os arsenais, e alimentar, alojar e entreter os hóspedes de um príncipe, mesmo relativamente modesto. Ainda que seja difícil determinar um número exacto, que variava de ano para ano, até a corte do pequeno ducado de Mântua tinha, em 1520, cerca de 800 indivíduos na sua lista de pagamentos. No mesmo ano, a corte pontifícia aproximava-se dos 2000, enquanto se calcula que a corte imperial de Maximiliano I não teria, à data da sua morte (1519), mais do que 350 pessoas, com mais 170 que tinham ficado em Innsbruck. Todos os sinais confirmam que as cortes da Europa estavam, no século XVI, sob pressão para crescerem. Ao crescerem, foram-se tornando menos itinerantes. Carlos V tinha estado constantemente em mudança ou em marcha. Também Francisco I se mudou sem descanso de lugar para lugar no seu reino, recorrendo, para o poder fazer, a qualquer coisa como 18000 cavalos, para o transporte dos pertences da coroa; e Isabel I viajou muito pelo Sul do reino, mantida pela sua nobreza, cujo apoio procurava. Mas, na segunda metade do século, as capitais de governo da Europa já estavam claramente definidas: Londres, Paris, Madrid, Praga, Estocolmo. Estava em curso, até certo ponto, uma centralização política e social. Mesmo quando Filipe II se ausentava da corte – refugiando-se dos assuntos de Estado num dos seus vários palácios de retiro, Valsaín, o Prado ou (a partir de 1580) o Escorial – a administração continuava a funcionar, na sua ausência, no Alcázar de Madrid, com secretários e nobres influentes a remeterem ao rei os assuntos realmente importantes que não pudessem esperar.

Politicamente, a corte era crucial, porque era aí que a influência informal sobre a tomada formal de decisões conseguia ter um efeito real. Onde quer que o governo fosse pessoal, a sede do poder era onde o príncipe estivesse, ou, em casos de ausência voluntária, onde este determinasse. Aí se encontrava a fonte das nomeações, das honras, das recompensas, dos favores, das leis e da sua execução. E o favor estava no coração do bom governo, sendo a justa recompensa a contrapartida da fidelidade. François de l'Alouette, no seu *Tratado dos nobres e das suas virtudes* (*Traité des nobles et des vertus dont ils sont formés*), de 1577, pinta um quadro idealizado de um reino bem governado, onde os nobres são «tão amados e favorecidos pelos reis e pelos príncipes, que têm liberdade de entrar e familiaridade em suas casas como se fossem criados». Um bom príncipe, acrescenta ele, é o que recompensa o mérito. L'Alouette escrevia na tradição dos manuais de conduta na corte, de que *O Cortesão*, de Baldassarre Castiglione, com primeira edição de 1528, em Veneza, é o exemplo mais importante e mais lido no século XVI, com sessenta e duas edições italianas e sessenta traduções até 1619. O seu sucesso, que só começa a declinar perto do fim do século, tem o seu auge entre 1528 e 1550, com cinquenta edições e traduções. Nos discursos de Castiglione, o cortesão ideal é inteligente, bem-nascido (ainda que não necessariamente nobre), bem-parecido, perito nas artes da guerra, mestre nas artes da conversação, respeitador das mulheres e senhor sereno das suas emoções. O texto de Castiglione sugere que, pelo menos na corte do (ausente) duque de Urbino, onde os discursos têm lugar, um cortesão deste tipo «falaria francamente com o seu príncipe» e seria recompensado pelo seu comportamento virtuoso e pela sua lealdade inquestionável. O problema é que, para um peticionário, qualquer serviço merece recompensa. Satisfazer todos estava para além dos limites do possível. Quando Morata, um dos bobos de Filipe II, lhe perguntou por que não concedia favores a todos os que lhos pediam, o rei respondeu: «Se acedesse a todas as suas petições, depressa estaria eu a pedir esmola». Este problema conduziu a rivalidades sistémicas, num mundo onde a honra e a virtude eram as cartas que tinham de ser competitivamente conquistadas, rebaixando e delas privando outros. O lugar que se ocupa à mesa do conselho, ser ou não ouvido o caso que se expôs, receber-se realmente o salário previsto, obter o favor do príncipe, tornam-se assuntos de enorme importância. A política da corte do século XVI residia tanto no sugerido como no dito: tanto na promessa como no seu cumprimento. Os mestres e as mestras dessa política eram aqueles e aquelas que melhor sabiam tirar partido da representação para a galeria: sorrisos, presentes, humor e elogios eram modos de sugerir favor político; desconsiderações, silêncio e exclusão sugeriam o contrário.

As facções eram por isso parte da vida da corte. Como evitar que se tornassem destrutivas era outra questão, para a qual não havia resposta satisfatória. A política do século XVI era tanto o súbdito todo-poderoso como o príncipe todo-poderoso. Quando o primeiro era reconduzido à sua dimensão, era-o ao som de um toque de trombetas como aquele com que o rei de França saudou a "traição" do condestável de Bourbon em França (1527), ou o Papa a execução do conde Pepoli, de Bolonha (1585). Contudo, era mais frequente os nobres feudais desistirem das suas antigas ambições à independência e compartilharem a sorte dos seus príncipes, já que estes faziam com que essa atitude valesse a pena. Enquanto foram crescendo as receitas dos impostos, e os príncipes tiveram disponíveis facilidades de crédito em grande expansão, podendo financiar as expedições militares de que as elites aristocráticas eram beneficiárias principais, as recompensas não faltaram. Mais difícil era isto ser, a prazo, sustentável. As despesas foram-se tornando superiores às receitas, que, por sua vez, eram excessivas para o que hoje se sabe da base económica em que se apoiavam. O crédito dos príncipes esgotava-se. Há sinais de isto ter acontecido no início da segunda metade do século, com os Habsburgos, em 1557, a não conseguirem cumprir os compromissos estabelecidos com os seus banqueiros genoveses e alemães, e com os Valois a não cumprirem, dois anos depois, os pagamentos estabelecidos para o "grand parti", um crédito negociado com um consórcio de banqueiros com sede em Lyon (na maior parte italianos). O resultado foi um colapso parcial da política de consenso entre príncipes e alta nobreza, no preciso momento em que as divisões religiosas punham em causa o *ethos* simples da lealdade e obediência aos poderes estabelecidos.

Houve quem tenha sabido aproveitar a situação. O cardeal Granvelle, Antoine Perrenot, conselheiro principal de Margarida de Parma, recém-nomeada regente dos Países Baixos após a partida de Filipe II para Espanha, em 1559, viu o papel que podia desempenhar ao controlar o favor régio em nome de uma regente com pouca experiência nos assuntos de Estado. Granvelle estabeleceu uma *consulta* secreta, um comité interno de aconselhamento, composto por si e por mais dois membros, de modo a ultrapassar o Conselho de Estado. Ao mesmo tempo, exigiu alguns favores em seu próprio proveito: «Por nada no mundo quereria importunar Vossa Majestade, mas também não gostaria que os meus parentes e amigos me acusassem de uma excessiva despreocupação com o meu próprio caso ... porque há já muitos anos que não recebo nenhum favor (*merced*)». Foi recompensado com o arcebispado de Malines, uma espécie de cálice envenenado (como depois se veio a verificar), já que fez passar a mensagem de que tinha maior influência sobre Filipe II do que a que realmente tinha. As figuras de maior destaque na velha nobreza dos Países Baixos eram Lamoral, conde de Egmont (1522-68), e Guilherme de Nassau, príncipe de Orange (1533-84). O primeiro tinha sido um comandante militar experiente e respeitado no império dos Habsburgos. O segundo tinha o seu próprio principado independente na Alemanha e um enclave em Orange, no vale do Ródano. A princípio, aceitaram o novo estado de coisas, na condição de serem aceites as suas recomendações e propostas de nomeações. Quando deixaram de o ser, queixaram-se amargamente da autocracia de Granvelle e começaram a construir as suas bases locais de poder, transformando-as numa rede regional de fidelidades, a eles reconhecidas. E também não eram esquisitos quanto a quem promoviam. O duque de Mansfeld, por exemplo, era conhecido, no pequeno ducado do Luxemburgo, por vender por 10 florins de ouro lugares no conselho municipal, aceitar subornos, libertar um assassino por 100 escudos, apropriar-se das multas decididas pela corte ducal e por intimidar o seu procurador geral. Na Primavera de 1563, tanto Granvelle como os aristocratas seus opositores trabalhavam na sombra, organizando os seus partidos, convidando eventuais apoiantes para jantar e divulgando insinuações acerca dos adversários. O seu sucesso foi, pelo menos a curto prazo, limitado. Não era difícil ganhar para uma causa fidalgos sem meios e à procura de emprego. Granvelle encontrou apoio na comunidade financeira de Antuérpia, cujo investimento no Império e na situação era colossal. Os burgueses e conselheiros das cidades, contudo, apostaram na espera, recusando comprometer-se com os grandes senhores, ansiosos por não serem apanhados em falso nas suas relações com Bruxelas, com Granvelle e com o conselho em Madrid. No curto prazo, o clima de facção foi apaziguado, quando Filipe II, ao confrontar-se com a oposição das elites locais, escolheu o caminho conhecido de sacrificar uma figura impopular (irá acontecer a uma sucessão de vice-reis, em Nápoles e também noutros casos). Demitido em 1564, Granvelle descobriu o calcanhar de Aquiles de todos os executores com autoridade regional na Europa do século XVI: a impossibilidade de cultivarem a sua base de poder no centro, estando ao mesmo tempo na periferia. Confrontado com os conselhos do seu secretário e confessor, e com a crescente oposição da facção Eboli a Granvelle, Filipe II avaliou as forças em presença na corte e decidiu em conformidade. No médio prazo, contudo, os ressentimentos acumulados pelos nobres iriam, a seu tempo, determinar o curso da Revolta dos Países Baixos. O mesmo argumento, aqui levado à cena, poderia ter sido escrito, ainda que de forma mais dramática e com muitas diferenças de detalhe, para a corte dos Valois, após a morte inesperada de Henrique II, ocorrida num torneio em 1559. Foram similares os desenvolvimentos políticos subjacentes. As duas cortes dependiam, de modo crítico, das afinidades aristocráticas.

Contudo, se sublinharmos demasiado o problema sistémico do facciosismo no seio das elites políticas do século XVI, corremos o risco de não compreender que esse clientelismo (a política assente em redes clientelares) tinha o seu lado positivo, ao fornecer uma estrutura informal de poder como complemento das vias formais de relacionamento entre o centro e a periferia. As afinidades – redes soltas de fidelidades, com frequência baseadas no parentesco – eram por inerência pessoais, flexíveis e capazes de se moldar de acordo com as identidades institucionais, feudais e locais existentes. Reconheciam a dinâmica social mais comum na sociedade do século XVI: parentesco, honra, recompensa, amizade. As afinidades traziam benefícios potenciais a ambas as partes. Ao cliente eram dadas esperanças de promoção, uma voz na mesa do poder, a protecção de um privilégio. O patrono recebia lealdade, serviço e um inestimável fornecimento regular de informação. As esperanças de promoção revestiam muitas formas; o mesmo sucedia com o serviço. Os príncipes compreendiam e utilizavam eles próprios as relações patrono-cliente: era essa a essência da monarquia "pessoal". Dito isto, eram forçados a recorrer às suas mais judiciosas aptidões pessoais, para utilizarem de forma eficaz a lealdade dos seus clientes. Havia ocasiões, sobretudo as de governo da "minoria", onde não se conseguia que as relações de afinidade funcionassem de modo eficaz. E houve um padrão recorrente na política do século XVI, em que o leal cliente de ontem se tornava no perigoso opositor político de hoje. Os aristocratas, por seu lado, utilizavam as suas posições, na corte e nas províncias, para agirem como intermediários entre um governante e a sua própria localidade em particular. Nisto dependiam também das suas aptidões políticas, vulneráveis a serem postos na corte em má posição pelos seus inimigos ou a serem criticados por peticionários insatisfeitos. Mesmo assim, o papel das relações de afinidade deve ser visto como globalmente positivo. Ligavam as elites locais a uma política mais ampla e ajudavam a ultrapassar as duas grandes causas de enfraquecimento dos sistemas políticos no século XVI: a distância e o tempo.

O clientelismo não era uma coutada do estado dinástico, podendo surgir em qualquer oligarquia – ou seja, na esmagadora maioria dos sistemas políticos da Europa do século XVI. Podemos ver as afinidades em acção, provavelmente na sua forma mais elaborada, na corte de Roma do fim do século XVI. É um caso de algum modo curioso, já que uma instituição que adoptava o celibato limitava os laços de parentesco. Contudo, a política de Roma era determinada por amizades discretas. O processo está documentado na autobiografia de um futuro cardeal, Domenico Cecchini (1588-1656). De boa família romana, estudou Direito em Perugia e cultivou as suas ligações ao papa Aldobrandini, Clemente VIII. Quando este morreu, em 1605, aproximou-se com delicadeza, alguns meses depois, do novo nepote (Scipione Caffarelli) e perguntou-lhe «se quereria ser bondoso a ponto de receber-me sob a sua protecção». Felizmente, este era «muito afectuoso», e, a seu tempo, Cecchini tornou-se um dos novos "familiares" do Papa (*familiares*). O Colégio dos Cardeais estava assim organizado num certo número de imbricadas redes clientelares, que faziam eleger os sucessivos papas. Apesar de estar constantemente a mudar, devido ao falecimento dos velhos cardeais e à admissão de novos, o arranjo de conjunto, como a maior parte dos sistemas de patronato numa oligarquia, era extremamente estável, porque se auto-sustentava. Nas repúblicas urbanas, um padrão semelhante pode ser observado junto das grandes famílias, com os seus círculos de parentes, advogados e banqueiros. Em Veneza, as confrarias religiosas e as corporações ligadas a capelas laterais nas igrejas paroquiais, para além de levarem a cabo iniciativas de caridade, serviam também de apoio aos grupos familiares, cujos grandes palácios se aglomeravam em torno do Grande Canal, e que dominavam os conselhos centrais de governo da cidade (o Conselho dos Dez, os *Savii Grandi* e os *Savii di Terra Ferma*). Veneza não foi a única oligarquia urbana a tentar prevenir esse tipo de pressões, introduzindo o sistema de voto por sorteio, proibindo a reeleição ou restringindo o número de vezes que um indivíduo podia ser eleito para um cargo determinado, e cultivando o mito patrício do comportamento político de serviço público. Mas era tal o poder do parentesco associado às clientelas, que na realidade o resultado só marginalmente ultrapassava a distribuição do poder dentro das mesmas elites dominantes, gloriosamente perpetuadas.

Quais eram os limites das elites de poder na Europa do século XVI? A questão pode ser colocada a propósito das suas numerosas instituições representativas, geralmente ainda activas. Pertenciam às elites de poder os membros da *Sejm* polaca, do *riksdag* sueco, do *rigsdag* dinamarquês, do *Reichstag* alemão ou do *Landtag* dos seus principados, da *Tagsatzung* suíça, das várias cortes nos reinos da Península Ibérica, dos Estados Gerais dos Países Baixos e do Parlamento inglês (para referir apenas algumas dessas instituições representativas)? Não há uma resposta simples para esta questão. Alguns destes homens nasceram poderosos: tinham o seu lugar na elite assegurado em virtude do seu privilégio de nascimento e *status* como parte da nobreza – membros da Câmara dos Lordes inglesa ou senadores da República Polaca, que tinham direito de entrada na *Sejm*. Outros adquiriram poder no quadro de instituições representativas – os principais representantes burgueses de Amesterdão nos Estados Gerais das novas Províncias Unidas, ou Thomas Cromwell, em Inglaterra, no "Parlamento da Reforma", de 1529-1536. Outros ainda tinham o poder que lhes era confiado por instituições representativas – os numerosos representantes do terceiro estado nos Estados Gerais do reino de França, tão raramente convocados, ou os representantes camponeses nos parlamentos da Noruega e da Suécia. Esse poder era geralmente muito limitado. Só nalguns casos excepcionais (a Áustria, por exemplo) tinham o poder de convocação ou dissolução por sua própria iniciativa. Historicamente, o poder de que dispunham residia no seu direito de aprovar o lançamento de novos impostos, mas, por várias razões, foi muitas vezes difícil, no século XVI, exercê-lo. Catalunha e Aragão conseguiram-no no tempo de Carlos V; mas as cortes de Castela tentaram exercer esse direito e perderam-no, em 1520, por duas gerações. Os seus poderes como legisladores também variavam muito, dependendo de terem direito a legislar ou apenas a propor assuntos, para serem objecto de legislação posterior por parte do soberano. A moldura em que se exercia este último direito era, em geral, a da apresentação de reclamações (*gravamina, doléances*) – parte do processo mais geral da petição. De facto, na maior parte das vezes, membros do conselho do príncipe e da instituição representativa instituíam medidas, que, depois de negociadas, ficavam inscritas em "capítulos", "actas" ou "artigos", de algum modo considerados lei do país. Mas na Confederação Suíça nenhum membro individual era obrigado a aceitar as conclusões das *Tagsatzungen*. Na *Sejm* polaca (mas também em Valência e Aragão), os deputados tinham direito de veto, o que obrigava à unanimidade em todas as decisões tomadas. E, pouco depois de instituída a União de Lublin, os tribunais soberanos da Polónia deixaram de ser compostos por juízes nomeados pelo rei, tornando-se tribunais eleitos por assembleias regionais de nobres. Em geral, devemos encarar com cepticismo uma historiografia ultrapassada, que apresenta as instituições representativas na Europa como estando necessariamente em oposição à autoridade governamental e em discórdia com as elites dominantes do poder. Os seus membros eram, com muito mais frequência, cúmplices dos desígnios dessas elites, figurantes decerto, mas consentindo no processo de governo, construtivamente empenhados na concepção desse governo como "comunidades", implicando mútuas responsabilidades para governantes e governados.

A guerra e as finanças

Na batalha de Mühlberg, a 24 de Abril de 1547, Carlos V alcançou, contra as forças conduzidas pelos príncipes protestantes da Liga de Esmalcalda, uma das maiores vitórias militares do século. O próprio eleitor da Saxónia, João Frederico, foi capturado, e o seu companheiro Filipe de Hesse rendeu-se dois meses mais tarde. Um ano depois, o imperador redigiu um memorando, dirigido a seu filho Filipe, onde o aconselhava: «Procura sempre a paz. Vai para a guerra só se a isso te vires forçado, porque a guerra exaure o erário e é causa de grande miséria». O seu prudente pessimismo sobre o impacto da guerra no Estado baseava-se numa vida inteira de experiência das suas vicissitudes. Logo quatro anos mais tarde ver-se-ia enredado em mais uma campanha militar contra os príncipes luteranos alemães, e desta vez sem contar com muitos dos seus aliados anteriores e com a sorte da guerra. O que quer que a guerra pudesse fazer, a longo prazo, pelo fortalecimento das entidades políticas emergentes da Europa, no curto prazo aumentava significativamente os riscos para a sua sobrevivência e bem-estar.

Em Julho de 1536, uma década antes de ter escrito o seu memorando, Carlos V tivera, em Aigues-Mortes, na costa francesa do Languedoc, um extraordinário encontro pessoal com o seu grande rival Valois, Francisco I. Para impedir qualquer interferência do papado, o encontro fora secretamente combinado entre confidentes próximos dos dois soberanos. No encontro, o rei francês quebrou a tradição e dirigiu-se ao navio do imperador sem escolta e mais cedo do que era esperado. Quando se reuniram, os dois homens trocaram ostensivamente o beijo da paz em público, o primeiro de vários encontros, públicos e privados, entre dois príncipes que procuravam, cada um deles, ultrapassar o outro em virtude, o que mostra como a paz era, para os líderes políticos da Europa, o resultado de uma troca recíproca de "fé". Assegurar a paz para o conjunto da Cristandade era uma parte essencial da sua identidade soberana, Deus em acção na alma dos príncipes, inspirando os seus corações. A paz era uma "virtude soberana", parte da mística da monarquia, acima e para lá dos tratados diplomáticos que pudessem tentar alcançá-la.

É certo que este tipo de paz não esteve muito em evidência no século XVI, em que o risco de conflitos entre entidades políticas aumentou consideravelmente na Europa. Uma instabilidade fundamental revelou-se a partir da península italiana, onde as ferozes rivalidades entre estados de dimensões muito variáveis tinham levado à formação gradual, no século XV, de blocos de alianças de poder, tendo cada um desses blocos desenvolvido laços e interesses no exterior da península. O Sul (Nápoles, principalmente) ligara-se à dinastia espanhola, cujos interesses no Mediterrâneo se opunham aos interesses de Veneza e de Génova, no Norte. Entretanto, as regiões junto aos Alpes (sobretudo Milão) procuravam a protecção da França. Milão e Nápoles tornaram-se as principais cabeças-de-ponte das guerras italianas, desencadeadas a partir de 1494, e que iriam ensombrar toda a primeira metade do século. Um turbilhão de conflitos semelhante ameaçou, entre 1540 e 1560, engolir uma constelação também semelhante de estados de dimensões muito variáveis, na Alemanha. Os conflitos na Alemanha e na Itália foram, a partir de 1516, enxertados num confronto dinástico fundamental entre os Habsburgos e os Valois, quando os receios da França, que temia ver-se cercada, se condensaram, de forma dramática, na percepção da existência de um "caminho espanhol", ligando a Flandres, através do Franco Condado da Borgonha e das várias passagens dos Alpes, ao Mediterrâneo e à Península Ibérica. Essa percepção era reforçada pelo fluxo de recursos militares que a Espanha afectava à manutenção do seu exército na Flandres, para dominar o prolongado surto de rebelião aí surgido em 1567, que esteve na origem de quarenta e dois anos de conflito quase ininterrupto, de um tipo ou de outro, até uma trégua ter sido possível em 1609. Para além disto, houve ainda a guerra entre a Europa cristã e os turcos otomanos, um conflito épico para muitos publicistas europeus, que o encaravam como uma cruzada. Como poderia ser possível uma "paz soberana" com os turcos? Ao longo de boa parte do século, a Europa cristã pareceu em desvantagem. Belgrado rendeu-se a 29 de Agosto de 1521; Rodes, a 24 de Junho de 1522, abrindo à frota turca o Mediterrâneo Oriental. A funesta batalha de Mohács, a 29 de Agosto de 1526, deixou desprotegida a planície húngara do Danúbio, e um mês mais tarde os turcos conquistaram Buda e Pest. A instabilidade causada pela ameaça turca foi sentida em todos os estados do Sudeste da Europa. O triunfo cristão dos cavaleiros de S. João, em Malta, em 1565, e a vitória sobre a frota turca, em

Lepanto, em 1571, foram muito celebrados por toda a Europa, mas pouco fizeram para diminuir a ameaça turca a curto prazo, já que não tiveram continuidade. Os turcos reconquistaram Tunes em 1574, assegurando uma persistente hegemonia muçulmana na costa do Norte de África, seguindo-se, de 1593 a 1606, uma esgotante guerra na Hungria. Por fim, há que acrescentar, a estas fissuras internacionais mais importantes, vários conflitos no Báltico, de carácter mais localizado (nomeadamente a Guerra dos Sete Anos, 1563-1570), e as guerras civis/religiosas provocadas pela Reforma protestante na segunda metade do século. No século XVI, o conflito militar era um facto da vida política.

As inovações militares tiveram assim profundos efeitos políticos, e aquelas que alguns historiadores associam à "revolução militar" da Idade Moderna já podiam ser observadas no século XVI. Os arquitectos militares projectaram elaboradas estruturas defensivas permanentes contra a artilharia. Daí resultaram as *traces italiennes* (como são conhecidas pelos historiadores anglo-saxónicos), que continuam a marcar a paisagem europeia com fortalezas impressionantes, como (por exemplo) as de Turim, Milão, Siena, Palmanova (no estado veneziano), Navarrenx (no pequeno principado pirenaico do Béarn), Sabiote (na Espanha), Breda, Antuérpia, e uma linha de fortalezas ao longo da fronteira entre a Flandres dos Habsburgos e a França dos Valois. Também o estado moscovita começou a reconstruir, em pedra e tijolo, os seus *kremlins* – a construção da fortaleza de Smolensk, por exemplo, demorou sete anos, calculando-se que tenham sido utilizados cento e cinquenta milhões de tijolos. Entretanto, ainda mais significativo foi o crescimento dos exércitos europeus, sobretudo na primeira metade do século. Carlos VIII invadiu a Itália, em 1494, com 18000 homens de armas. Francisco I fez o mesmo, em 1525, com 32000. O seu filho Henrique II capturou Metz, em 1552, com 40000. Em 1532, as forças do imperador Carlos V, em marcha contra os turcos, terão talvez atingido os 100000 homens. Na altura do cerco de Metz, em 1552, Carlos V contava com um exército de 150000 homens, número que não foi excedido por nenhum estado europeu antes de finais do século XVII. As campanhas militares eram mais prolongadas, e ia-se em combate até mais longe. A experiência prática era fundamental, já que as formações de infantaria com lanças e arcabuzes exigiam tropas veteranas em grande número, que soubessem bem o que faziam. Nas batalhas de Bicocca (1522) e de Pavia (1525), a infantaria espanhola, inspirada nas compactas formações em quadrado dos lanceiros suíços, demonstrou a sua superioridade e começou a organizar-se em formações mais pequenas e mais móveis de lanceiros e arcabuzeiros, conhecidas como *tercios*, a unidade de combate invencível dos campos de batalha do século XVI. No estado moscovita, lançou-se, a seguir a 1550, o embrião de um corpo permanente de infantaria, armado com pistolas e recrutado inicialmente na pequena nobreza, os *streltsy*; em 1600, eram já uma força de cerca de 20000 homens.

Foi considerável o impacto político destas mudanças. Os custos das fortificações eram colossais. Só um compromisso de longo prazo permitia projectá-las e construí-las, e depois mantê-las, renová-las e guarnecê-las – uma exigência organizativa persistente. Para exércitos maiores, havia que recrutar homens, que precisavam de ser treinados, alimentados, pagos, tratados e equipados. As inovações militares colocavam os estados do século XVI perante enormes desafios administrativos, financeiros e logísticos. A separação entre a tomada das principais decisões políticas, por um lado, e a sua distante execução, por outro, foi-se tornando cada vez mais evidente. E, por causa da combinação de estruturas de poder formais e informais de que dependia a política na Europa, a gestão foi sempre o seu ponto mais fraco. Havia assim a tendência para subcontratar, sempre que possível, a organização militar. Capitães mercenários recrutavam tropas nas partes mais pobres da Europa rural, que não conseguiam segurar a sua população; havia suíços, *Landsknechte* da Suábia e do Reno, albaneses, dálmatas, escoceses e irlandeses nos exércitos da França e da Espanha. Mas a lealdade dos mercenários em relação ao Estado ou ao soberano que lhes pagava não ia muito longe. Quando não eram pagos, recusavam-se a lutar ou, o que era pior, tomavam negociadores como reféns ou ameaçavam a população civil. Roma foi saqueada em 1527, quando Carlos V se atrasou no pagamento dos seus *Landsknechte*. Mesmo em exércitos que não eram, formalmente, mercenários, o sentido de lealdade política não era forte. O recrutamento era heterogéneo, os níveis de deserção elevados e as revoltas frequentes. O exército espanhol na Flandres amotinou-se quarenta e cinco vezes, entre 1572 e 1609; mas a deserção e a amotinação também atingiram as forças de Isabel I na Irlanda e nos Países Baixos, em finais do século XVI, e os exércitos que combateram pela subida de Henrique IV ao trono de França.

As inovações militares aumentaram, pois, a complexidade e os riscos da política. As lições militares da Antiguidade não deixavam de ser ambíguas quanto ao modo de enfrentar os resultados dessas inovações. As mudanças levaram também ao limite, na maior parte dos casos, as carteiras de recursos dos estados da Europa. Essas carteiras de recursos eram complexas, consistindo em diferentes combinações de rendimentos dominiais, receitas dos impostos directos e indirectos e rendimentos ocasionais de um ou outro tipo. As finanças do Estado eram em grande parte governadas a partir de ideias feitas e precedentes estabelecidos. Do ponto de vista fiscal, as receitas não eram elásticas, eram relativamente pouco sensíveis aos elementos dinâmicos da economia europeia e incapazes de reflectir as pressões inflacionárias, que eram um fenómeno que os contemporâneos tinham dificuldade em explicar e aceitar. Para reunir rapidamente receitas significativas, não havia opções que fossem desprovidas de consequências políticas. Os domínios do rei ou dos príncipes podiam ser alienados e vendidos, nos casos em que se não tinha ainda disposto deles. O Estado podia ainda apropriar-se de terras ou rendimentos das ordens religiosas, sob a égide da Reforma protestante – como aconteceu, depois de 1530, com a dissolução dos mosteiros ingleses. Mas eram operações que não podiam ser repetidas e que afectavam direitos de propriedade. Tinham consequências políticas inevitáveis, como a revolta popular, de que são exemplos a Peregrinação da Graça, em Inglaterra (1536), e as revoltas camponesas na Noruega, nas décadas de 1550 e 1560. Os impostos indirectos sobre bens e serviços podiam ser concessionados a rendeiros de impostos (como acontecia com as *gabelles*, o imposto francês sobre o sal, no século XVI), mas isto levava a uma dura oposição popular aos odiados *traitants* e *gabelleurs*. A cobrança de impostos também podia ser subcontratada às comunidades locais, como acontecia com os *encabezamientos* das *alcabalas*, o imposto de transacções em Castela, mas também isto se tornou a causa próxima da revolta generalizada de 1520, conhecida como revolta dos *Comuneros*. O alargamento da base fiscal através de impostos indirectos foi conseguido, no século XVI, com maior êxito e sem revoltas, em repúblicas como Veneza ou Génova, e ainda na embrionária República dos Países Baixos, mas também aí resultou na generalização do contrabando. De resto, tendeu, por todo o lado, a tornar-se o prelúdio de revoltas populares, como as que eclodiram, em 1548, no Sudoeste da França. A cobrança de impostos directos envolvia habitualmente elaboradas negociações com instituições representativas, hábeis a encontrar argumentos contra tais medidas, com base em precedentes históricos ou em privilégios regionais ou locais, resistindo à adulação, e pondo em dúvida a evidência da necessidade imperativa apresentada como razão para a proposta específica em causa. Em Castela, por exemplo, como consequência imediata da derrota da Armada, em 1588, Filipe II apelou às Cortes, habitualmente dóceis, para que lhe concedessem um *servicio* (imposto directo) excepcional. Revelou aos deputados, reunidos na assembleia, que os gastos combinados do exército e da armada, na Flandres e no Canal da Mancha, tinham ultrapassado os dez milhões de ducados, e que necessitava de uns oito a dez milhões adicionais, para manter no terreno o exército da Flandres e para substituir a frota. Os deputados foram intimidados, subornados e ameaçados com a prisão. Foi pedido aos aristocratas que convencessem os deputados locais a votar a favor da medida, sem imposição de condições (*condiciones*). Mesmo assim, houve grandes protestos de rua em Madrid, panfletos a criticar abertamente o rei, e alguns nobres da província foram levados perante a justiça, acusados de fomentar a sedição. Por fim, depois de meses de regateio, as dezoito cidades representadas nas Cortes, com excepção de três delas, concordaram em conceder oito milhões de ducados, mas ao longo de um período de seis anos, e com condições quanto à sua colecta. Entretanto, na França dos Valois, onde, em muitas regiões centrais do reino, podiam ser cobrados impostos directos, sob a forma de *taille*, sem recurso a uma instituição representativa, o alcance de tais impostos era limitado pelo facto de as quantias exigidas às diversas localidades serem fixadas de acordo com um padrão de repartição historicamente determinado e sofrerem o constrangimento de privilégios que isentavam a riqueza dos nobres e dos habitantes de cidades muralhadas. A verdade é que, na maior parte da Europa, no século XVI, as receitas do Estado tinham dificuldade em acompanhar a inflação, quanto mais em responder às crescentes exigências da guerra. A excepção mais evidente era o ainda recente estado moscovita, que, no fim do século XV, conseguira finalmente derrubar a dominação mongol, com mais de dois séculos, e anexara alguns principados independentes, mais pequenos, à sua volta. As terras confiscadas que daí resultaram foram transformadas em concessões remuneratórias do serviço militar (*pomest'ia*), tendo-se criado propriedades agrícolas capazes de manter um oficial de cavalaria, a sua família e os seus escravos domésticos. Através destas concessões, o estado moscovita criou uma poderosa classe de cavaleiros (*os oprichniki*), a quem, em contrapartida, era permitido reduzir à servidão os camponeses das suas propriedades. Isto aconteceu sobretudo no período de "Estado dentro do Estado", de Ivã, o Terrível (a *Oprichnina*, 1565-1572). Em estreita relação com este processo, o grão-príncipe moscovita desenvolveu, ao longo do século XVI, sem que a lei ou o costume lhe pusessem grandes entraves, notáveis tendências autocráticas, que ditaram a existência, na Rússia deste período, mais do que em qualquer outra parte da Europa, de inovações fiscais e de uma série crescente de agências encarregadas da cobrança de impostos (*prikazy*).

O fosso entre receita e despesa, cada vez mais largo, era coberto sobretudo por empréstimos, organizados de modo formal ou informal. O padrão é particularmente claro no caso dos Habsburgos espanhóis, cujo mealheiro era Castela. O segredo do aparente sucesso financeiro de Carlos V foi ter convertido as receitas ordinárias de Castela num fundo que lhe permitia pagar os juros aos credores, organizando contratos (*asientos*) informais de empréstimo a curto prazo com os banqueiros imperiais em Augsburgo, Génova, e noutras cidades, geralmente liquidados no prazo previsto, ou recorrendo a meios mais formais de dívida pública (*juros*), garantida por essas receitas ordinárias e atractiva para os investidores, tanto de Espanha como do estrangeiro. Sinais do colapso parcial destes acordos de crédito foram as declarações de bancarrota de 1557, 1560 e 1575. Em 1584, os rendimentos ordinários de Castela atingiam os 1636,6 milhões de maravedis, enquanto só o pagamento anual dos juros alcançava os 1227,4 milhões – 75% do total de receitas ordinárias. Uma quarta declaração de bancarrota não pôde ser evitada, em 1596, apesar do inesperado influxo, nas últimas duas décadas do século, da parte que cabia à coroa no tesouro da América espanhola. De acordo com o relatório preparado para o filho de Filipe II em 1598, no momento da sua subida ao trono de Espanha, todas as receitas ordinárias de Castela estavam comprometidas com a dívida, não restando, ao senhor de um império onde o sol nunca se punha, outros recursos para além do tesouro das Índias, subsídios eclesiásticos (sujeitos a aprovação papal) e impostos directos, duramente negociados em cortes de três em três anos. O mesmo padrão fundamental de empréstimos formais e informais desenvolveu-se por toda a parte na Europa. Em 1600, mais de metade dos rendimentos do papado eram absorvidos por pagamentos a titulares que tinham comprado os seus cargos e pela despesa com os juros dos *Monti* (títulos garantidos por receitas específicas). Calcula-se que em 1596, e perto do fim das guerras civis francesas, as dívidas da coroa francesa corresponderiam pelo menos a 105 milhões de *livres*, ou a 135 milhões, caso se inclua nos cálculos as terras e jóias da coroa alienadas. No fim do século XVI, as entidades governativas mais poderosas da Europa eram também as mais endividadas. Isto significa que eram também os mais poderosos redistribuidores de rendimentos para aqueles que investiam nos seus empreendimentos políticos, e eram os maiores contratadores desse período. Mas as tensões das finanças deficitárias sobrecarregavam de forma excepcional os poderes de persuasão dos governantes da Europa e expunham as fragilidades de estruturas de poder que dependiam da informalidade para serem eficazes.

Imagens do poder

Os governantes do século XVI não eram estranhos à propaganda. Emblemas, gravuras, publicação de éditos, monumentos, histórias oficiais, discursos testemunham a importância que lhe davam. Os príncipes faziam um uso político hábil do novo poder da imprensa escrita. Mas há também que ter em conta as representações efémeras da autoridade em cortejos, procissões e rituais cerimoniais associados à "entrada" em funções de um governante, ou à entrada solene numa cidade ou lugar de autoridade. Tinham como propósito desfazer as tensões e representar a harmonia de uma ordem estabelecida. Recorriam para isso ao apelo a uma identidade ou ideal, acima do particular e do local. Quando o jovem rei Carlos IX foi levado numa prolongada "volta" a França por sua mãe, Catarina de Médicis, em 1564-1566, organizaram-se entradas preparadas ao pormenor, de acordo com tradições que remontavam ao século XIV. Em inscrições, bandeiras, arcos triunfais, cortejos e discursos, que deviam muito à imaginação cultural da corte francesa, passava-se a mensagem de que as divisões entre protestantes e católicos, advogados e comerciantes, ou entre as cidades e as áreas rurais, ficavam na sombra, face ao amor natural e comum dos franceses pela sua monarquia. Seu pai, Henrique II, ao ser coroado, tinha acrescentado à cerimónia da coroação uma cláusula que estipulava que o rei se casava com o seu reino, tomando a França como esposa. A Antiguidade, clássica e cristã, era passada a pente fino, em busca de temas harmoniosos adequadamente universalistas. Um desses temas, prevalecente no século XVI, é o da figura mitológica de Astreia, sob cuja égide se seguiria uma idade de ouro de paz, justiça e conhecimento. Aos estados europeus do século XVI chamou-se "estados-teatro", não porque os seus governantes fossem mestres na ilusão, mas porque o poder encarnava na sua representação. Entradas solenes, coroações, entronizações, actos judiciais formais de governo (como o *lit de justice,* em França, ou a alocução do monarca inglês no Parlamento) faziam um apelo emocional directo à lealdade, davam corpo a verdades simples sobre a natureza da política, e tornavam-nas memoráveis. Em geral, os governantes do século XVI aspiravam a uma hegemonia cultural mais vasta e mais sedutora do que a exercida pelos seus predecessores.

O pensamento político do século XVI adquiriu a reputação de estar obcecado com questões de *realpolitik,* a procura e o uso sem entraves do poder. Esta reputação é o infeliz efeito de um livro muito famoso, *O Príncipe* (1513), de Nicolau Maquiavel (1469-1527) (ver capítulo 4, secção sobre "O pensamento político"). A obra adquiriu, durante o século XVI, a sua moderna reputação de dissociar poder e moral. Esta interpretação errada do livro, que é apenas uma das obras de Maquiavel, levou à distorção da orientação geral do pensamento político no século XVI. Os escritos políticos estavam, na época, dominados pelos grandes programas humanistas e pelas suas metodologias, e reflectiam as principais correntes intelectuais do período. O programa, evidente nos mais inovadores comentários políticos do século, era o da necessidade de explicar a autoridade política e o exercício do poder com base na organização da sociedade que os condicionava. Repúblicas, monarquias, impérios e estados deviam ser compreendidos através da sua história, da sua estrutura social e dos seus fundamentos racionais específicos. A metodologia humanista defendia que esse entendimento podia ser alcançado através de um estudo empírico e comparativo de exemplos do passado e do presente. A principal corrente intelectual era a crença dominante de que a sabedoria política era uma extensão prática da filosofia moral, não podendo assim ser dissociados poder e virtude. O modo de conceber a virtude era, portanto, uma questão central do estudo, do comentário e do debate no século XVI.

Um dos elementos centrais desse debate era decidir se tal sabedoria deveria conduzir a um distanciamento do mundo dos negócios, ou se esse distanciamento não constituiria uma abdicação do imperativo moral fundamental de procurar a virtude através da dedicação ao bem público. Esta era a chave do legado platónico e ciceroniano dos humanistas cívicos italianos do Renascimento florentino e veneziano, que consideravam que a virtude cívica se educa pelo compromisso com a vida política, um veículo de desenvolvimento moral, em que as acções em prol do bem comum contribuem para formar a força de carácter do indivíduo (a virtude implicando tanto a qualidade de homem, *vir*, como a sua força, *vis*).

O discurso cívico humanista foi facilmente traduzido, no século XVI, dos ambientes republicanos de Florença e Veneza para as cortes monárquicas da Europa, tendo-se os seus debates reflectido (por exemplo) nas leituras privadas de William Cecil, secretário de Estado de Isabel I, ou nos hexâmetros latinos compostos, para seu próprio entretenimento, pelo chanceler de Catarina de Médicis, Michel de l'Hospital. A Reforma protestante foi mudando cada vez mais o modo de encarar a política. Martinho Lutero (1483-1546) abordou a política do ponto de vista da sua teologia agostiniana. O homem é pecador e só pode ser salvo pela fé na graça de Deus. A autoridade política emana da vontade de Deus, e o dever político de todo o bom cristão é submeter-se ao poder estabelecido, já que este foi ordenado por Deus. Mas Lutero, como outros reformadores protestantes (estes de forma mais evidente), considerava também que os únicos príncipes legítimos eram aqueles que tornavam manifesta a justiça de Deus, e que nenhuma obediência era devida a um governante que demonstrasse a sua impiedade, ao perpetuar a idolatria ou ao perseguir o povo fiel a Deus. Esta tensão inevitável contribuiu para desviar o foco do pensamento político, da virtude pedagógica para a natureza e o âmbito da obediência política. A sua metodologia era determinada sobretudo por teólogos, e o seu programa adequava-se à tarefa de adivinhar os desígnios de Deus e de aplicá-los ao mundo. Na sua variante mais revolucionária, o pensamento político protestante podia ser utilizado para justificar o tiranicídio, ainda que, de facto, tenha sido um católico (Jacques Clément) a ser levado ao assassinato por motivações deste tipo, ao matar, a 1 de Agosto de 1589, o rei de França, Henrique III. Na sua variante mais sofisticada, o pensamento político protestante também absorveu alguma coisa do programa, da metodologia e da perspectiva central do pensamento político humanista. O poder dessa amálgama pode ser facilmente apreciado nos escritos do jurista protestante francês, François Hotman (1524-1590), em especial na *Franco-Gallia* (1573) (ver capítulo 4, secção sobre "O pensamento político").

No entanto, no derradeiro quartel do século, as ideias e as imagens políticas dominantes deslocavam-se em diferentes direcções, certamente reflectindo o impacto mais profundo da crise religiosa do século XVI sobre as estruturas políticas. Ao deixarem aparentemente de ser aceites os pressupostos comuns sobre a legitimidade do poder, sobretudo pelas elites políticas de uma Europa dividida em questões de religião, o "estado-teatro" perdia os seus pontos de referência naturais com a audiência. Para além disso, e reflectindo o impacto teológico da Reforma, era crescente a ênfase no carácter incondicional e inquestionável do poder dos governantes, como reflexo da vontade de Deus, e na necessidade de obediência estóica à sua autoridade. Isto permitiu a Filipe II recusar partir em visita pelo reino, para não rebaixar a sua majestade, retirando-se do mundo cada vez mais. Um retrato de Filipe II, já idoso, pintado por Pantoja de la Cruz, que pode ser visto na galeria da biblioteca do Escorial, mostra uma figura mortalmente pálida, de preto e cinzento, num espaço etéreo: o poder abstracto, desprovido de contexto. Henrique III, rei de França, seu contemporâneo, declinou a maior parte das ocasiões que teve de efectuar entradas régias. Foi criticado pelos seus contemporâneos pela exagerada importância que dava a cerimoniais da corte preparados para sublinhar a sua majestade real. O seu reinado foi também marcado por repetidas ausências prolongadas da vida pública, por peregrinações e retiros, para exercícios espirituais de inspiração franciscana. Entretanto, o imperador Rudolfo II abdicava, no fundamental, de qualquer participação activa nos assuntos do Império, e deslocava a corte de Viena para Praga e para Graz, na companhia de alquimistas e relógios.

Os comentadores políticos começaram também a reflectir um mundo onde o poder se desligara do seu contexto social e institucional. O piemontês Giovanni Botero (1544-1617) publicou em 1589 o seu livro *Da Razão de Estado*, uma obra influente, que procurava definir o Estado como autoridade sobre o povo, e "razão de Estado" como a arte política de aplicação de regras de ponderação na conservação dessa autoridade. O termo "Estado" tinha-se entretanto tornado corrente entre os diplomatas e autores políticos do Norte da Itália. Demorou algum tempo a ser exportado e encontrou em lugares diferentes contextos diferentes. Diz-se que Isabel I detestava a palavra. No fim do século, os políticos europeus, teóricos e práticos, começavam a definir a *res publica* (independentemente da forma como se manifestasse localmente) como Estado, identificando Estado e governo central. Finalmente, e em resposta às pretensões dos grupos confessionais a um direito de resistência à autoridade estabelecida, afirma-se a necessidade do poder absoluto do Estado sobre os seus súbditos, que se traduziria no poder de cobrar impostos e de fazer leis, sem qualquer necessidade de consentimento por parte dos governados e sem qualquer obrigação de corresponder aos costumes da sociedade em causa. São estas as direcções que irão determinar a política europeia no século subsequente.

3

A sociedade

Christopher F. Black

Faz parte da mitologia política britânica recente a declaração de uma primeira-ministra a negar a existência da "sociedade", enfrentando os comentários jocosos daqueles que não compreenderam o contexto. Margaret Thatcher tentava sublinhar a necessidade de os indivíduos assumirem a responsabilidade pela sua própria sorte, em vez de atirarem as culpas para cima dos "outros" ou do "outro" colectivo: a sociedade. Se é provável que toda a gente reconheça que os indivíduos interagem entre si, estabelecendo assim relações de tipo social, descrever a sociedade que daí resulta e as relações que se geram no seio dessa sociedade é tão difícil para o século XVI como para o século XX de Lady Thatcher. Muitos dos historiadores do século XX viram-se em apuros para decidirem se a descrição da sociedade europeia do século XVI devia ser feita principalmente em termos de "classes" ou em termos de "ordens" e de *status*. A primeira abordagem, influenciada pelo marxismo, mas que não foi privilegiada apenas por marxistas, dava prioridade aos factores económicos que regiam as relações entre as pessoas, principalmente à questão de saber quem controlava e quem não controlava os meios de produção. Dava assim muita importância aos conflitos sociais e ao carácter violento do período, consequência dessas lutas económicas. O campo oposto argumentava que a sociedade do século XVI e do século XVII correspondia muito mais a uma estrutura hierárquica em termos de *status*, ordens e "estados", como supostamente no passado feudal. Os estados ou ordens seriam o clero, a nobreza e o terceiro estado – que se dividia em "estados" urbanos e rurais nalguns sistemas políticos representativos (como no Tirol ou na Suécia). Nesta segunda abordagem, o nascimento, os papéis de prestígio representados na sociedade, o grau de dependência do soberano, a honra ou as proezas militares podiam ser mais importantes do que as relações económicas e financeiras, o controlo dos recursos e o trabalho. Aqueles que sublinham o papel das ordens e dos estados tendem a descrever o século XVI como uma sociedade mais estável e harmoniosa, com mútua interdependência entre os estratos sociais. Nestes últimos anos, os historiadores tenderam a sublinhar a complexidade do modo como os europeus do período moderno viam e descreviam a sua própria sociedade. Incorporaram também muito mais factores nas relações entre as pessoas, indo muito além das simples relações de poder, de nascimento, jurídicas ou económicas, para recorrerem a conceitos e pontos de vista socioantropológicos.

Uma análise da sociedade poderia incluir a consideração de todas as formas de relacionamento de um indivíduo, e da sua família imediata, com os outros: o ambiente e o espaço físico, as relações económicas de empregador e empregado, os quadros institucionais, os sentimentos de identidade comum ou de alienação, as atitudes mentais em relação aos outros, de respeito ou de medo, ou mesmo os meios de comunicação (não só a linguagem, mas também os gestos ou as relações espaciais). Em relação ao século XVI, e ao modo como alguns aspectos destas relações sociais se poderão ter modificado, há algumas questões a pôr. Muitas delas são alvo de vivos debates. Tratando de toda a "Europa", há que ver até que ponto existiria uma importante linha divisória entre a Europa Ocidental (que inclui habitualmente o mundo mediterrânico da Península Ibérica e da Itália) e a Europa Oriental ("a leste do Elba"); ou uma linha divisória entre o Norte e o Sul (as áreas do Atlântico e do Báltico em contraposição com o Mediterrâneo e o Sul da Alemanha). As divisões entre sociedade urbana e sociedade rural eram rígidas ou fluidas? Essas divisões sofriam variações, no plano geográfico? Até que ponto havia mobilidade física e social? A condição das mulheres, e as atitudes face a elas, foram-se tornando mais ou menos adversas? Foi crescendo ao longo do século a separação entre ricos e pobres, tornando-se mais duras as condições dos mais pobres? Que impacto tiveram na sociedade em geral as "mudanças" principais do século: a crise da Reforma, os contactos alargados com o mundo não europeu e o impacto da impressão de palavras e imagens numa escala consideravelmente mais ampla? Algumas destas questões invadem terrenos tratados noutros capítulos, ganhando aí outro destaque. Uma perspectiva actualizada e aberta da "sociedade" aumenta inevitavelmente as interconexões possíveis.

Na abordagem de várias questões, valerá a pena considerar um indivíduo hoje bem conhecido, trazido para a fama por um exemplo estimulante e controverso dessa "micro-história" que é hoje moda: Domenico Scandella, mais conhecido como Menocchio, um moleiro de Montereale, no Friul (no Nordeste de Itália), que foi executado, em

1599, às ordens do Santo Ofício da Inquisição de Roma. A fama de Menocchio deve-se a um livro do historiador italiano Carlo Ginzburg, chamado *O Queijo e os Vermes*. O nome vem de uma declaração de Menocchio aos inquisidores, em que afirmava conceber o aparecimento da Terra como um queijo a fermentar, donde saíam, como vermes, anjos e homens. Muitas das suas ideias eram críticas em relação ao catolicismo ortodoxo. Apesar de Ginzburg o ver como um "camponês", representando em parte ideias velhas e novas, e como um espírito independente, Menocchio desempenhou na sua comunidade muitos papéis, tendo sido pedreiro, carpinteiro, professor de ábaco e músico em festas; mas como moleiro era, de algum modo, um homem à parte. Os moleiros eram muitas vezes vistos com temor e desconfiança, dado o papel que desempenhavam na economia alimentar e na cobrança de impostos ao serviço de um senhor ou de uma administração comunal. Menocchio era alfabetizado e tinha acesso a alguns livros estranhos, perversamente interpretados, e a uma Bíblia em vernáculo (no italiano das elites), que a Igreja Católica vinha então progressivamente a erradicar, proibindo a sua leitura aos leigos. A região era remota, aos pés dos Dolomitas, mas fazia parte de uma antiga rede de comunicações. O povo falava friulano, uma língua diferente do veneziano, e mais ainda do italiano estandardizado das obras impressas. Mas aqueles que visitarem Montereale podem verificar que ainda existem caminhos e túneis com séculos, numa zona onde homens e animais conseguiam (excepto no Inverno) passar para norte e para lá dos Alpes; e o acesso à laguna de Veneza também não era difícil. Desde a década de 1540 que o Friul tinha dado vários sinais de interesse pelas ideias protestantes, incluindo as ideias radicais dos anabaptistas. Depois de um primeiro julgamento, em 1583-1584, Menocchio abjurou, teve uma punição bastante leve e foi autorizado a regressar à comunidade. Foi investigado e julgado pela segunda vez em 1598, depois de entrar em conflito com um novo pároco e com alguns vizinhos, por proclamar de modo demasiado livre e aberto ideias estranhas e heréticas. Os oficiais locais da Inquisição que o julgavam pretendiam poupá-lo, mas Roma insistiu na sua morte, como perigoso divulgador de heresias.

A história de Menocchio, ainda que seja invulgar, é um aviso contra uma visão da sociedade rural como uma entidade remota e homogénea, divorciada da alta cultura e das novas ideias. Mostra também as forças e fraquezas das tentativas de controlo sociorreligioso.

Os vínculos sociais

No século XVI, um indivíduo reconheceria um certo número de formas diferentes de estabelecimento de vínculos sociais: através da família alargada, das relações de parentesco, da vizinhança, rural ou urbana, da vida paroquial, das corporações ou das confrarias religiosas. Numa forma menos benigna, o indivíduo podia estar vinculado a um amo ou a um senhor. Provavelmente, seria menos comum um sentimento forte de pertença a um Estado, a uma monarquia ou a uma grande área geográfica. Algumas destas relações sociais alteraram-se ao longo deste período, mas muita coisa continua a ser objecto de controvérsia. Ainda que, na Europa Ocidental, possam ter sido dados alguns passos em direcção a uma família nuclear, de pais e filhos (como se verificou no Norte da França, nos Países Baixos e na Inglaterra), a família e o agregado familiar apresentavam-se em muitas configurações diferentes, ditadas tanto pela mortalidade, e por uma necessidade económica de produtividade e sobrevivência, como pela cultura. Em muitos agregados familiares viviam juntas três gerações, incluindo normalmente uma viúva, e ainda tios e tias e irmãos e imãs, solteiros, da geração intermédia. Dos habitantes da Europa Ocidental que atingiam a idade adulta, entre 10% e 15% nunca chegavam a casar, em grande parte por razões económicas. Se era normal, na Europa Ocidental, os filhos saírem de casa quando se casavam (ou casarem-se quando estavam em condições de sair de casa e de constituir um novo agregado), não faltavam excepções a esta regra. Irmãos casados podiam viver juntos no mesmo domicílio urbano, ou num conjunto de unidades habitacionais interligadas num mesmo terreno urbano, ou em complexos rurais, como no Sul da França e na Lombardia. Este padrão podia ser o mais conveniente para assegurar a cooperação no trabalho, em casos de explorações agrícolas ou estabelecimentos de artesãos. Era frequente, no caso das elites urbanas italianas, muitos membros da família viverem juntos em grandes agregados. Entre os patrícios venezianos do fim do século XVI não era raro que só um irmão casasse, para evitar a divisão do património; mas os outros irmãos (e possivelmente as suas amantes) e as irmãs solteiras mantinham-se juntos, no mesmo palácio. Na Europa Oriental e na parte europeia da Rússia, era frequente as famílias viverem em agregados multifamiliares, trabalhando em grande proximidade. Entre as famílias de mais baixa posição social, em partes da Itália, da Alemanha e do Centro e Sul da França, os filhos casados ficavam a viver com os pais, por não conseguirem a posse ou a exploração de uma propriedade agrícola autónoma.

Em contraste com os grandes agrupamentos familiares, há dados do fim do século XVI relativos a um número significativo de "agregados" urbanos encabeçados por pessoas sozinhas, muitas vezes viúvas, ainda que pudessem ter a viver consigo inquilinos, aprendizes ou criados. Muitos jovens, na Europa Ocidental, saíam por algum tempo de casa, na adolescência, para estabelecerem contactos sociais e relações com clientes, no caso das famílias da elite, ou para trabalharem como criados ou aprendizes nas cidades, ou como jornaleiros na agricultura, no caso das famílias de menos posses. No Centro-Norte da Itália, as raparigas das pequenas cidades e das aldeias trabalhavam como criadas nas grandes cidades, para conseguirem um dote de casamento. Havia criadas solteiras em agregados domésticos relativamente modestos, e há registos paroquiais, de Roma e de Bolonha, que referem a existência de prostitutas com raparigas ao seu serviço (não registadas como filhas). Para muitos, a mobilidade e a interligação entre famílias era importante por razões económicas, pelo estabelecimento de redes sociais, pela abertura de horizontes, pela promoção de relações entre a cidade e o campo, pela divulgação de ideias ou de uma cultura material caracteristicamente urbanas. Outras regiões foram menos beneficiadas. No Sul da Itália, nesta época, havia menos crianças a saírem de casa. Na Europa Central e de Leste, o serviço doméstico era raro, fora das grandes propriedades e palácios.

Debateu-se muito a importância das relações de parentesco e de clã no estabelecimento de redes sociais neste período, bem como as mudanças ocorridas nessas relações. Os laços de parentesco eram utilizados em todos os escalões sociais, no apoio a papas e cardeais, na conquista de posições na corte inglesa ou francesa, na negociação de casamentos convenientes, mesmo em níveis mais baixos da sociedade, ou para manter a integridade da propriedade e dos recursos. As relações de clã, mais extensas, persistiam no século XVI em áreas importantes da França, da Escócia, da Espanha, da Córsega, do Piemonte, do reino de Nápoles e do Friul. Podia ser grande a importância dos clãs no apertado controlo político de cidades como Génova, Bréscia ou Valladolid, mas os governantes viam-nos como um perigo para o controlo das áreas rurais, e a partir de meados do século começaram a atacá-los no quadro das políticas de formação de estados. As ligações de clã podiam exacerbar vendetas, ou constituir, enquanto sistema de estabelecimento de redes, o pano de fundo por trás de sérios conflitos sociais, como os que ocorreram no início do século no Friul ou as guerras de religião em França, na segunda metade do século. Muitas dessas lutas em França tiveram origem no controlo territorial dos clãs Guise, Condé e Montmorency, e nos sistemas feudais de clientelas. Os Guises, utilizando os laços clientelares com as famílias nobres Rohan e La Rochefoucauld, de categoria imediatamente inferior à sua, conseguiam controlar grande parte da Normandia, Picardia e Champagne no interesse do núcleo duro da causa católica, tanto contra os protestantes como contra a coroa, quando esta procurou o compromisso e a tolerância.

Era possível formarem-se diferentes lealdades sociais de acordo com diferentes posições geográficas. Cerca de 90% da população da Europa Ocidental, do Sul e Central vivia em comunidades rurais, aldeias e lugares, e não em cidades. Algumas aldeias eram activas comunidades independentes, com actividades económicas e níveis sociais diversificados, como sucedia no Sul da Inglaterra e nos Países Baixos. Outras, como no Sul da Itália, podiam ser grandes comunidades de muitos milhares de pessoas, mas monoculturais, sem diversidade social, e possivelmente com pouco sentido de comunidade. A maior parte das comunidades aldeãs ou pequenas comunidades urbanas defendia com afinco os direitos e privilégios concedidos pelo monarca, por alguma cidade vizinha ou pelo senhor feudal, e unia camponeses, artesãos e profissionais contra qualquer ameaça externa a esses direitos e privilégios. Na Europa Ocidental e na Europa do Sul, mesmo as aldeias e pequenas cidades feudais tinham as suas assembleias, os seus magistrados locais e juízes, para conduzirem os assuntos quotidianos e negociarem com o senhor feudal. Em Espanha, a coroa e a nobreza podem ter batalhado por feudos e pela sua posse, mas (de acordo com James Casey) é possível que o controlo e a vitalidade das comunidades tenham crescido ao longo deste período. E se, na maior parte da Alemanha, as comunidades aldeãs foram esmagadas pelo poder estatal dos príncipes, em Vurtemberga conservavam um grande domínio sobre os assuntos locais. Ainda que se considere por vezes que a Europa Central e de Leste era mais opressivamente "feudal", os magistrados locais, ou mesmo as assembleias comunais, podiam ter algum poder de decisão e de direcção (como nas comunidades do Danúbio) em assuntos socioeconómicos, e até legais, não exercendo o senhor um domínio total. As lealdades locais, nas aldeias, podiam gerar antagonismos, mas também uma concorrência saudável. Eram frequentes as pressões contra os casamentos fora da comunidade, levando a petições aos bispos de dispensa das regras da consanguinidade, como aconteceu no Piemonte pós-tridentino.

No seio de comunidades mais vastas, indo até às grandes cidades, os laços e redes sociais exteriores à família eram mais complexos e variáveis. Em comunidades mais pequenas, a igreja paroquial e a sua vizinhança imediata eram um ponto central, não só para os serviços religiosos, mas para as pessoas se encontrarem – para fazerem negócio, para lhes ser lida ou escrita uma carta, para fecharem um contrato ou para um encontro amoroso. O mesmo se aplicava nas cidades, ainda que, até à Reforma, as igrejas das ordens religiosas competissem na atracção dos fiéis para actos de culto, apoio ou reunião. Com as lutas da Reforma, todas as igrejas institucionais tentaram reforçar a lealdade e o controlo paroquiais. Os paroquianos eram encorajados, quase forçados, a passar mais tempo na igreja, a ouvir longos sermões protestantes ou missas católicas mais elaboradas. A partir do Concílio de Trento, a Igreja Católica reclamou o controlo sobre o sacramento do casamento e respectivo contrato (ainda que, até então, variassem muito as negociações e contratos de casamento), e pretendeu que a cerimónia tivesse lugar na igreja. A igreja paroquial tornou-se também, tanto para protestantes como para católicos, um lugar de educação, com escolas dominicais e escolas de doutrina cristã; mas perdeu alguma da sua dimensão de lugar de socialização secular. O Estado secular tendia a usar a igreja paroquial, e a reunião, agora mais forçada, da comunidade, para a divulgação de ordens e avisos.

Importantes para os agrupamentos e reuniões sociais eram as sociedades religiosas seculares, agora com nomes diversos, como confrarias, irmandades, congregações ou *gilds* (o termo mais corrente na versão inglesa). No período anterior à Reforma, desempenharam um papel vital em partes da Itália, Espanha, França, Inglaterra, Sul da Escócia, Países Baixos e Alemanha. A um nível básico, podiam ser sociedades funerárias, que asseguravam um funeral decente e orações pelos defuntos. Algumas geriam hospícios e hospitais, dotavam raparigas pobres, organizavam peregrinações. Outras, como na Inglaterra, no Sul da França, no Piemonte e na Alemanha, dedicavam-se sobretudo à organização das celebrações da festa anual, um grande acontecimento social na aldeia, de que os pobres podiam tirar algum benefício marginal. Lutero condenou as irmandades alemãs por encorajarem a embriaguez, sem ajudarem os pobres. Enquanto as igrejas protestantes condenavam e encerravam essas confrarias, nas áreas católicas as autoridades patrocinavam-nas, embora as reorientassem e tentassem impor-lhes uma supervisão clerical mais rígida. As confrarias aumentavam as suas actividades filantrópicas a favor dos pobres e necessitados; algumas ajudavam na educação religiosa; algumas regressaram à flagelação activa (uma prática que decorria das origens medievais de muitas delas) e a outras formas de penitência. Numa perspectiva social mais ampla, as confrarias contribuíram para o bem-estar social, para a moralização e para o controlo social. Podiam representar uma elite devota (e agir como vanguarda dessa elite na recuperação do catolicismo francês a partir do fim do século). Para algumas mulheres leigas, que podiam pertencer a algumas confrarias, e ocasionalmente dirigi-las, eram uma possibilidade de actividade, e também de oração, fora da família. Enquanto algumas eram socialmente exclusivas (só para nobres ou artesãos), a maioria caracterizava-se pela diversidade social. É possível que cerca de um terço das famílias urbanas da Itália e da Espanha tenha integrado confrarias, de forma intermitente, na parte final do século. O envolvimento nas áreas rurais foi mais desigual.

As corporações económicas (que, em zonas urbanas de Itália, Espanha e Países Baixos, podiam ter também uma feição religiosa) constituíam outra dimensão importante da organização social das comunidades urbanas. Nos principais núcleos urbanos da Europa Ocidental, as corporações de mercadores e artesãos tinham como principal função controlar as condições de trabalho e de comércio, a aprendizagem, a cobrança de dívidas e muitos outros assuntos económicos. Podiam também dominar a política municipal, como acontecia nas cidades italianas de Milão ou Perugia, ou em Londres e York. Podiam cumprir funções religiosas e filantrópicas, como notoriamente acontecia em Veneza. As corporações venezianas reuniam mestres e artífices, ricos e pobres, e podiam favorecer a coesão social; mas noutros lugares, como Florença, Milão ou Londres, podiam gerar divisões sociais, ao protegerem um determinado grupo de interesses. No século XVI, as mais prestigiadas, por exemplo as corporações de mercadores, banqueiros, notários ou mestres artesãos do sector dos lanifícios, tendiam a ter um menor papel económico e a dedicar-se mais a um elitismo sociopolítico, permitindo considerar que fomentavam na sociedade uma divisão de classes ou de ordens.

Hierarquias sociais: camponeses, trabalhadores, classe média e elites

William Harrison, na sua obra *Descriptions of England* (1577), comentando os "graus do povo", declarava: «Na Inglaterra, dividimos habitualmente o nosso povo em quatro espécies», nomeadamente (1) *gentlemen*, fidalgos, que se podem diferenciar em nobres, cavaleiros, escudeiros e «por fim aqueles que são chamados simplesmente *gentlemen*»; (2) cidadãos e burgueses, que possuem a liberdade da cidade; (3) *yeomen*, pequenos agricultores independentes, «aqueles que são chamados, na nossa lei, *legales homines*, homens livres nascidos ingleses»; proprietários alodiais com rendimentos de 40 xelins por ano; ou agricultores, cavalheiros «que possuem alguma proeminência ou mera estima» entre o povo comum; e (4) jornaleiros, cultivadores, artífices, «como alfaiates, sapateiros, carpinteiros, fabricantes de tijolos, pedreiros, etc.», criados e gente que não tem «voto na comunidade, e que tem de ser governada e não governar».

Nesta época, a Inglaterra tratava todos como homens livres; não existiam os estratos mais baixos, como os servos na Europa Oriental e na Rússia, ou os escravos, que ainda se encontravam nalgumas cidades da Itália e da Espanha (Sevilha registava 6327 em 1565) e nas galés. Os escravos não cristãos podiam ser tão bem, ou tão mal, tratados como os criados "livres", e recompensados caso se convertessem. Um nobre andaluz casou, em 1590, com a sua escrava moura, que era também mãe dos seus filhos. A servidão na Rússia tinha as suas hierarquias, e os servos domésticos podiam ser bem tratados e respeitados.

A sociedade do século XVI era uma sociedade hierárquica, mas em muitos domínios os seus vários estratos não podem ser vistos de modo tão rígido ou tão simples como Harrison indicava. As estruturas mais simples encontravam-se em áreas como a Polónia, a Prússia, a Hungria, o Sul de Itália e a região central de Espanha, onde a sociedade compreendia uma grande massa de camponeses muito pouco diferenciada, nobres com pessoal doméstico ao seu serviço, um pequeno número de homens com instrução na administração de propriedades rurais e, para além disso, uma classe média pouco variada nalgumas áreas urbanas. Uma palavra como camponês (*peasant*, que tem no inglês um sentido pejorativo, que não existe no mesmo grau no francês *paysan* ou no italiano *contadino*) podia cobrir muitos tipos de ocupação e de *status* (como sugere o caso de Menocchio, abordado mais atrás). "Camponeses" podiam ser trabalhadores sem terra ou servos sob o férreo domínio de um senhor; foreiros ligados por uma grande variedade de contratos, bons ou maus, ao proprietário da terra; grandes ou pequenos rendeiros; pequenos agricultores ou titulares de bens alodiais, com terrenos ricos com capacidade para culturas múltiplas; pastores ou guardadores de gado. Um camponês ou *contadino* podia ser ferreiro, sapateiro, alfaiate ou moleiro; enquanto um padre do Sul da Itália podia ter de trabalhar a terra ou ter um pequeno comércio. Uma mesma família podia, ao mesmo tempo ou num prazo de poucos anos, ter uma pequena propriedade, cultivar uma parcela a meias, arrendar outra e fornecer trabalho à jorna a um proprietário maior. Os camponeses podiam ser muito pobres e desprezados, ou ricos e homens de honra. Em Pueblanueva, uma comunidade de Castela-a-Nova, estavam registadas, em 1575, 350 famílias; 70 eram dadas como camponesas (possuindo ou arrendando terras), sendo as restantes famílias de jornaleiros e artesãos, com excepção de «três ou quatro camponeses que se dizem fidalgos (*hidalgos*), por possuírem direitos de nobreza».

A principal generalização sobre a sociedade "camponesa" terá sido talvez a de que as condições pioraram na Europa Central e de Leste para a maior parte dos camponeses, na sua relação com os senhores; enquanto no Ocidente e no Sul as mudanças foram mais variáveis. Na Inglaterra, com o crescimento de uma população rural com alguma liberdade, um camponês podia acabar como parte do proletariado rural ou como um novo pobre numa cidade como Londres ou Norwich, ou podia passar a integrar uma população crescente de *yeomen* e pequenos nobres (*gentry*). Mas, na Europa Central e de Leste, o poder dos senhores foi usado para impedir qualquer movimento da população camponesa, amarrando-a legalmente à terra (de acordo com leis de 1514, na Hungria, de 1526-1528, na Silésia, no Brandeburgo e na Prússia, e de 1580, em partes da Rússia). No Leste, os proprietários de terras, e ocasionalmente o Estado, desenvolviam uma economia agrária que oprimia e limitava, no plano social, o seu próprio campesinato, ao mesmo tempo que alimentava a população crescente da Europa Ocidental e mediterrânica (esta a partir da década de 1590), aumentando a sua diversidade socioeconómica. As leis permitiam também que os senhores expropriassem os camponeses com terra, transformando-os em trabalhadores sem terra ou quase sem terra, obrigados a prestar serviços nas propriedades senhoriais, como aconteceu de 1540 a 1572 no Brandeburgo e na Prússia. Enquanto as obrigações inegociáveis de prestação de serviços a proprietários seculares ou da Igreja diminuíam na Inglaterra e em grande parte da Itália, na Europa Central e de Leste esse tipo de serviços cresceu consideravelmente – as aldeias dependentes da catedral de Havelberg (Brandeburgo), pelo fim do século, tinham de dar noventa dias de trabalho nas propriedades da catedral. O poder dos nobres conseguia garantir que as leis formais do Estado padronizassem essas prestações de serviços, como aconteceu em Braunschweig em 1597. Os senhores conseguiam ter um controlo considerável sobre os casamentos ou sobre a transmissão de alguma propriedade que o camponês pudesse ainda possuir. No entanto, algumas áreas da Europa Central e de Leste fugiam a este padrão, e preservaram ao longo do século XVI e do século XVII populações de camponeses livres, como sucedeu nas terras polacas próximas de Cracóvia ou nos territórios prussianos onde vigorava o direito de Kulm. Os camponeses dinamarqueses e suecos conservavam uma grande segurança em relação ao regime de posse da terra e às liberdades, mas iriam sofrer ao longo do século com os aumentos de impostos e direitos, como os camponeses livres noutras partes da Europa. Na Saxónia, os eleitores aumentaram as terras sob controlo directo do Estado e preferiram proteger os camponeses das pressões dos nobres, das depredações e do aumento dos serviços a prestar; mas fizeram-no, pelo menos em parte, para assegurar as suas próprias receitas de Estado.

Independentemente dos sistemas de controlo da terra, podia haver grandes tensões na sociedade rural, e não só entre trabalhadores e proprietários. Na Espanha, no reino de Nápoles e nos Estados Pontifícios havia uma considerável fricção entre os agricultores e os pastores, que conduziam grandes rebanhos de ovelhas das planícies para as montanhas. No nosso período, muita da tensão social decorria da vedação e expropriação de terras comunais (que eram muitas vezes a salvação dos camponeses com menos recursos). Essa tendência, significativa em partes da Inglaterra, na Espanha, no Brandeburgo e na Itália Central, arrastou alguns camponeses para cidades como Londres, Sevilha, Roma ou Nápoles, e outros para o banditismo rural. A maior parte da Europa tinha provavelmente uma sociedade rural mais polarizada entre ricos e pobres; isto é, entre aqueles que conseguiam ter algum controlo sobre terras e animais e aqueles que dependiam quase inteiramente de outrem. Uma relativa harmonia social dependia de estes últimos conseguirem (como no Ocidente e no Sul) ou não (como no Leste) mudar-se para as cidades.

O século assistiu a graves motins e revoltas rurais: no Friul, por volta de 1511; na Hungria, em 1514; em grande parte da Alemanha, no Tirol e na Hungria, nas "guerras camponesas" da década de 1520; no fim da década de 1580, nalgumas partes da França, nos Países Baixos e na região de Nápoles; na década de 1590, nas conhecidas revoltas dos *Croquants* em França, e noutras na Alta Áustria e na Hungria. Praticamente nenhuma delas pode ser vista exclusivamente como uma guerra de classe dos camponeses contra os senhores ou o monarca, ainda que o protesto contra a servidão ou as condições de tipo servil fosse um factor importante. Era frequente juntarem-se a esses movimentos artesãos das cidades, padres locais e nobres dissidentes, que preferiam apoiar os seus rendeiros e trabalhadores contra a tributação do governo, ou utilizá-los para outros fins, incluindo a dissidência religiosa. As relações sociais podiam quebrar as hierarquias convencionais.

Sociedade urbana

Passando à sociedade urbana, é habitual encontrar-se um conjunto mais complexo de relações. Como se indica no capítulo 1, assistiu-se, no período que estamos a considerar, a uma urbanização generalizada. Nesse quadro tornou-se, contudo, evidente, por volta do fim do século, uma viragem para noroeste na proporção de grandes aglomerados urbanos. A população europeia residente em comunidades urbanas de mais de 40000 habitantes subiu aproximadamente, ao longo do século, de 2% para 3,5%; e a população residente em comunidades de mais de 10000 habitantes subiu de 6% para 10%. Estes números podem ser enganadores, porque muitas *towns* inglesas de 600 a 800 habitantes tinham uma diversidade económica, social e cultural superior à de uma cidade espanhola de 20000 habitantes. Algumas cidades espanholas, italianas e alemãs tinham estagnado ou entrado em decadência, como aconteceu na Inglaterra com Salisbury, por exemplo. Para sobreviverem, dadas as taxas de mortalidade urbana, as cidades precisavam de um saldo positivo de imigrantes, vindos de pequenos aglomerados urbanos ou de comunidades completamente rurais. Assim, alguns citadinos tinham sido, até há pouco, "camponeses". As comunidades urbanas podem ser subdivididas, de forma simples, em trabalhadores, uma classe média de pequenos comerciantes, artesãos e profissionais liberais, e as elites de nobres e grandes mercadores. Mas uma cidade podia ter um perfil muito variado, com um grande número de gradações económicas e sociais. Uma descrição complexa é-nos dada por Tommaso Garzoni na sua obra *La Piazza Universale*, publicada em 1585, em Veneza, e que teve muitas edições posteriores. Imaginando uma praça com todos os grupos, dos mais nobres e honoráveis no centro, até aos mais modestos limpadores de latrinas nos pontos mais afastados, Garzoni descreve cerca de 400 ocupações, desde carniceiros, padeiros, advogados, até amantes, prostitutas, espiões, bêbados permanentes, inquisidores e hereges. Na realidade, as principais cidades podiam abarcar um elevado número de profissões, agrupadas em grémios e associações, que podiam chegar a uma centena e que proporcionavam identidade e solidariedade.

As cidades tinham todo o tipo de configurações físicas e de subdivisões. Nalgumas, ricos e pobres estavam segregados, com os nobres a reservarem para si áreas selectas, ou mesmo ruas, como a *Strada Nuova*, em Génova. Aqueles que estavam envolvidos em actividades desagradáveis, como os curtidores, açougueiros ou pisoadores, eram mantidos à parte. Mas noutras cidades as casas e palácios podiam ter, por baixo, no rés-do-chão, lojas, oficinas ou hospedarias, como acontecia nalgumas partes de Veneza, Florença ou Paris. No interior das cidades, podia haver lealdades de vizinhança e sistemas clientelares a unir vários níveis da hierarquia.

Ao longo do século, a sociedade urbana tornou-se em geral mais profissional, educada e consumista, no Ocidente e no Sul mais do que no Leste. A educação estava mais difundida, o que era reflexo da expansão da imprensa, das campanhas humanistas por uma divulgação mais diversificada do conhecimento, e dos debates e confrontos religiosos. E também da vontade das igrejas institucionais de assegurarem uma educação religiosa adequada, conduzida por um clero mais instruído, independentemente de ter sido formado nas universidades ou nos seminários. A consolidação do Estado e a necessidade de cobrar mais impostos para financiar a guerra geraram estruturas burocráticas (com a criação, nalguns casos, de cargos verdadeiramente funcionais, mas também, noutros casos, de cargos venais, menos eficazes, para angariação de dinheiro para a coroa). Advogados e médicos tornaram-se mais conscientes do seu *status*, competindo com as elites mais antigas de nobres e mercadores. Na Inglaterra isabelina, foi-se tornando cada vez mais comum que advogados e mercadores desafiassem, política e socialmente, a nobreza dos condados (*shires*), investindo também na terra. O consumismo foi encorajado por uma competição nos gastos em ostentação cultural ou cultura propagandista com objectivos políticos e religiosos. No fim do século XVI, esta era uma realidade mais presente nos edifícios e na decoração das áreas católicas; mas as cidades protestantes também participavam nessa competição, apresentando residências urbanas, edifícios públicos civis ou monumentos funerários mais elaborados. No Centro e Norte da Itália, nos Países Baixos, no Norte da França e nas principais cidades alemãs, a habitação urbana começou a proporcionar à família mais privacidade e uma vida mais confortável e vistosa, com camas e roupas de cama, cadeiras e tapeçarias mais trabalhadas, louças decoradas e vidros venezianos. Em Veneza, há registos que sugerem que este consumismo atingia já, no fim do século, as famílias de artesãos da classe média, antecipando a liderança consumista dos Países Baixos no século seguinte.

Elites e *status*

A tentativa de estabelecer diferenciações no seio dos grupos e elites da classe média urbana (aquilo a que Henry Kamen chama a "elite média") faz parte de uma viva discussão sobre as elites na Europa Moderna, que tem contado com a participação de muitos historiadores. Cada vez se dá mais atenção à variedade das elites, às suas interconexões e às tensões entre ricos e pobres no seu interior. Aqueles que ostentavam legalmente o título de nobres constituíam um tipo de elite, mas podem ser identificadas outras elites políticas e sociais, que não tinham títulos nem designação de nobres, ainda que no Ocidente se usassem cada vez mais os termos "gentleman", "gentiluomo" e "gentilhomme". Das elites urbanas faziam parte "nobres" sem título (por vezes chamados patrícios, como em Veneza), mercadores, titulares de cargos públicos e advogados; por vezes competiam com a nobreza territorial (ainda que de forma menos assassina do que nas lutas italianas do início do Renascimento). Um composto de "nobreza" e "aristocracia" (governo dos melhores) podia ter por base o nascimento (uma boa linhagem), a virtude (por exemplo, a bravura na guerra), a competência (como conselheiro) e a educação. Presumia-se que a nobreza e o poder que lhe estava associado se baseavam na propriedade e rendimento da terra; isto era particularmente assim na Europa Central e de Leste e na Escandinávia, mas era também em grande parte verdade na Grã-Bretanha, na França ou na Espanha, e em partes da Itália. Algumas elites urbanas (como acontecia nas cidades do Norte e Centro da Itália, na Renânia alemã, na França, nos Países Baixos e em Sevilha), tendo baseado o seu poder e o seu dinheiro no comércio, no governo civil, na lei ou na corte, começaram a investir cada vez mais na terra, procurando investimentos mais seguros ou outro *status* social. Num processo inverso, houve nobres terratenentes que substituíram os mercadores no governo de cidades comerciais, como aconteceu em Córdova. Mais tarde, nesse mesmo século XVI, houve nobres terratenentes a preferir viver sempre, ou parte do tempo, na cidade, por razões de cultura ou de política da corte, como os duques de Sessa, em Córdova, a família

Chinchón, em Segóvia, ou as famílias Caracciolo, Carafa e Pignatelli em Nápoles.

A partir de meados do século, sob o governo dos Médicis, grão--duques da Toscana, é interessante o carácter misto da elite ou elites de Florença, incluindo velhas famílias patrícias, com origens na banca e no comércio, novas famílias da burocracia, novas e velhas famílias com interesses na terra e detentoras de feudos, e ainda figuras literárias e académicos, que educavam, honravam e divertiam a corte. Membros de segundo plano de velhas famílias da elite (como as famílias Capponi, Guicciardini e Corsini) estavam prontos a envolverem-se nos principais ofícios, como a ourivesaria, ou para se dedicarem activamente ao comércio. O comércio com Lyon valeu à família Gondi uma baronia em França.

Os interesses ligados à terra mantiveram-se poderosos ao longo de todo o século, associados às famílias nobres tradicionais ou a novas famílias que compravam terras nas áreas rurais, e a quem, por vezes, eram concedidos novos feudos. A nobreza espanhola de estirpe mais elevada, como os duques de Alba, Medinaceli ou Medina Sidónia, controlava enormes extensões de terra e uma imensidão de gente. Ao planear entregar ao duque de Medina Sidónia a condução da Armada na invasão da Inglaterra, Filipe II contava recorrer, para equipar as naus da invasão, aos recursos do duque e a uma força feudal. Quer tivesse êxito ou falhasse na invasão e ocupação, os recursos do duque ficariam exauridos e este tornar-se-ia um magnata menos poderoso, em comparação com a coroa. A partir de 1589, a família Zamoyski construiu um importante estado territorial dentro do estado da Polónia--Lituânia, chegando a controlar, no século XVIII, dez cidades, 220 aldeias e 100000 pessoas. Muito deste engrandecimento pode ser visto como consideravelmente benéfico em termos económicos, sociais e culturais, por ter permitido a construção de cidades sólidas, o estabelecimento de igrejas e escolas e a promoção do comércio rural.

Para os estratos de elite, a procura de títulos, feudos e honras tornou--se uma preocupação crescente ao longo do século. As prioridades da elite eram dominadas pelo reconhecimento do seu *status*, como nobres ou gente de distinção, com ou sem título. Muita da literatura publicada na Itália, e mais tarde também na França e na Inglaterra, ocupava-se da honra, da virtude e do comportamento na corte que lhes estava associado, coberto pelo menos por um verniz de valorização cultural. *O Cortesão*, de Baldassarre Castiglione (com primeira edição de 1528) é o exemplo mais famoso e popular. Este diálogo complexo combinava uma versão cínica e civilizada de maquiavelismo no aconselhamento cortês do príncipe com debates sobre o amor ideal e a beleza ou sobre a necessidade de domesticar nobres guerreiros e de ter mulheres a desempenhar na corte uma missão cultural civilizadora. Apesar de situado no contexto da corte, algumas das suas mensagens desceriam, no fim do século, a escala social, atingindo os fidalgos em geral. A atitude preconizada encorajava o patrocínio da literatura e das artes por parte daqueles que pretendessem ser considerados por virtude, e não apenas pelo nascimento, nobres ou gente de distinção. Mas ajudava também a conseguir ver socialmente reconhecida essa posição de nobreza pela concessão de um título, ou mesmo de um feudo territorial, que podia proporcionar poder à escala local, e ainda por cima lucro. Para alguns era bastante serem designados por um prefixo adequado: o honorável, o muito ilustre, o eminentíssimo, e por aí fora. Em Espanha, ser reconhecido como Don implicava um *status* de nobre *hidalgo*, mas também ser um bom cristão-velho, livre da contaminação recente de sangue judeu ou mouro ou de qualquer acusação de heresia. O conceito de "honra" não era apenas uma preocupação elitista; ser respeitado na sociedade tinha uma importância considerável, assim como ser do tipo "certo" de cristão depois da divisão das igrejas. Os habitantes de classe média das cidades inglesas estavam decididos a que os reconhecessem como "*gentlemen*". Os italianos que compareciam perante tribunais seculares ou eclesiásticos tentavam garantir que testemunhas atestassem que podiam ser considerados homens de boa reputação – "un uomo da ben".

Os príncipes concediam cada vez mais títulos (duque, conde, marquês), acompanhados ou não por "feudos" territoriais, esperando assim comprar apoios. Um "feudo" territorial podia incluir o controlo de uma cidade de dimensão significativa e do seu território circundante, com ampla jurisdição e uma relativa independência dos vassalos face à autoridade régia. Era o que acontecia, por exemplo, em partes da Espanha, no reino de Nápoles, na Polónia e no Brandeburgo. Mas nalguns casos, como no Piemonte e noutros feudos do reino de Nápoles, o poder do feudatário era limitado, a área era restrita e o controlo comunal activo, e o que interessava ao nobre era o prestígio do título.

Uma consideração essencial para as elites era o "privilégio", que podia significar um direito positivo a qualquer coisa ou uma isenção especial. Ao nível político, podia ser o privilégio de ter assento numa qualquer assembleia representativa de primeiro plano: a Câmara dos Lordes na Inglaterra, a segunda câmara nos Estados Gerais franceses ou nas assembleias locais (onde o clero era o primeiro estado), a câmara alta do *riksdag* sueco, o Grande Conselho da república de Veneza.

O "privilégio" podia incluir o direito a ser julgado por um tribunal especial, a ser executado pela espada e não sofrer a ignomínia da forca, a possuir um escudo de armas, como emblema de nascimento e virtude, a usar armas em público, a estar isento de certos impostos. Os privilégios mais completos acompanhavam a concessão de feudos com controlo jurisdicional praticamente total. Alguns privilégios, sobretudo o direito a usar armas, podiam ser concedidos a indivíduos posicionados em níveis bastante baixos na escala social. Os privilégios de isenção de impostos podiam ser comprados por cidades, ou por cidadãos e burgueses a título individual; a venda deste tipo de privilégios significava de imediato dinheiro para a coroa, apesar de perdas na base tributária a longo prazo. Ser vassalo num feudo não implicava necessariamente estar descontente com essa condição; podia-se estar melhor como vassalo de um duque ou marquês espanhol ou napolitano – muitas vezes ausentes ou desejosos de estabelecer uma rede clientelar local –, porque os impostos ou as exigências de trabalho nas propriedades dominiais podiam ser mais leves do que os impostos e deveres exigidos àqueles que estavam sob controlo directo da coroa. Em contrapartida, os feudatários que levavam a extorsão e a tirania longe de mais podiam ser vítimas de ataques assassinos por parte de vassalos seus; houve um número significativo de casos deste tipo em feudos napolitanos em 1511 e 1512. Era sensato exercer os "privilégios" com prudência.

Claude de Seyssel, conselheiro de Luís XII e diplomata, na sua obra *La Monarchie de France*, defendeu que a nobreza, com os seus privilégios, era a chave da harmonia social e política, desde que usasse a sua posição privilegiada e uma boa educação humanista para limitar o poder régio, através de boas leis e bom conselho, ajudasse a garantir a harmonia entre as ordens sociais, reconhecendo os direitos e o papel das outras ordens, e servisse o Estado e a sociedade. Estas ideias eram aceites neste período, ainda que as famílias nobres francesas mais poderosas tenham desencadeado, passado pouco tempo, uma desastrosa agitação civil e religiosa.

A importância crescente dada pelas elites à honra, respeitabilidade e virtude, às proezas militares e à prosperidade ligada à terra, gerou críticas, que consideravam que as elites de topo de nobres e magnatas teriam um papel de inibição da mudança económica e social. Este é um ponto de vista enganador. É possível que as famílias patrícias de Veneza se tenham retirado, a partir de meados do século, de um comércio internacional de risco, investindo, em terra firme, em vilas palladianas com terras de cultivo (como é o caso da esplêndida Villa Barbaro, em

Maser); mas essa actividade, tal como foi levada a cabo por famílias como a família Barbaro ou a família Michiel, era inteiramente empresarial e acompanhada por investimentos em irrigação e canais. Os resultados permitiram elevar o nível de vida das áreas de terra firme. A família Foscarini manteve o seu envolvimento nos negócios do azeite e da madeira. Na Áustria, Hungria e Boémia, grandes famílias de magnatas enriqueceram através do envolvimento nos negócios das minas (como os Auerspergs, que controlavam as minas de mercúrio de Idrija, na Carníola), da piscicultura em lagos artificiais (como a família Hradec) e sobretudo do gado (no caso de famílias húngaras como os Zays, os Dobós e os Zrinkis), que alimentava Veneza, para além de outros lugares. Alguma desta expansão foi conseguida pela expropriação dos estratos mais baixos da nobreza ou aproveitando a alienação de terras da coroa.

Sociedade rural e sociedade urbana: mobilidade

A mobilidade na sociedade do século XVI era significativa, tanto em termos geográficos como sociais, independentemente das implicações que a importância dada ao nascimento possa ter tido na mobilidade social. Para manterem as suas populações, as comunidades urbanas necessitavam que a chegada de novos habitantes superasse o número de saídas; muitos jovens passavam temporadas longe de casa ou da localidade, a trabalharem como criados, aprendizes ou auxiliares na agricultura. A transformação das terras de cultivo em pastagens ou a vedação de terras comunais empurraram um número considerável de camponeses para a Londres isabelina, e também para Roma e Nápoles no mesmo período. Os homens, sobretudo, podiam percorrer distâncias consideráveis nas migrações sazonais, aproveitando as necessidades de trabalhadores nas colheitas ou conduzindo rebanhos até às zonas de pastagem, e depois de regresso aos abrigos de Inverno ou ao matadouro. Alguns acompanhavam o gado desde a planície húngara até perto de Veneza, ou da fronteira entre a Escócia e a Inglaterra até à região londrina; montanheses dos Alpes migravam para os vinhedos franceses, e piemonteses para as frotas pesqueiras da Sicília. Muitas migrações eram de longo prazo ou permanentes. A expansão ultramarina atraiu para a América um grande número de europeus, e um número menor para a costa africana ou para o Extremo Oriente, neste período sobretudo portugueses e espanhóis. As guerras contribuíam para aumentar a mobilidade; as guerras na Itália, com exércitos cada vez maiores, movimentavam nobres franceses e espanhóis e soldados de infantaria de condição humilde, e ainda mercenários alemães e suíços. Mais tarde, as guerras religiosas em França e os combates pelos Países Baixos atraíram gente de Itália e dos territórios alemães, para além de terem obrigado à deslocação de um grande número de habitantes locais. Os resultados são ilustrados pela estranha história do impostor Martin Guerre, que se tornou famoso com a versão filmada de mais uma excelente micro-história – escrita por Natalie Zemon Davis – que revela muita coisa, a vários níveis, sobre a sociedade francesa. A divisão dos Países Baixos levou ao realojamento no Norte de muitas famílias e indivíduos que não quiseram permanecer no Sul sob domínio espanhol, contribuindo para aumentar a diversidade social e a riqueza do Norte.

Esta mobilidade essencialmente masculina podia ser factor de grande perturbação na vida familiar, e encorajar ou forçar a mobilidade feminina, com mulheres à procura dos maridos perdidos ou a trabalhar como vivandeiras. A reconquista cristã na Península Ibérica empurrou, no fim do século XV, os judeus e muçulmanos que não aceitaram a conversão para paragens distantes – Norte de África, Países Baixos, Veneza, ou então os Balcãs e o Médio Oriente (cidades como Salónica, Alexandria e Alepo), onde o Império Otomano era mais tolerante com os judeus. Para esta perturbação contribuiu um crescente anti-semitismo ao longo do século, fomentado por exemplo por alguns papas, assim como o aumento de áreas formalmente consideradas como guetos (o primeiro foi criado em Veneza, tendo o termo genérico sido cunhado a partir do nome local). Nessas áreas, os judeus eram admitidos, mas segregados.

O intercâmbio social entre campo e cidade não se fazia apenas num sentido, como se poderia depreender de alguns dos pontos abordados acima. Os principais mercados e feiras anuais de toda a Europa atraíam, de lugares muito distantes, "camponeses" e intermediários, bem como grandes mercadores. A experiência urbana tinha um efeito cultural naqueles que regressavam – com notícias, mexericos, novos artefactos, modas ou gostos. Pensa-se hoje que é possível que um mercado de artigos em segunda mão tenha tido repercussões num consumismo não apenas urbano, mas também rural. Crescia o movimento de caixeiros-viajantes através da Europa, com bugigangas, recipientes ou remédios, mas também boletins com notícias, imagens baratas da Virgem ou de algum santo potencialmente milagreiro ou ataques obscenos ao Papa e aos frades (consoante o mercado religioso local). Para bem ou para mal, era cada vez maior a exposição das comunidades rurais aos visitantes urbanos, sob a forma de cobradores de impostos, advogados, agentes dos proprietários das terras, altos funcionários religiosos a inspeccionar a competência de padres ou pastores no contacto com os seus paroquianos, ou à caça de alegadas "bruxas" ou, pelo menos, de duvidosos curandeiros locais. Algumas áreas rurais não demasiado distantes das grandes cidades podem ter sido beneficiadas com a tendência de alguma nobreza para gastos de ostentação em temporadas fora da grande cidade – para prazer ou para supervisão dos trabalhos agrícolas. Na Inglaterra isabelina ou nas zonas de colinas à volta de Florença, Roma ou Madrid, construíram-se novas habitações, pavilhões de caça e casas de campo, e remodelaram-se velhos castelos. A população local sentia os efeitos de alguns aspectos económicos e culturais.

No caso de grupos influentes mais seleccionados, a mobilidade de longa distância pode encontrar-se entre estudantes e dissidentes religiosos, bem como entre músicos e artistas. Enquanto a Itália tendia a ser para muitos o principal ponto de atracção, era possível encontrar italianos exilados por razões religiosas em Genebra – onde se mostraram mais inconstantes e teologicamente indisciplinados do que os franceses, de acordo com as queixas de Calvino – e na Polónia ou na Inglaterra. Os escoceses procuravam inspiração em Genebra ou em França; ou em Roma os que permaneciam católicos. As universidades italianas continuavam a atrair gente de fora da Itália, e as tentativas de Filipe II de manter em Espanha os académicos espanhóis não foram inteiramente conseguidas. Estrangeiros em cidades centrais como Bolonha, Perugia, Roma e Veneza, fossem estudantes, clero de visita, comerciantes ou artesãos, podiam formar "nações" ou inscrever-se nelas, o que lhes proporcionava uma base social e linguística, redes socioeconómicas e uma base religiosa nas confrarias. As nações podiam ser alargadas ou restritas, de acordo com o número dos seus membros; por um lado, nações de Bérgamo ou de Núrsia em Roma, por outro, uma nação alemã, que incluía boémios, húngaros e alguns holandeses (enquanto outros se ligavam a flamengos e franceses), na Universidade de Perugia. A Universidade de Glasgow, influenciada por Bolonha, tinha diferentes nações de estudantes, agrupamentos que se mantiveram activos até ao século XX. As nações de base profissional eram um recurso social fundamental para os imigrantes. A confraria nacional espanhola em Roma (que, a partir de 1580, passou a incluir portugueses, para além de catalães e castelhanos) reunia embaixadores, cardeais espanhóis, advogados e artesãos. Recentemente, passou a ser vista como um aspecto central da política imperial espanhola de Filipe II, e como um passo para um conceito de nacionalismo mais moderno.

Relações de género

No período que nos ocupa, debateu-se, sobretudo no Norte da Itália, na França e na Inglaterra, a natureza das mulheres e o seu papel na sociedade. Se as atitudes se tornaram mais ou menos misóginas e se melhoraram ou pioraram as oportunidades socioeconómicas para as mulheres são questões que geraram muita controvérsia entre historiadores. Não é possível detectar padrões simples de mudança. A expansão da imprensa no século XVI contribuiu para a consciência que temos de um debate sobre as relações de género; os historiadores contemporâneos tanto podem mostrar-nos diatribes misóginas como escritos protofeministas, da autoria de homens ou mulheres, neste último caso oriundos sobretudo dos prelos venezianos do fim do século. Não há dúvida de que as mulheres eram inferiores ao homem no plano jurídico e no plano político, a menos que fossem governantes, como Maria ou Isabel de Inglaterra, Maria da Escócia ou Catarina de Médicis, que foi regente e rainha-mãe em França. Não havia mulheres nas assembleias representativas nem nas vereações municipais, e, nos casos em que eram admitidas nas corporações, muito raramente o eram na qualidade de oficiais; ainda que tenha havido, pelo menos no início do século, em Colónia e Nuremberga, corporações só de mulheres. Eram grandes as restrições quanto aos contratos legais que as mulheres podiam assinar por direito próprio, e normalmente era necessária a autorização do marido para poderem comprar ou vender a retalho. Por estas razões legais, escapavam muitas vezes aos registos históricos oficiais. Contudo, nestes últimos tempos, os historiadores da sociedade descobriram formas mais subtis de detectar o papel económico e social e a influência das mulheres, muitas vezes através do estudo de testamentos.

Para muitas famílias, a família e o agregado doméstico eram uma unidade socio-económica integrada, independentemente da configuração das gerações. As raparigas e as mulheres – esposas, filhas ou familiares viúvas – ajudavam na produção artesanal ou nas actividades agrícolas, enquanto cuidavam das crianças mais pequenas. Por vezes, raparigas novas e mulheres solteiras ausentavam-se de casa por algum tempo, para trabalharem como criadas ou operárias têxteis, e integravam depois uma unidade de trabalho familiar. Um número possivelmente crescente de mulheres, solteiras e casadas, terá tido uma existência económica independente, sobretudo nos Países Baixos, no Norte da França e no Norte da Itália, como trabalhadoras têxteis ou no fabrico de rendas, e mais ocasionalmente como boticárias ou estalajadeiras (com estatuto de igualdade na respectiva corporação, em Londres, a partir de 1514), ou mesmos como ferreiras no arsenal de Veneza. Mas persistiam as unidades familiares de produção artesanal e de exploração agrícola. O trabalho das mulheres era, em geral, mais subalterno e menos qualificado do que o dos homens, mas havia casos em que a sua educação era encorajada, podendo ser elas a tratar da contabilidade. Sabe-se também que, com a difusão da imprensa na Itália, passou a ser valorizado o trabalho de filhas e esposas como compositoras e revisoras; e que, nos Países Baixos e na Itália, as viúvas podiam gerir as tipografias ou mesmo encarregar-se do trabalho duro de manobrar os prelos. Como viúvas, as mulheres podiam, em geral, adquirir mais poder e influência económica e social, mas as variações eram consideráveis entre ocupações e áreas geográficas, sendo muito diversas as atitudes das diferentes corporações. Provavelmente, eram melhores as oportunidades nas tipografias e nas padarias do que na indústria têxtil. Em várias cidades alemãs, as mulheres ficaram a perder, em parte por causa das atitudes da Reforma, mas é possível que o poder e a influência das viúvas tenha aumentado na Inglaterra, em Augsburgo e no Norte da Itália. No que diz respeito às posições de viúvas e mulheres casadas, os historiadores da Toscana tendem a sublinhar um controlo rígido contínuo por parte dos parentes masculinos; já os que se debruçaram sobre Veneza e Roma detectaram um papel crescente das mulheres, testamentalmente sancionado pelos maridos, nas decisões relativas aos seus dotes e em assuntos familiares como alianças matrimoniais ou mesmo questões de propriedade. Na Inglaterra, era possivelmente muito mais vulnerável a situação das viúvas dos artesãos, a quem faltavam, regra geral, como protecção, os dotes que existiam na sociedade italiana.

O impacto dos debates e conflitos religiosos na posição das mulheres continua a ser motivo de controvérsia. Possivelmente, as leituras protestantes da Bíblia terão fomentado uma atitude que considerava que as mulheres transportavam o pecado de Eva e eram assim, ao mesmo tempo, inferiores e perigosas, por causa das suas artimanhas sexuais. Textos e gravuras de carácter misógino surgiram dos círculos próximos de Lutero e dos seus apoiantes. Há quem tenha considerado que as imagens visuais de Hans Baldung Grien, em desenhos, pinturas e gravuras, contribuíram para a imagem pornográfica da bruxa perigosamente destrutiva, participando em sabats orgíacos ou seduzindo com a nudez. Estas representações, aliadas à injunção do Antigo Testamento de que se não deve tolerar que uma bruxa permaneça viva, terão supostamente encorajado a caça às bruxas na Alemanha. Outros textos e outras imagens, na Alemanha e na Inglaterra, defendiam que as mulheres eram demasiado dominantes, estavam acima dos homens e usurpavam papéis masculinos, e que as novas doutrinas religiosas deviam pôr as mulheres no seu lugar, em casa, como esposas obedientes e mães devotadas. É um ponto sujeito a discussão saber se se deve considerar essas imagens, ou os instrumentos usados na Inglaterra para castigar as mulheres acusadas de intrometidas, mexeriqueiras ou sexualmente escandalosas, como prova da tirania e da misoginia masculinas ou como prova de um continuado sucesso das mulheres na conquista de uma posição mais justa na sociedade. O fervor protestante levou ao encerramento dos bordéis municipais e das áreas urbanas de prostituição nalgumas cidades alemãs, enquanto a tendência das autoridades católicas era de continuarem a tolerar a prostituição legalizada como um mal menor, que aumentava a segurança das mulheres honradas face às atitudes predatórias masculinas. Todas as confissões religiosas promoviam com mais fervor o casamento e os valores conjugais, mesmo tendo o matrimónio deixado de ser um sacramento para os protestantes. Isto tornava a bastardia menos tolerável, contribuindo para um maior abandono dos bebés ilegítimos e para a expulsão das criadas grávidas, que no passado acontecia manterem-se no quadro de um agregado familiar alargado.

Se o reforço dos valores religiosos teve alguns efeitos adversos para as mulheres, também se podem distinguir, para o fim do século, alguns efeitos mais positivos, pelo menos nas classes médias das sociedades urbanas do Ocidente. A tentativa de tornar a família mais devota e mais bem informada sobre os valores cristãos implicava orações ditas em casa e a leitura de literatura edificante. Nos lares protestantes, a Bíblia seria o texto escolhido (ainda que haja que ter consciência de que esta podia ser um símbolo que não era lido e que se abria sobretudo para registar a genealogia familiar), mas nos lares católicos, se era desencorajada a posse de traduções vernáculas da Bíblia, alguns reformadores católicos encorajavam a posse de outros textos de devoção religiosa para leitura doméstica. Enquanto o chefe da família tinha o dever de dirigir uma família devota, podia ser a sua mulher ou a sua mãe a ensinar a geração seguinte a ler e a manter a devoção religiosa. Os primeiros livros para ajudar os pais a ensinar as crianças a ler surgiram em Veneza, a partir de meados do século. Nas áreas católicas, raparigas de famílias mais prósperas eram enviadas para conventos, para serem educadas; e podiam não chegar a freiras, acabando por se tornar mães de família letradas. Das que não chegavam a sair dos conventos, sabe-se hoje que algumas foram compositoras, pintoras e escritoras – de obras piedosas, peças de teatro ou cartas de direcção espiritual; e algumas mulheres, como Maria Madalena de Pazzi, incitaram, a partir da clausura, cardeais e governantes seculares à reforma religiosa e moral.

Nos círculos da alta cultura do século XVI, algumas poucas mulheres foram aclamadas como poetisas, pintoras e compositoras de primeiro plano. Algumas beneficiaram do ensino e do encorajamento que receberam de seus pais ou maridos (como as pintoras Marietta Robusti, a Tintoretta, e Lavinia Fontana, ou compositoras como Francesca Caccini). Sofonisba Anguissola, apesar de não ter tido esse tipo de antecedentes, teve a possibilidade de viajar de Itália para a corte espanhola, onde foi durante algum tempo pintora de retratos, tendo depois regressado a Itália, para ensinar as irmãs mais novas e apoiar financeiramente o pai e o irmão. Algumas das mulheres que assim se destacaram neste período foram cortesãs (como a poetisa Tullia d'Aragona, em Roma e Florença) ou arriscaram-se a serem acusadas de alcançar a notoriedade pela concessão de favores sexuais a patronos, como é o caso das irmãs Basile, cantoras na corte de Mântua e em Roma perto do fim do século. O exemplo mais notável foi o da muito talentosa poetisa veneziana Veronica Franco, com quem Henrique III de França se encontrou, por sua solicitação expressa, no desvio que fez por Veneza quando regressou da Polónia – onde fora rei uma curta temporada – para ocupar o trono de França, que a morte de seu irmão acabara de deixar vago. Mais tarde, os dois trocaram poemas. Veronica fez campanha a favor de um tratamento caridoso das prostitutas menos afortunadas e das suas crianças, opondo-se ao carácter carcerário das instituições onde eram muitas vezes alojadas. Este "lado feminino" de Henrique III valeu-lhe a desaprovação daqueles que achavam que a sua corte estava dominada pela procura de estéreis prazeres estéticos ao estilo italiano, em vez de proezas militares e religião verdadeira.

A Itália conservava uma reputação de libertinagem sexual, masculina e feminina, apesar de os seus reformadores mais importantes se terem juntado aos protestantes do Norte no apelo à moderação sexual, à castidade e à fidelidade aos laços estritos do casamento. Acusados de fornicação foram perseguidos pela "polícia" religiosa, tanto nalgumas partes da Itália como na Escócia, em Genebra ou na Catalunha; mas muito do policiamento moral na maior parte das áreas era pouco metódico. Apesar das normas e investigações episcopais, continuava a ser possível, mesmo com os reformadores tridentinos em acção, que a sociedade local aceitasse que o pároco tivesse, como governanta, em vez de uma familiar idosa, uma mulher bonita (mesmo com filhos), desde que fosse discreta e não fosse intrometida. Aparentemente era maior no Norte da Itália e na França a propensão para a produção de escritos em defesa da igualdade das mulheres e do seu direito a usufruir da cultura e do relacionamento sexual em pé de igualdade: estas atitudes estão presentes na poesia erótica de Gaspara Stampa e Louise Labé, como na de Franco. A despeito de regulamentos municipais draconianos proibirem os actos sexuais contra a natureza e que não visassem a procriação – "sodomia" definida em sentido amplo –, sobretudo entre homens, o clima humanista do início do século XVI tendia a celebrar ou tolerar o amor e a amizade entre homens, no plano espiritual e por vezes físico, e a bissexualidade. A autobiografia do turbulento ourives e escultor Benvenuto Cellini é uma celebração deste tipo. Sentenças pesadas, incluindo a pena de morte, foram raramente aplicadas, excepto em casos de padres pedófilos. Florença e Veneza foram atacadas por tolerarem as actividades homossexuais e a prostituição feminina. Apesar de as atitudes terem mudado a partir de meados do século, tornando-se mais hostis (e o livro e as experiências de Cellini também o indicam), pelo menos Veneza conservou a sua reputação de libertinagem sexual masculina, com o que terá atraído como visitantes cavalheiros isabelinos.

Os pobres e o controlo social

A pobreza, como a beleza, pode estar no olhar de quem observa; define-se em relação às expectativas e à moda. Foi um tópico debatido ao longo do século XVI, e que anima o debate histórico contemporâneo. Desde o início do século XVI que o problema foi analisado por figuras religiosas e políticas e por importantes escritores humanistas, com destaque para o espanhol Juan Luis de Vives, que escreveu nos

Países Baixos o seu *De subventione pauperum* (1526). Dizia-se que o número dos "pobres" aumentava; que se tornavam mais perigosos, sobretudo nas áreas urbanas (onde chegavam imigrantes recentes, para escaparem às ameaças da guerra e à desestruturação das explorações agrícolas); que a velha caridade (supostamente indiscriminada) encorajava a ociosidade; e que assim não se ajudava os pobres que genuinamente mereciam e necessitavam de auxílio. Os governos locais, com destaque, na década de 1520, para Nuremberga, Ypres, Mons, Bruges e Veneza, procuraram soluções, introduzindo vários tipos de medidas legislativas de controlo. Cidades como Wittenberg, Lille ou Veneza tentaram encontrar formas mais sistemáticas de assistência aos pobres ou organizar distribuições de alimentos em situações de penúria, ainda que as suas políticas tenham sido em grande medida negativas. As medidas que foram tomadas incluíam o castigo e a expulsão da cidade de vagabundos (como se tentou fazer em Paris logo em 1516), de pedintes ociosos (sobretudo se tivessem chegado recentemente à cidade), e por vezes de prostitutas. A mendicidade era proibida e severamente controlada. Eventualmente, os mais merecedores podiam ser autorizados a mendigar sob licença, como aconteceu em Londres a partir da década de 1520. A imposição desses controlos era, no entanto, muito difícil; mas foi-se desenvolvendo uma mentalidade que considerava que os governos podiam e deviam controlar uma população de "pobres" potencialmente perigosa e que deviam, directa ou indirectamente, prestar algum auxílio àqueles que genuinamente dele necessitavam e o "mereciam". Considerava-se, em geral, que estes últimos eram as crianças vulneráveis, as mulheres de idade e (por vezes) os casos graves de deficiência. Pressionava-se também as comunidades, as paróquias e as famílias para que auxiliassem os seus pobres.

Ao longo do século, a evolução das atitudes e das políticas assumiu, na Europa Ocidental, formas complexas e diversificadas. Foram vários os efeitos dos conflitos religiosos. Os ataques protestantes a mosteiros e confrarias, e o seu encerramento, removeram as fontes tradicionais de algum auxílio à pobreza. No início, a defesa da salvação apenas pela fé e o ataque à salvação pelas boas obras terão supostamente levado a uma redução da caridade em áreas protestantes, mas é quase certo que alimentaram, como resposta, actividades filantrópicas diversas em áreas católicas – no Centro-Norte da Itália, em Espanha e em partes da França. Mas no fim do século a divisão entre católicos e protestantes não era tão marcada. Ainda que os protestantes excluíssem as "boas obras" do processo de salvação, os principais calvinistas de Inglaterra, Escócia e Genebra encorajavam alguma filantropia como sinal de salvação; mesmo que se inclinassem mais para o encorajamento de uma caridade pedagógica do que para as doações materiais. Era possível encontrar asilos para velhos que merecessem ajuda, tanto em cidades protestantes, como Londres, Salisbury ou York, como em cidades católicas, como Münster ou Veneza. Governos, protestantes e católicos, procuraram a racionalização dos sistemas hospitalares, criando instituições maiores a partir da fusão de pequenos hospícios e dos seus recursos financeiros (como Milão e outras cidades lombardas já haviam feito no século XV). Os hospitais eram para os pobres (os ricos tinham médicos que os visitavam em casa). A sífilis, alegadamente importada da América na última década do século XV, foi assinalada pela primeira vez na Itália, durante a invasão francesa de Nápoles, pelo que ficou conhecida por "doença francesa" ou "mal de Nápoles", tendo levado à fundação de hospitais para "incuráveis" em Roma e Nápoles, e depois noutras cidades. Sobretudo a partir de meio do século promoveram-se novas instituições, para abrigar órfãos e crianças abandonadas, prostitutas arrependidas ou mesmo mulheres casadas vítimas de maus-tratos. Havia também "hospitais" para mendigos (com destaque para Bolonha, na década de 1560, ou para o Bridewell de Londres, construído em 1553, e para as casas de correcção construídas depois, na década de 1560, em Ipswich e Norwich), onde se agrupavam os pobres que mendigavam, misturando albergue, castigo, controlo das ruas, controlo moral, educação religiosa, trabalho dos aptos na própria instituição e prestação de cuidados médicos. Este tipo de institucionalização e de controlo social irá estar mais na moda no século seguinte, sobretudo na França. Os ingleses voltaram-se para um sistema de leis contra a pobreza (na realidade, pouco sistematizado), que procurava que as paróquias auxiliassem os seus próprios pobres – com os migrantes (sobretudo imigrantes em Londres e Norwich) a serem reenviados para as paróquias de origem. Algumas autoridades italianas e espanholas também encorajavam a assistência em lares paroquiais, mas sem o corolário do regresso à base.

No fim do século, a Europa Ocidental urbana tinha, por um lado, um conjunto mais bem controlado de sistemas de assistência social (envolvendo a autoridade civil, a Igreja e a filantropia privada), e um controlo social e moral mais rigoroso. Por outro lado, a pobreza nas ruas ou dentro das igrejas, a vagabundagem e os bandos de rua (alegadamente bem organizados em Sevilha ou em Roma) não tinham sido erradicados, e a situação piorou com a crise alimentar que assolou toda a Europa na última década do século.

Medos e tensões

Muitos comentários sobre a sociedade europeia do século XVI sugerem que se trata de um período em que aumentaram os medos e tensões. Alegadamente, terá crescido nesse período o grau de perturbação da sociedade, por causa da desestruração económica resultante das rupturas no acesso à terra, que conduziram ao aumento do número de camponeses que dela se viram privados; e terá crescido também a inquietação causada pela guerra, conduzida numa escala mais vasta, com exércitos maiores e armas mais mortíferas. As doenças e a fome eram flagelos maiores. As lutas da Reforma puseram muita coisa em dúvida, e é provável, com a reorganização levada a cabo pelos responsáveis eclesiásticos, que muito mais gente temesse que as suas crenças e práticas religiosas fossem postas em causa pelos consistórios ou pelos inquisidores. Alguns historiadores da cultura assinalam uma viragem semelhante, do optimismo intelectual do humanismo renascentista para uma atitude anti-renascentista, onde predominavam o cepticismo, a dúvida, a irracionalidade e a confiança na astrologia e nas ciências mágicas.

A chamada caça às bruxas foi vista como um sintoma das tensões deste período, gerado pela combinação do medo da desestruturação social e dos estranhos na sociedade em geral com a irracionalidade nos círculos intelectuais, que permitia que aqueles que julgavam a "bruxaria" fossem tão crédulos em relação a histórias fantásticas sobre a obra do diabo e dos seus agentes. O medo do "outro", do diferente, era evidente, fosse o judeu, o cigano, o anabaptista ou a ameaça representada pela mulher fora do controlo (e da protecção) do homem. Todos esses tipos eram perseguidos pela sociedade. Deve-se assinalar que a caça às bruxas variou muito de acordo com o tempo e o lugar. Houve perseguições horríveis, mas muito localizadas, na Lorena, à volta de Genebra e na Escócia. Muita coisa dependia do sistema jurídico e da estrutura dos tribunais locais, da formação de magistrados e juízes, do nível de tortura aplicado e de saber se os acusadores beneficiavam financeiramente com a condenação. Na Península Ibérica e na Itália, assuntos de bruxaria, magia ou "malefício" (acompanhados ou não de uma suposta invocação ou adoração do diabo) estavam debaixo da alçada da Inquisição. Nesses países quase não existiu uma caça às bruxas generalizada, e a aplicação de castigos severos a indivíduos era rara, e habitualmente reservada a padres que fizessem um mau uso dos sacramentos, e não a velhas marginais nas aldeias. Os inquisidores eram bem treinados, recorriam pouco à tortura, e tinham instruções superiores para acolherem com cepticismo as denúncias maliciosas de vizinhos, quando corria mal uma cura ou um sortilégio de amor, ou quando uma criança morria de forma inesperada. Na sociedade europeia, havia muita gente, mais mulheres do que homens (os homens dominavam a religião oficial e a medicina), que se dedicava ao curandeirismo, às medicinas alternativas, à magia amorosa e à adivinhação; essa gente podia ser útil e considerada, ou então temida, se os resultados não fossem os esperados. O número de vítimas da "caça às bruxas" foi muitas vezes exagerado e não se compara com o número, menos conhecido, de castigos igualmente bárbaros aplicados a acusados de crimes "normais". No entanto, a preponderância generalizada de mulheres (a proporção é de 70 mulheres para 30 homens) entre os acusados de bruxaria e de feitiçaria não tem paralelo noutros tipos de crimes.

Ao longo do século XVI, os europeus foram cada vez mais afectados pela popularização da imprensa e pela circulação da informação – e da desinformação. Cada vez mais gente podia saber mais sobre acontecimentos longínquos, como o massacre de São Bartolomeu, o assassinato de Henrique IV, o pavor da peste ou um nascimento monstruoso a pressagiar algum desastre. Tudo isto podia contribuir para aumentar o medo e as tensões na sociedade; outro tipo de "notícias" e de informações – uma vitória na guerra religiosa, uma cura da sífilis – podiam ser fonte de esperança. Através dos vendedores ambulantes e da comunicação oral, muita coisa ia chegando à maioria analfabeta, pelo menos na Europa Ocidental.

Ao considerarem a sociedade do século XVI em geral, os historiadores contemporâneos pessimistas sublinham os conflitos sociais, políticos e religiosos. Os mais optimistas destacam aquilo que mantinha a coesão social, os laços e a interdependência sociais, as vantagens da mobilidade social e física no Ocidente, as tentativas de remediar os males sociais (incluindo as que comportavam um elemento punitivo), os avanços da medicina, o consumismo urbano no Ocidente como sinal de melhoria das condições de vida – pelo menos até aos sombrios anos de depressão entre 1590 e 1620.

4

O pensamento

Charles G. Nauert

No início do século XVI, a cultura italiana do Renascimento começara a exercer uma influência poderosa a norte dos Alpes, tendo muitas realizações do humanismo italiano passado para a Europa do Norte. São exemplo, no campo da linguística, um latim de recorte mais clássico e o domínio de duas línguas quase desconhecidas no Ocidente medieval cristão, o grego e o hebraico. O conhecimento dessas línguas permitiu também um acesso mais fácil à literatura clássica. Em 1500, a obra de quase todos os principais autores latinos tinha sido impressa, estando assim disponível. Um século mais tarde, estava também publicada a maior parte da literatura grega clássica e patrística; para além disso, uma parte considerável da literatura clássica fora também publicada em traduções vernáculas. Contudo, mais importante ainda do que esta influência tangível era o próprio conceito de Renascimento (renascimento cultural), pela concepção característica da história da Europa, e do seu próprio lugar nessa história, que os humanistas desenvolviam desde o tempo de Petrarca (1304-1374). Esta visão da história considerava "bárbaros" os séculos medievais e professava uma confiança sublime e um pouco vaga na possibilidade de restaurar a antiga civilização, através dos esforços dos próprios humanistas na redescoberta da herança da Antiguidade. A mentalidade das classes instruídas, dos dois lados dos Alpes, foi moldada pela crença na possibilidade de edificar um mundo melhor a partir dos despojos literários da Grécia e de Roma. Estes desenvolvimentos levaram a exigências de reforma das escolas e universidades, no sentido de se dar muito menos atenção a assuntos que tinham dominado a educação medieval (sobretudo a dialéctica), e muito mais relevância às línguas e literaturas clássicas. Muito do programa educativo medieval persistiu bem para lá de 1600, mas a influência humanística sobre a educação foi aumentando ao longo de todo o século XVI.

A Europa do Norte: o humanismo cristão

Não se pode negar que este interesse pelos estudos humanísticos tenha tido as suas origens em Itália, mas cada país só foi buscar a Itália aquilo que quis. Apesar de muitos humanistas italianos terem sido profundamente religiosos, o humanismo italiano foi, regra geral, um humanismo secular. O seu objectivo era transformar a educação, a literatura, e mesmo a vida política; mas não definiu um conjunto claro de objectivos religiosos. A cultura da Europa transalpina era muito diferente. Para o humanismo se poder difundir, para lá de um punhado de indivíduos deslumbrados pela Itália da época, tinha de ser mais do que um entusiasmo literário. Precisava de se tornar cristão. Na Europa do Norte tinham surgido, no fim da Idade Média, alguns movimentos populares orientados por uma busca de santidade pessoal e de reforma da Igreja. Para se poder desenvolver, o humanismo do Norte tinha de ligar os seus interesses clássicos, de estilo italiano, a reformas que respondessem a essa ânsia de renovação espiritual pessoal e de reforma da Igreja. Os primeiros humanistas do Norte não foram pessoas muito voltadas para questões espirituais. Na Alemanha, os líderes das duas primeiras gerações de humanistas, o "poeta errante" Peter Luder (1415-1472) e Conrad Celtis (1459-1505), um homem conhecido por difundir as ideias renascentistas através da organização de sociedades humanísticas em cidades alemãs, eram indivíduos reconhecidamente dissolutos e instáveis. Os seus poemas tratavam mais da bebida ou do sexo do que da santidade. Em França, a figura principal entre os primeiros humanistas, Robert Gaguin (1423-1501), foi um monge respeitado, mas escrevia sobre temas seculares, como a história antiga dos francos. Não tinha nenhum programa de regeneração da religião pela erudição.

Por volta de 1500, contudo, alguns humanistas começaram a associar ao desejo de restauração da civilização clássica a determinação em conseguir um ressurgimento da vida espiritual e uma reforma institucional da Igreja. Entre os primeiros exemplos desta nova tendência estão o humanista alsaciano Jakob Wimpfeling (1450-1528) e o deão da catedral de S. Paulo, John Colet (1467-1519). Ambos viam no aperfeiçoamento da educação das elites, seculares e eclesiásticas, um meio eficaz de melhorar gradualmente a situação da Cristandade. Ambos se sentiam atraídos pelo humanismo italiano, mas temiam que o estudo da literatura clássica expusesse os alunos a influências pagãs, capazes de subverter a sua fé e os seus princípios morais. A solução que propunham era a de privilegiar o estudo dos autores latinos cristãos do fim da Antiguidade. Admitiam nos seus programas apenas um reduzido número de autores pagãos de excelente reputação moral, como Cícero ou Virgílio, por serem reconhecidamente mestres de estilo no latim e por exprimirem, nos seus escritos, os mais altos valores morais possíveis num mundo anterior ao cristianismo. Poetas dissolutos, como Horácio, Ovídio ou Marcial, não tinham lugar nas suas escolas cristãs.

O que nenhum dos primeiros humanistas do Norte conseguiu, antes de 1500, foi encontrar uma forma de integrar a admiração que sentiam pela civilização antiga nos seus esforços de recuperação do espírito que habitava a Igreja antiga. Os verdadeiros inventores do humanismo cristão foram o humanista francês Jacques Lefèvre d'Étaples (c.1453-1536) e o humanista holandês Desidério Erasmo (c.1467-1536). Como Wimpfeling e Colet, acreditavam que o aperfeiçoamento da educação dos seus futuros dirigentes seria o melhor modo de regenerar uma Cristandade corrupta. Ambos queriam levar a cabo uma renovação assente nas Escrituras e nas obras dos Padres da Igreja, mas também nos elementos mais nobres do pensamento clássico. Erasmo era o mais eloquente e o mais directo nas críticas à Igreja da época, que considerava um obstáculo à renovação espiritual. Usou o seu talento para a sátira em obras como *Elogio da Loucura* ou *Colóquios*, que denunciavam e ridicularizavam os padres que exploravam as pessoas simples, ao promoverem práticas materialistas, que faziam pouco pelas almas, mas muito pelo engrandecimento da riqueza e do poder do clero. Erasmo era também um crítico da injustiça social e um pacifista declarado numa época de guerras frequentes.

Uma boa parte da carreira de Lefèvre foi passada a dar aulas na Universidade de Paris, o centro da escolástica medieval. Atraído pela cultura italiana da época, fez três viagens a Itália (1491-1507), para enriquecer a sua compreensão do pensamento renascentista. Encontrou-se com os principais expoentes do neoplatonismo florentino, Marsilio Ficino (1433-1499) e Giovanni Pico della Mirandola (1463-1494). Contudo, de regresso a Paris, o seu primeiro passo foi tentar melhorar o ensino de Aristóteles, a autoridade filosófica tradicional, substituindo as versões latinas do século XIII por novas traduções, feitas directamente do grego. Lefèvre publicou também obras de místicos antigos e medievais e de autores da patrística grega. Depois de se retirar do ensino, em 1508, voltou-se para a Bíblia. O seu *Quincuplex Psalterium* (1509) e os seus comentários às Epístolas de S. Paulo (1512) não são tão inovadores como o trabalho de Erasmo sobre a Bíblia, mas foram publicados mais cedo.

O programa religioso de Erasmo

Entretanto, eram as publicações de Erasmo que deslumbravam os jovens humanistas idealistas, que pretendiam transformar o mundo. Erasmo combinava o estudo dos clássicos, dos Padres da Igreja e da Bíblia com uma concepção de piedade pessoal e de reforma da Igreja, que arrebatou as classes instruídas da Europa Ocidental. No seu tempo de rapaz e de jovem monge, as suas preocupações eram sobretudo literárias e linguísticas. Enquanto estudante de teologia em Paris, considerou o pensamento escolástico intelectualmente embrutecedor e depressa se afastou da teologia, tornando-se um dos muitos poetas humanistas que enxameavam a capital francesa.

Entre 1498 e 1505, Erasmo deixou de ser apenas um poeta latino menor, para se tornar o dirigente de um movimento reformista, especificamente humanista e cristão, determinado a recuperar a herança literária da Antiguidade grega e romana, mas também o poder espiritual da Igreja cristã primitiva, presente no Novo Testamento e nos escritos dos Padres da Igreja. Expôs, de forma articulada, uma ideologia, a que chamou "filosofia de Cristo", alicerçando nela a sua carreira de académico cristão. Esta "filosofia" sustentava que a questão central, para se ser cristão, não tinha relação com coisas externas, como dogmas ou rituais, mas radicava numa devoção a Deus altamente pessoal, que devia encontrar a sua expressão numa vida dedicada à religião e à sociedade. Erasmo expôs este ideal no seu *Enchiridion militis Christiani* (1503), que se tornou uma obra de devoção popular. Concluiu também que um trabalho sério sobre a Bíblia e sobre os Padres da Igreja exigia o domínio do grego, a língua do Novo Testamento, o que o levou a projectar um programa de estudos, explicitamente cristão, centrado no texto grego do Novo Testamento e nos autores da patrística grega. O seu objectivo era ressuscitar o espírito da Igreja cristã primitiva. Identificou também como seu primeiro objecto de estudo o mais erudito dos Padres latinos, S. Jerónimo, o reputado autor da Vulgata, a tradução latina da Bíblia. Em 1504-1505, ao descobrir e publicar as anotações de Lorenzo Valla ao Novo Testamento, até aí inéditas, onde o humanista italiano recorria aos seus conhecimentos de grego para explicar passagens obscuras da Bíblia latina, Erasmo fortaleceu a sua decisão de examinar o texto grego do Novo Testamento e de usar as perspectivas abertas por esse estudo no seu programa de renovação espiritual. O cumprimento do seu ambicioso programa de estudos bíblicos, patrísticos e clássicos exigiu-lhe dez anos de intenso trabalho, três deles passados em Itália; mas em 1516, o ano mais produtivo da sua vida, publicou a primeira edição do Novo Testamento em grego, uma edição em quatro volumes das cartas de S. Jerónimo e uma edição do moralista romano Séneca (representando o seu constante interesse pela literatura clássica). Estas publicações converteram-no no erudito mais famoso da Europa, ídolo dos jovens humanistas idealistas, que partilhavam o seu objectivo de levar a cabo uma reforma profunda (embora gradual e pacífica) da vida espiritual e das estruturas eclesiásticas do mundo cristão. Erasmo tinha então publicadas várias obras populares, que criticavam vivamente a Igreja e a sociedade da época, com destaque para a sua grande sátira *Elogio da Loucura* (que teve uma primeira edição em 1511, mas foi consideravelmente aumentada em edições posteriores), e desenvolvera um tipo de estudos humanísticos explicitamente cristãos e uma visão caracteristicamente "erasmiana" da renovação religiosa.

As publicações de Lefèvre e de Erasmo atraíram também a atenção desfavorável dos teólogos conservadores, que viam como um ataque à autoridade da Igreja o seu questionamento dos textos tradicionais latinos da Bíblia e a sua crítica aberta dos abusos. Tanto Lefèvre como Erasmo se tornaram objecto de suspeitas. A ferocidade dos ataques aumentou quando os teólogos começaram a preocupar-se com a difusão da heresia de Lutero. A tradução de Lefèvre do Novo Testamento para francês (1523) foi interpretada como prova de simpatia pelas ideias de Lutero. Face a essas acusações, o humanista, já idoso, retirou-se para a corte da sua protectora Margarida de Navarra, e em 1526 tinha praticamente renunciado a qualquer esforço activo de reforma da Igreja. Contudo, como Erasmo, Lefèvre nunca se decidiu a romper com a Igreja tradicional.

Erasmo tornou-se mais influente do que Lefèvre. Jovens e velhos humanistas aclamavam as suas publicações bíblicas, patrísticas e clássicas. Em 1520, muitos jovens humanistas estavam convencidos, através das suas obras, da inevitabilidade do triunfo da "filosofia de Cristo" e da reforma da Igreja. Estas esperanças foram-se desvanecendo com o envolvimento do movimento reformista de Erasmo na Reforma.

Quando se tornou claro que a Reforma dividia a Igreja, muitos humanistas mais velhos juntaram-se ao próprio Erasmo, recuando face a qualquer posição anterior de simpatia por Martinho Lutero. O ataque de Erasmo a Lutero, no *De libero arbitrio* (1524), foi um acontecimento decisivo, já que a sua recepção demonstrou que muitos jovens humanistas, mesmo continuando a admirar os estudos eruditos de Erasmo e as suas sátiras espirituosas aos abusos da Igreja e da sociedade secular, já não eram apenas humanistas, tendo-se tornado luteranos. Erasmo tinha também admiradores entre humanistas que tinham permanecido católicos. Contudo, a longo prazo, ao falharem os esforços de reunificação da Igreja através da negociação e do compromisso, a posição de Erasmo tornou-se insustentável. Muitos antigos erasmianos começaram a partilhar a opinião dos conservadores de que a sua denúncia aberta da corrupção na Igreja e a sua concepção subjectiva da relação do cristão com Deus tinham minado a autoridade da Igreja e contribuído para o sucesso dos heréticos.

A meio do século, a reputação dos "humanistas cristãos" na Europa católica tinha descido ainda mais baixo. Apesar de o duro *Index* de livros proibidos, publicado pelo papa Paulo IV em 1559, ser um caso atípico, ao colocar Erasmo entre os autores cujas obras os católicos eram totalmente proibidos de publicar, possuir ou ler, e apesar de a sua aplicação ter cessado com a morte do Papa em Agosto do mesmo ano, o *Index* tridentino, um pouco mais moderado, publicado por Pio IV em 1564, mantinha uma posição hostil. Na lista revista, só seis obras de Erasmo (incluindo obras populares como *Colóquios* e *Elogio da Loucura*) eram completamente proibidas; as suas outras publicações, incluindo os estudos patrísticos e mesmo bíblicos, podiam ser legalmente reeditadas, mas só depois de serem expurgadas das passagens condenáveis e de os censores aprovarem o texto revisto. A verdade, contudo, é que os autores cujas obras expurgadas eram teoricamente admitidas eram menos citados (sobretudo pelo nome) do que antes da promulgação dos índices papais e das listas do mesmo tipo divulgadas em Espanha e em Portugal. Alguns católicos moderados exerceram pressão em Roma, para que fosse preservado o acesso a obras não teológicas dos humanistas e mesmo a certos autores protestantes, mas o seu sucesso foi limitado. O *Index* só confirmava uma tendência que já era evidente antes de 1559: o humanismo cristão, que galvanizara os jovens humanistas e alarmara os teólogos conservadores entre 1500 e 1530, morrera, enquanto movimento diferenciado, nas décadas de meados do século.

Isto não significa, no entanto, que o humanismo, em todos os seus aspectos, tenha desaparecido ou mesmo declinado; mas as suas ambições foram-se tornando mais limitadas. O humanismo conservou e até aumentou o seu papel na educação das classes de elite na Europa, seculares e eclesiásticas. Nos territórios católicos, a nova Ordem dos Jesuítas, que fundou a sua primeira escola em 1548, tornou-se rapidamente numa das forças mais poderosas da educação europeia. O ataque de Erasmo à corrupção no clero e a sua piedade individualista impediam que o humanismo erasmiano fosse aceite nas escolas jesuítas. Mas o lado clássico, não erasmiano, do humanismo tornou-se uma especialidade jesuíta. Com excepção do ramo do pensamento teológico, as escolas jesuítas eram muito semelhantes às melhores escolas luteranas e reformadas, organizadas por reformadores protestantes como Philipp Melanchthon (1497-1560) ou Johann Sturm (1507-1589). O humanismo sobreviveu durante séculos, como base da educação das classes europeias de elite.

Estudos clássicos de literatura e direito

Outra das principais actividades dos humanistas italianos do século XV, a crítica e edição da literatura clássica, manteve o seu desenvolvimento. Continuavam a surgir na Itália notáveis estudiosos dos clássicos, mas o centro do humanismo definido como programa de estudos textuais deslocou-se para norte dos Alpes, primeiro para França, e mais tarde (sobretudo depois de 1600) para os Países Baixos. A figura decisiva do predomínio francês foi Guillaume Budé (1468-1540), cujos livros sobre direito romano, pesos e medidas em Roma e lexicografia grega apontaram novas direcções aos estudos clássicos. A obra de Budé marca uma viragem significativa do humanismo, que se afasta dos sonhos de remodelação do cristianismo de Petrarca e Erasmo. Budé concentra os seus esforços nos métodos e nas descobertas factuais, em detrimento de objectivos transcendentes e de longo prazo, capazes (ou incapazes) de resolver os problemas da sociedade contemporânea. Em certo sentido, Budé representa o humanismo que prescinde da fé renascentista na capacidade transformadora da redescoberta da sabedoria antiga. Como funcionário da corte francesa, Budé propôs a criação de um instituto nacional de estudos humanísticos, à imagem dos que já existiam em Alcalá, na Espanha, e em Lovaina, nos Países Baixos. Em 1530, o rei Francisco I nomeou quatro proeminentes humanistas leitores régios – dois em língua grega e dois em hebraico –, um pequeno primeiro passo do que viria a ser o Collège Royal. Alguns desses leitores reais foram os responsáveis pela supremacia dos estudos clássicos franceses, que atingiu o seu ponto culminante com as carreiras de Henri Estienne (1528-1598) e Josephus Justus Scaliger (1540-1609). Estienne foi o maior helenista do fim do século XVI. A sua edição de 1578 do texto grego das obras de Platão continua a ser a fonte para a citação de Platão em trabalhos académicos, e o seu *Thesaurus Graecae Linguae* (1572), um dicionário de grego clássico, nunca foi inteiramente suplantado. Scaliger tornou-se famoso pelos seus estudos nos domínios inter-relacionados da astronomia romana e da cronologia antiga, estabelecendo a relação temporal entre os calendários utilizados por várias sociedades antigas na datação dos acontecimentos.

Os humanistas franceses dirigiram também a sua atenção para o direito romano, tal como fora preservado no *Corpus Juris Civilis*, publicado pelo imperador bizantino Justiniano em 529-534. Esta linha de investigação, conhecida como humanismo jurídico, radicava em questões levantadas no século XV por Lorenzo Valla e Angelo Poliziano, e retomadas por Budé nas *Annotationes in Pandectas* (1508). A aplicação dos métodos críticos do humanismo aos textos jurídicos revolucionou a história do direito. O humanista jurídico François Baudouin demonstrou que os editores bizantinos interpretaram mal ou distorceram muitas das normas que compilaram para Justiniano. O seu contemporâneo François Hotman pôs em causa, na *Franco-Gallia* (1573), o pressuposto medieval de que o direito francês derivaria do direito romano, defendendo que as suas verdadeiras origens eram autóctones e deveriam ser procuradas nas leis e forais promulgados pelos reis franceses medievais. Outros juristas, como Pierre Pithou (1539-1596) e Étienne Pasquier (1529-1615), continuaram o seu trabalho, coligindo e publicando as leis e forais da França medieval. Radica no seu trabalho de descoberta de manuscritos a verdadeira origem da história medieval.

A procura do esotérico

À medida que o tempo passava, e os humanistas verificavam que o estudo entusiasta dos principais autores da literatura latina e grega não satisfazia inteiramente as suas esperanças de renovação espiritual assente na descoberta de uma sabedoria perdida, muitos voltaram-se para um corpo de escritos muito mais controverso, que incluía a "teologia antiga", associada à cabala judaica, os tratados herméticos e outros fragmentos de teosofia antiga, como os textos órficos, os oráculos de Zaratustra, os hinos pitagóricos e os livros sibilinos. Essas obras pretendiam oferecer um corpo de conhecimentos capaz de renovar o espírito humano e de conduzir a alma individual até à reconciliação, ou mesmo até à união quase mística, com o divino. Em muitos casos, pretendiam conferir também um poder mágico sobre o mundo material às almas capazes de compreender o seu significado secreto.

A idade de ouro do ocultismo europeu foi o século XVI, quando os textos da literatura teosófica se tornaram acessíveis, e não tinha ainda sido feita uma avaliação genuinamente crítica do seu valor. Só no fim do século, com a crítica textual destrutiva de J. J. Scaliger e de Isaac Casaubon (1559-1614), os leitores cultos começaram a abandonar a crença ingénua nos textos ocultistas como saber prático, capaz de resolver todos os terríveis problemas do mundo contemporâneo. A mentalidade moderna tende a rejeitar como superstição as doutrinas ocultistas do Renascimento. Contudo, eruditos cultos e sensatos, como Ficino e Pico, estudaram esses textos de perto e foram incapazes de avaliar o seu carácter espúrio.

Magia é outro nome dado a este saber oculto, e o humanista alemão Agrippa von Nettesheim (1486-1535) ofereceu a súmula mais abrangente da magia renascentista no seu *De occulta philosophia* (1533). A sua magia, fortemente influenciada pelo neoplatonismo florentino, apresenta o universo como uma estrutura hierárquica, em que relações misteriosas ligam as partes entre si, de modos que não podem ser descobertos pela razão, mas que são transmitidos por livros antigos. Na magia renascentista havia a pretensão de que esta fosse mais do que uma teoria especulativa. Para o *magus*, o praticante de magia, conhecimento é poder; e a compreensão das relações misteriosas entre as coisas situadas nos vários níveis da hierarquia podia ser usada para conferir poder ao *magus*.

A astrologia era a ciência oculta mais praticada. Presumia que os corpos celestes afectavam os seres terrenos, incluindo os humanos, de um modo que podia ser aprendido através de um estudo cuidadoso. Quando os astrólogos tentaram utilizar as influências celestes para predizer o futuro, a astrologia foi criminalizada, porque a lei da Igreja proibia essas tentativas, como contrárias ao livre arbítrio e à responsabilidade moral, o que não impediu que muitos papas, bispos e reis procurassem essas predições. Outras utilizações da astrologia eram inteiramente respeitáveis. Os estudantes de medicina tinham de estudar os efeitos dos movimentos celestes no clima, nas culturas, e sobretudo na saúde humana e animal, já que qualquer médico competente tinha de os ter em conta no diagnóstico da doença e na prescrição dos remédios. Outra ciência oculta, ligada à magia, era a do corpo de tratados místicos judaicos, conhecido como cabala, que alegadamente preservava uma revelação secreta que Deus teria feito a Moisés. Os estudos cabalísticos atraíram a atenção dos humanistas, sempre à procura de fontes antigas de conhecimento. O mais famoso estudioso italiano da cabala foi Giovanni Pico della Mirandola. Como todos os cabalistas cristãos, Pico estava convencido de que, nas verdades ocultas na cabala, se encontraria a prova de doutrinas cristãs, como a da divindade de Jesus. Ideias semelhantes surgem nos escritos do humanista alemão Johannes Reuchlin (1455-1522), que visitou a Itália, onde se encontrou com Ficino e com Pico, e escreveu dois livros sobre a cabala.

Retorno e contestação a Aristóteles

Apesar de a influência humanista na educação e na alta cultura ter crescido ao longo do século XVI, a autoridade de Aristóteles continuava a dominar os estudos universitários, e na passagem para o século XVII esse domínio ainda persistia. A vida intelectual católica do século XVI caracterizou-se por um retorno ao interesse pelo principal aristotélico medieval, Tomás de Aquino. O teólogo espanhol Francisco de Vitória (c.1483-1546), que foi professor de teologia em Salamanca, fez dessa cidade o centro principal da tradição neotomista, que dominou a filosofia católica até meados do século XX. No entanto, o humanismo constituiu em si uma contestação da filosofia aristotélica. Aristóteles procurou determinar a verdade absoluta através do raciocínio lógico. Desde o tempo de Petrarca que os retóricos humanistas tinham criticado o racionalismo escolástico e insistido em que a função própria do pensamento humano não é a determinação da verdade, mas a escolha moralmente certa entre os cursos de acção alternativos que os humanos enfrentam nas suas vidas quotidianas. Essas decisões, o tipo de decisões que têm de ser tomadas na vida real, e não nos debates académicos, não têm a ver com a verdade absoluta, mas com assuntos onde qualquer decisão não pode ir além da mera probabilidade. A retórica humanista era, portanto, tendencialmente anti-racionalista e antifilosófica, e as reformas humanísticas do ensino universitário no século XVI levaram a dialéctica a prestar mais atenção a questões abertas apenas a conclusões prováveis – mais do que cientificamente certas. Esta nova orientação surgiu na obra *De inventione dialectica*, escrita em 1479 pelo humanista alemão Rudolf Agricola (1444-1485), mas publicada apenas em 1515. Agricola estava descontente com a dialéctica, por esta estar estritamente voltada para a lógica formal e para questões teóricas relevantes apenas para os interesses dos especialistas académicos. O seu livro introduziu na dialéctica uma grande quantidade de material retórico. Ele não definia a dialéctica como um meio de atingir a verdade, mas como «a arte de falar com probabilidade sobre qualquer tópico». Desde a sua primeira edição, o *De inventione* tornou-se o modelo de manual que os humanistas tentavam (com considerável sucesso) introduzir no estudo universitário da dialéctica. O *De inventione* representou uma rebelião, limitada, mas influente, contra a dialéctica aristotélica. Uma crítica ainda mais hostil do aristotelismo, envolvendo um ataque directo à autoridade de Aristóteles, encontra-se nas publicações de Petrus Ramus (Pierre de la Ramée, 1515-1572), que desencadearam um conflito feroz na Universidade de Paris, a mais importante da Europa do Norte. Ramus atraiu muitos apoiantes, apesar de não ter tido muito sucesso na definição do sistema com que pretendia substituir o de Aristóteles.

Apesar desta contestação, Aristóteles continuava a dominar o ensino das ciências naturais, quase sem rival. Aponta-se, por vezes, a contínua hegemonia do pensamento de Aristóteles como prova de que as universidades estavam moribundas e eram irrelevantes para a vida intelectual. No entanto, não havia outro sistema que pudesse servir como base para o ensino da filosofia natural. Os livros de Aristóteles estavam eficazmente organizados, cobriam de forma muito abrangente as várias ciências, e eram, na sua maior parte, mais adequados ao ensino do que qualquer dos substitutos propostos. O contínuo predomínio de Aristóteles não quer dizer, de modo algum, que o século XVI o tenha seguido cegamente. As muitas obras suas que sobreviveram cobrem um longo período da sua própria vida e uma ampla gama de temas. As obras mais úteis para o debate teológico, como a *Metafísica*, eram muito diferentes das que poderiam atrair um cientista natural, como a *Física*. Havia muita coisa em Aristóteles para quase toda a gente.

Os cientistas italianos descobriram em Aristóteles uma filosofia que era materialista e que não era particularmente relevante para a religião. A interpretação naturalista que o comentador árabe Averróis fez de Aristóteles não só sobreviveu, como se tornou mais influente a partir de finais do século XV. Os professores paduanos Nicoletto Vernia (1420-1499) e Agostino Nifo (c.1470-1538) escreveram tratados sobre Averróis e aceitaram em geral as suas interpretações, sem se preocuparem muito em saber se um Aristóteles desse tipo não poria em causa a narrativa bíblica da criação ou a crença na imortalidade da alma. O principal representante desta tradição aristotélica secular foi Pietro Pomponazzi (1462-1525). Apesar de ter começado a sua carreira como tomista, Pomponazzi concluiu que os argumentos de S. Tomás de Aquino contra Averróis não eram adequados. Ao reexaminar a opinião de Aristóteles sobre a imortalidade, convenceu-se de que Aristóteles não ensinava que a alma individual sobrevive na morte à separação do corpo, tendo defendido este ponto de vista no seu livro *De immortalitate animae* (1516). O livro de Pomponazzi sobre a imortalidade desencadeou uma grande oposição, mas os ataques não enfraqueceram a sua posição de principal filósofo do seu tempo.

Onde Aristóteles não podia servir de referência: a matemática e a astronomia

A pouca atenção dada por Aristóteles ao raciocínio matemático e aos resultados quantitativos levantou problemas aos cientistas aristotélicos logo no século XIV, quando os filósofos naturais de Oxford e de Paris verificaram que a *Física* não permitia explicar o movimento dos projécteis. O problema era inerente ao pensamento científico do próprio Aristóteles. Ainda que ensinasse que a experiência sensorial é a origem das ideias do intelecto, Aristóteles dedicava pouca atenção ao raciocínio indutivo e ao modo como a experiência sensorial se organiza em generalizações que possam ser verificadas, para se demonstrar a sua verdade ou falsidade. O método intelectual adequado para a determinação de questões numa ciência mista como a astronomia, onde os dados observados têm de servir de fundamento às proposições, esteve no centro de um debate acalorado ao longo do século XVI.

Para os filósofos naturais, havia ainda outra dificuldade inerente à filosofia aristotélica. Para Aristóteles, o conceito de experiência não implicava uma experimentação moderna, projectada para verificar se têm de facto lugar as consequências pressupostas de uma generalização. Na realidade, "experiência" significava qualquer coisa que era aceite como verdadeira na base de uma observação comum, do quotidiano, e não uma observação especificamente feita para testar a validade de uma generalização. De facto, um cientista que apelasse a uma experiência específica para pôr em causa uma opinião generalizada, especialmente se ele próprio a tivesse projectado, podia facilmente ficar desacreditado, já que a "experiência", no sentido de experiências comuns partilhadas por todos, podia ser usada como argumento para demonstrar que a experiência feita à medida, referida por um inovador, representava um erro ou uma desonestidade da sua parte.

Os desenvolvimentos que acabaram por conduzir às novas descobertas científicas, a que tradicionalmente se chama "revolução científica", envolveram a reconsideração desses conceitos de indução, experiência e experimentação. Mas envolveram também uma nova consciência do papel crucial que a matemática começava a desempenhar no trabalho dos principais cientistas. A experimentação, no sentido moderno, não foi a força mais importante por trás das grandes mudanças na opinião científica que culminaram no aparecimento da ciência moderna. A verdadeira chave foi a matemática. Isto é claramente verdade no que respeita ao astrónomo polaco Nicolau Copérnico (1473-1543), autor do De revolutionibus orbium coelestium (As Revoluções dos Orbes Celestes, 1543), o primeiro tratado fundamental a apontar para o que iria ser a ciência física do século seguinte. Os seus estudos de matemática, em Bolonha, tinham-no tornado consciente dos pontos fracos da astronomia ptolemaica dominante, que assumia que a Terra era o centro do universo. As obras científicas de Claudius Ptolemaeus (Ptolomeu) de Alexandria (morto c. 151) tinham sido o principal veículo de transmissão desta teoria, vinda dos antigos gregos. Uma tradução latina do Almagesto de Ptolomeu circulou desde o século XII e foi pela primeira vez publicada em 1515, em Veneza. Entretanto, muitos astrónomos conheciam o Almagesto através de um útil sumário, o Epitome Almagesti, do astrónomo alemão Regiomontano (Johannes Müller, 1436-1476), publicado em 1496. Em princípio, a astronomia ptolemaica era simples, clara e harmoniosa. Contudo, na realidade, os movimentos celestes observados pelos astrónomos não estavam de acordo com o padrão previsto pela teoria. A questão mais perturbadora era a das órbitas planetárias, que exibiam um "movimento retrógrado", que podia ser observado, mas não podia ser explicado. Para tentarem conciliar a teoria com a observação, os astrónomos introduziram um complexo conjunto de dispositivos matemáticos imaginários, habitualmente círculos excêntricos e epiciclos, que não seguiam a teoria, mas podiam dar conta das posições observadas dos corpos celestes. Estes dispositivos constituíam, em termos de teoria, um defeito, justificado pelo intuito de "salvar os fenómenos", isto é, de conciliar a teoria com a observação.

Preocupado com as complexidades e inconsistências da astronomia tradicional, Copérnico empreendeu uma reforma da sua ciência, apresentando, no *De revolutionibus*, uma sugestão desarmantemente simples. Se se invertessem as posições da Terra e do Sol no diagrama ptolemaico do universo, com o Sol no centro e a Terra reduzida a ser apenas um dos planetas, muitas das incómodas complicações do sistema ptolemaico seriam eliminadas. A sua astronomia reformada viu-se livre de muitos artifícios (não de todos), como os epiciclos e os excêntricos, mas parecia ir completamente contra o senso comum e não conseguia resolver algumas objecções, bastante razoáveis, que foram levantadas. Ao seguir a estrutura do *Almagesto*, o *De revolutionibus* não se limitava a fornecer aos leitores algumas ideias pouco convencionais; oferecia-lhes um sistema completo, demonstrado matematicamente. Foi isso que fez com que atraísse a atenção mesmo dos astrónomos que não estavam convencidos. Algumas das suas objecções foram facilmente resolvidas, mas também se encontraram verdadeiros pontos fracos na argumentação de Copérnico. O seu sistema criava uma discrepância entre a física e a astronomia, porque invalidava a explicação, dada por Aristóteles, da gravidade como a tendência natural de todos os corpos caírem em direcção ao centro do universo. Contudo, a objecção científica mais válida era a da ausência de paralaxe nas observações das estrelas fixas. Para a maior parte dos astrónomos, a teoria de Copérnico parecia interessante, mas estava por demonstrar. Apesar de algumas das objecções científicas nos parecerem hoje bizarras, poucas eram frívolas.

De todos os astrónomos que ponderaram as ideias de Copérnico, os dois mais importantes foram o dinamarquês Tycho Brahe (1541-1601) e o alemão Johannes Kepler (1571-1630). Brahe aceitou algumas das ideias de Copérnico, mas recusou-se a acreditar que o Sol fosse o centro do universo. Convencido, pelas suas próprias observações, de que havia fenómenos astronómicos (sobretudo a súbita aparição de uma nova estrela, em 1572, e de um cometa em 1577) que não era possível conciliar com a teoria estabelecida, Brahe não podia aceitar a nova astronomia de Copérnico, como não aceitava a antiga, de Ptolomeu. Na sua proposta alternativa, a Terra está imóvel no centro do universo.

O Sol gira anualmente em volta da Terra (como Ptolomeu supunha), mas os planetas giram à volta do Sol (como ensinava Copérnico). Esta teoria permitia explicar o movimento retrógrado, mas deixava muitas questões por resolver. Para quem olha para trás, a partir de uma época posterior ao trabalho de Galileu e Newton, o sistema de Tycho parece um fraco compromisso; mas muitos contemporâneos sentiram-se atraídos por ele.

Kepler publicou a maior parte das suas obras no século seguinte, mas os fundamentos do seu trabalho já estavam adquiridos nos últimos anos do século XVI. Cedo se tornou um apoiante convicto de Copérnico, dando disso público conhecimento no seu primeiro livro importante, o *Mysterium cosmographicum* (*O Mistério Cosmográfico*, 1596). Em 1600, tornou-se assistente de Brahe, e mais tarde seu sucessor, o que lhe deu acesso à notável colecção de observações astronómicas de Brahe. O trabalho posterior de Kepler, que iria conduzir à sua demonstração revolucionária de que as órbitas planetárias são elípticas, foi um produto do século XVII.

As ciências da vida

Nas ciências físicas – sobretudo a astronomia e a física – surgiram, no século XVI, inovações impressionantes. Nas ciências da vida, a inovação foi menor. No início do século, tanto as ciências físicas como as biológicas eram dominadas por um par de autoridades antigas: Aristóteles e Ptolomeu na física e na astronomia, e Aristóteles e Galeno na medicina e na biologia. Mas estas duas áreas seguiram vias diferentes depois de 1500, podendo essa diferença ser ilustrada pelas direcções tomadas por Copérnico na astronomia e por Andreas Vesalius (1514-1564) na anatomia. Copérnico não era um radical. O *De revolutionibus* seguia o plano organizativo de Ptolomeu. O tipo de demonstração que usava para suportar a sua teoria heliocêntrica era completamente tradicional. Contestava, no entanto, a tese central da astronomia ptolemaica, que considerava a Terra o centro do universo. A sua "revolução" na astronomia foi, portanto, sobretudo conceptual. Nas ciências da vida, contudo, não houve nenhuma concepção teórica nova. As importantes mudanças nesses campos envolveram a acumulação de novas observações, e não a construção de novas teorias; e o trabalho de pioneiros como Vesalius foi um trabalho descritivo, acrescentando novas informações, que obrigavam a mudanças no detalhe, e não nas concepções de base. Vesalius, crítico embora da confiança de Galeno na dissecação animal, em vez de humana, não tinha para oferecer nada de mais radical do que uma formulação aperfeiçoada dos tópicos cobertos por Galeno. Portanto, nas ciências da vida, a nova orientação era cumulativa e empírica, não era revolucionária e conceptual.

No entanto, entre 1500 e 1600, houve progressos importantes na biologia e na medicina. Um desenvolvimento especialmente frutuoso prende-se com o estudo de plantas utilizadas para fins medicinais. A edição e publicação de três antigas autoridades em história natural, Plínio o Antigo, Teofrasto e Dioscorides, criou uma necessidade urgente de integrar antigas descrições de plantas nos conhecimentos da época. Especialistas de história natural, como Otto Brunfels (1488-1534), Leonhart Fuchs (1501-1566) e Conrad Gesner (1516-1556), estudiosos da natureza e dos textos antigos, escreveram herbários enciclopédicos, que incorporavam as suas próprias observações. Num nível puramente descritivo, essas publicações e as suas xilogravuras, tiradas da natureza, contribuíram para a integração entre a farmacologia antiga e a contemporânea.

Surpreendentemente, a medicina medieval dera pouca atenção à anatomia, apesar de a prática médica ser dominada pela teoria humoral da doença, desenvolvida pelo maior anatomista do mundo antigo, Galeno de Pérgamo (c.129-199). O interesse pela anatomia aumentou a partir de c.1500, e neste ponto os humanistas identificaram os tratados anatómicos de Galeno como outro tesouro da Antiguidade a ter de ser salvo do esquecimento. Várias traduções latinas foram publicadas no início do século XVI, e em 1525 publicou-se a primeira edição grega das suas obras. *Procedimentos Anatómicos* foi o texto crucial para a influência alcançada pelos seus tratados anatómicos. Em 1531, Johann Guenther (1487-1574), de Andernach, professor de medicina em Paris, publicou uma tradução em latim. Um dos assistentes de Guenther, o jovem flamengo Andreas Vesalius, tornou-se professor de cirurgia em Pádua. Ao contrário da maior parte dos anatomistas, fazia dissecações com as suas próprias mãos. Em 1538, com a colaboração de um artista holandês, produziu um conjunto de ilustrações anatómicas, baseadas em Galeno, para uso no ensino. Mas, à medida que ia fazendo dissecações, foi-se tornando mais crítico em relação à sua fonte. A sua obra principal, *De humani corporis fabrica* (1543), pretendia substituir Galeno, que Vesalius criticava por concluir de forma precipitada que estruturas encontradas em animais podiam ser livremente atribuídas ao corpo humano. A influência alcançada pelo seu livro teve, como causa principal, o não se basear em textos anteriores, mas na nova informação adquirida no seu próprio trabalho de dissecação. O contributo mais importante de Vesalius para as ciências médicas foi a sua insistência em que a anatomia se deve basear na observação cuidadosa das dissecações, e não nas páginas de qualquer livro.

A filosofia moral

A filosofia moral era a única disciplina filosófica incluída nos currículos humanísticos. A frequência de um ou mais cursos sobre a *Ética a Nicómaco* de Aristóteles era um requisito comum para a concessão de graus nas faculdades de artes liberais. A redescoberta de textos clássicos gerou interesse por outros filósofos morais. Platão foi, evidentemente, a grande descoberta. Contudo, as suas obras de ética nunca chegaram às salas de aula das universidades. O platonismo atraiu sobretudo amadores em filosofia – poetas e outros, que admiravam a elegância literária de Platão. A doutrina moral platónica que se revelou mais influente foi a doutrina do amor platónico, que Platão apresenta no *Banquete*. Com o seu comentário ao *Banquete,* publicado em 1469, o tradutor florentino de Platão, Marsilio Ficino, marcou os debates sobre o amor platónico no pensamento renascentista posterior. O amor como força dominante no universo, que conduz a alma para os bens espirituais, e a leva mesmo à presença de Deus, tornou-se um dos temas principais da poesia renascentista. Esse tema surge no diálogo *Gli Asolani* (1505), do poeta e humanista veneziano Pietro Bembo. Um Bembo de ficção enaltece o amor platónico no mais influente manual de boas maneiras do Renascimento, *O Cortesão* (1528), de Baldassarre Castiglione.

Uma segunda tradição ética, que atraiu muita atenção, foi o estoicismo. As doutrinas éticas dos estóicos, expostas por grandes autores latinos como Cícero e Séneca, eram bem conhecidas na Idade Média. O grande interesse de Cícero e Séneca era a doutrina moral do estoicismo, e não a metafísica materialista do estoicismo grego primitivo. O que atraía mais os leitores era a definição da virtude como fim supremo da vida. Para os estóicos romanos, a virtude era o único bem verdadeiramente desejável. Outros pretensos bens – a saúde, a riqueza, a felicidade, ou mesmo a libertação da dor e da opressão – eram moralmente indiferentes. O estoicismo ensinava também que uma lei natural imutável, gerada pela razão divina, governa o universo, e que o acto virtuoso se define como aquele que se conforma com a lei natural. A ética estóica de auto-suficiência podia levar ao afastamento do mundo. Mas a combinação da auto-suficiência moral com a orientação para viver de acordo com a natureza podia também favorecer a procura da virtude na vida pública. No século XV, era habitual considerar-se a ética estóica demasiado exigente. A negação das emoções, a tese de que a morte de uma esposa ou de um filho deviam deixar o homem sábio totalmente impassível, pareciam desumanas.

A agitação social, política e religiosa, que dominou a Europa na segunda metade do século XVI, gerou uma crise ética. O estoicismo, com os seus ensinamentos de que as circunstâncias externas não podem causar dano a uma alma bem ordenada, oferecia consolação. Do mesmo modo, a ênfase na obrigação individual de cumprir os deveres impostos pela posição de cada um na sociedade agradava aos dirigentes que se esforçavam por cumprir o seu dever, numa sociedade dilacerada por motins e massacres e intoxicada por ódios religiosos e políticos. Na promoção da filosofia moral estóica como remédio para este tipo de mundo, o autor mais influente foi o filósofo dos Países Baixos Justus Lipsius (1547-1606). Apesar de ter publicado obras importantes de erudição clássica, o seu livro mais famoso é o *De constantia* (1574), uma adaptação do estoicismo romano aos problemas do seu tempo. Este livro tornou-se o manifesto do neo-estoicismo. A principal mensagem de Lipsius era a necessidade de permanecer constante face à adversidade. Dava importância ao autocontrolo e à calma interna, e à conveniência de procurar alcançar a paz e a ordem pela minimização dos desacordos religiosos e pela conformação exterior com qualquer religião ou governo dominantes, que mantivessem a paz pública. As violentas agitações que abalaram a França nesse mesmo período provocaram, nesse país, um crescimento similar do interesse pelo estoicismo. Guillaume du Vair (1556-1621) é a principal figura do neo-estoicismo francês. Como Lipsius, encontrou no estoicismo uma doutrina de autocontrolo, capaz de ajudar a suportar a violência. Ao contrário de Lipsius, que evitava o envolvimento na vida pública, du Vair era um magistrado e permaneceu na sua posição de juiz num tempo de grandes perigos. O seu ensaio *Philosophie morale des Stoiques* (1584) eleva o amor pelo país a um segundo posto, ultrapassado apenas pelo amor a Deus. Critica aqueles que abandonam os cargos públicos face ao perigo, juízo que repete em *De la constance et consolation ès calamitez publiques* (1590). O ensaísta francês Michel de Montaigne (1533-1592) foi atraído pelo estoicismo numa fase inicial da sua evolução pessoal, mas abandonou-o, não se revendo nas suas exigências de impassibilidade e de eliminação de todas as emoções.

O pensamento político

A teoria política era um ramo da filosofia moral. As teorias políticas inovadoras costumam ser uma resposta às crises políticas contemporâneas, e no século XVI houve muitas dessas crises. Houve dois centros principais de colapso político, e cada um deles inspirou obras importantes de filosofia política. A primeira crise deu-se na Itália. A decisão tomada por Carlos VIII de França de invadir a Itália em 1494, para impor a sua reivindicação de direitos hereditários ao trono de Nápoles, perturbou o equilíbrio político que se mantinha desde a criação da Liga Italiana, em 1455. A invasão francesa atraiu os exércitos do rei Fernando de Aragão, rival do rei de França nas suas pretensões dinásticas a Nápoles; e os italianos não se conseguiram ver livres das duas potências estrangeiras rivais. A invasão francesa conduziu também ao derrube do governo dos Médicis na república de Florença, iniciando um período de instabilidade, que se prolongou até à transformação da república num ducado hereditário, em 1532.

A principal reacção a esta dupla crise foi a obra de Nicolau Maquiavel (1469-1527). Devido aos seus antecedentes políticos de oposição aos Médicis, foi demitido quando estes recuperaram o controlo do território em 1512, e virou-se para a escrita, na esperança vã de alcançar o favor dos novos governantes. *O Príncipe* (1513) é a sua principal obra literária. Tradicionalmente, este tipo de livros discutia a educação dos príncipes e aconselhava os governantes sobre a conduta moralmente correcta a seguir no governo. Maquiavel rejeita explicitamente esta função. Não pretende discutir o que os governantes devem fazer, mas o que têm de fazer, se pretenderem atingir o objectivo essencial de qualquer governo, "preservar o Estado", o que significa conservar o poder e manter a estabilidade social. Maquiavel aprova muitas acções que os códigos morais aristotélicos, estóicos ou cristãos condenariam. Um governante pode fazer praticamente qualquer coisa que se revele necessária à sobrevivência do seu Estado: mentir, enganar, matar, desencadear guerras de agressão ou recorrer ao terror. Maquiavel ensina assim que os governantes vivem de acordo com regras éticas muito diferentes das que se aplicam aos particulares. O dualismo ético permite compreender a reputação ganha por Maquiavel, desde a primeira publicação de *O Príncipe*, em 1532, de defensor da imoralidade na política.

A sua prontidão em isentar os governantes da obrigação de seguir a lei moral ordinária é a fonte da noção comum, embora injustificada, de que não existe um sistema ético no pensamento de Maquiavel. Uma leitura cuidadosa de *O Príncipe* e a consideração do seu segundo livro, menos conhecido, sobre repúblicas, *Discursos sobre a primeira década de Tito Lívio*, revelam que aplica às acções dos governantes uma medida de avaliação ética, o interesse geral e a estabilidade social do conjunto da comunidade. Os *Discursos* mostram também que continua a preferir o regime republicano moderado, que serviu durante a sua carreira política anterior a 1512. A sua aceitação de um príncipe autoritário, ao escrever *O Príncipe*, resultava da convicção de que um governo republicano só é possível no caso de um povo com "virtude", termo que implicava a aceitação do interesse geral acima das vantagens pessoais. Maquiavel considerava que, na sua geração, os florentinos estavam demasiado divididos em facções políticas e demasiado corrompidos moralmente para poderem governar-se a si mesmos. Encontrou em Políbio, um antigo historiador de Roma, a teoria da ascensão e queda cíclicas dos bons e maus governos, e também uma imagem idealizada da república romana como uma "constituição mista", que preservou a constituição republicana e conquistou o mundo mediterrânico, ao conseguir um equilíbrio entre os interesses de um líder forte, de uma aristocracia poderosa e de um povo politicamente activo. Ao discutir até que ponto o destino determina os resultados das decisões humanas e até que ponto a razão humana pode influenciar esses resultados, considera que cerca de metade dos resultados políticos se deve a uma política avisada, enquanto a outra metade é determinada por condições que ninguém pode controlar. Ainda que isto possa parecer pessimista, é muito menos desesperado do que as conclusões a que chegou, sobre a mesma questão, o seu concidadão Francesco Guicciardini (1483-1540), na sua história de Itália (completada em 1540; publicada em 1561-1564). Guicciardini sugere que podemos estar completamente iludidos, quando acreditamos que podemos influenciar os resultados das nossas acções, agindo racionalmente. Tanto Maquiavel como Guicciardini enfrentavam o facto capital do seu tempo, o facto de os estados italianos estarem a perder o controlo do seu próprio destino, face às invasões estrangeiras.

Durante a primeira metade do século XVI, a maior parte dos países da Europa Ocidental experimentou um crescimento impressionante do poder régio. Em França, entre 1484 e 1560, a coroa nunca convocou nenhuma sessão dos Estados Gerais, a assembleia representativa tradicional. A atitude dos funcionários régios face ao supremo orgão judicial, o Parlamento de Paris, raiava o desprezo. Depois de 1560, a luta pela sobrevivência de uma minoria protestante, ameaçada pelos esforços de exterminação da heresia, forçou essa minoria a desenvolver teorias que justificassem a resistência armada. Como continuavam a ser uma minoria, os huguenotes tiveram de usar argumentos que não ofendessem os católicos moderados. Começaram por apelar para uma constituição tradicional, que consideravam (como muitos católicos descontentes) estar a ser atacada por políticos ambiciosos, que exaltavam o poder do rei, minando o poder de antigas instituições que protegiam o povo da tirania. Os rebeldes huguenotes insistiam na sua lealdade ao próprio rei, mas acusavam-no de ser virtualmente um prisioneiro da facção ultra-católica dos Guises.

Entretanto, a situação mudou radicalmente depois do massacre de milhares de protestantes, a 24 de Agosto de 1572, dia de São Bartolomeu. A rainha-mãe, Catarina de Médicis, e seu filho, o rei Carlos IX, aprovaram abertamente os massacres, o que impediu os huguenotes de continuar a pretender que tentavam salvar o seu rei dos extremistas. Alguns propagandistas huguenotes publicaram ensaios a justificar a resistência armada. No curto prazo, a mais influente dessas obras foi a *Franco-Gallia* (1573), de François Hotman (1524-1590), um humanista e perito em leis. Hotman sabia que a sua propaganda não podia alienar os cidadãos católicos moderados, que também tinham ficado consternados com os massacres. Por isso, a *Franco-Gallia* concentrava-se na oposição às inovações políticas, que ofendiam muitos católicos influentes, especialmente o desprezo que os funcionários régios demonstravam pelos Estados Gerais e pelo Parlamento de Paris. A *Franco-Gallia* afirmava que a monarquia fora criada na sua origem por representantes do povo, e que os Estados Gerais conservavam o direito essencial de revogar o título real, se o rei violasse a sua obrigação fundamental de proteger as vidas e as propriedades do povo.

Mas a causa dos huguenotes precisava de uma teoria menos vulnerável aos contra-ataques baseados numa interpretação diferente da história constitucional dos poderes em França. Alguns apologistas da resistência voltaram-se para uma tradição de pensamento político completamente diferente. Tratava-se do conceito medieval de lei natural, que tinha florescido nas teorias constitucionais dos conciliaristas (muitos deles franceses) durante o Grande Cisma. Sucessores desta tradição, como Jacques Almain (1480-1515) ou o exilado escocês John Mair (c.1467-1550), ensinavam que, em qualquer regime, o poder final pertence ao povo. O poder do governante é apenas delegado, nos termos de um contrato que estipula que o deve usar para bem da comunidade. A lei natural concede à comunidade o direito a resistir a um tirano. No entanto, Almain e Mair não definem com precisão a quem cabe, legalmente, desencadear uma tentativa de deposição de um tirano.

Esta ideia escolástica, de que o príncipe não é mais do que o magistrado supremo mandatado pelo povo, fornecia o tipo de doutrina política secular capaz de justificar a resistência armada contra algo tão monstruoso como a cumplicidade do rei no massacre dos seus próprios súbditos. Como os huguenotes já não podiam pretender que Carlos IX era prisioneiro de uma cabala de políticos católicos radicais, passaram a justificar a resistência como uma afirmação dos seus direitos inalienáveis, de acordo com a lei natural, a defenderem-se, a si e a toda a nação, de uma autoridade ilegal. Foram surgindo alguns ensaios políticos em defesa destas posições. O mais influente foi o tratado *Vindiciae contra tyrannos*, publicado em 1579, cuja autoria é hoje geralmente atribuída a um importante nobre protestante, Philippe du Plessis de Mornay (1549-1623). O uso que faz de fontes medievais é impressionante. Cita Tomás de Aquino, o jurista italiano medieval Bártolo, os compiladores bizantinos das antigas leis romanas e os decretos aprovados, no século XV, nos concílios de Basileia e Constança, em oposição às pretensões papais ao poder absoluto. Uma questão delicada, neste tipo de justificação do direito à rebelião, é a de saber quem tem o direito legal e moral de desencadear a acção. Mornay faz derivar todo o governo de um complexo contrato duplo, envolvendo Deus, o rei e o povo. O seu argumento principal é o da violação, por parte do rei, do contrato que celebrara com o povo. No entanto, o direito a resistir a um rei tirano não pode ser exercido por um indivíduo particular, ou mesmo pelo conjunto do povo agindo colectivamente. Como indivíduos, todos os cristãos estão obrigados a prestar uma obediência passiva. A resistência activa só se justifica no caso de uma acção colectiva emanada de dirigentes constituídos, que representem a nação, como os membros da nobreza, as assembleias representativas, os corpos judiciais e os conselhos municipais. A teoria de Mornay é pensada para diminuir o risco de a resistência legítima redundar em anarquia. A *Vindiciae* representa a linha dominante respeitável na teoria da resistência protestante, mas a lei natural e a soberania popular serviram também para justificar uma defesa mais agressiva da revolução. O exemplo mais interessante desta tendência é o diálogo *De jure regni apud Scotos* (1579), do humanista escocês George Buchanan (1506-1582). Buchanan faz derivar toda a autoridade governamental de um contrato simples entre o rei e o povo e assume que o povo conserva o direito de revogar o poder do monarca, se este se converter num tirano. Elimina o conceito de Mornay de autoridade partilhada. O povo não cede a nenhum corpo de representantes o seu poder de defender os seus direitos. As teorias de Buchanan eram demasiado radicais para o seu tempo, mas iriam ter um grande futuro na Inglaterra do século XVII.

Ao longo do período que vai de 1562 a 1584, quem tentou desenvolver teorias que justificassem a resistência à autoridade real foram os huguenotes franceses. Mas a morte do último irmão do rei Henrique III, em 1584, colocou na primeira linha da sucessão Henrique de Bourbon, primo do rei, rei de Navarra e comandante dos exércitos dos huguenotes. Os católicos franceses enfrentavam a perspectiva de virem a ter um rei protestante. Os católicos radicais adoptaram ideias, quanto à obediência política, à resistência ao rei e à origem da autoridade régia, extremamente parecidas com as dos radicais protestantes e que procediam, de facto, dos mesmos filósofos do fim da Idade Média.

Apesar de terem florescido durante a segunda metade do século XVI as ideias de direitos naturais, contrato político e resistência à tirania, o futuro da política continental iria privilegiar o tipo de monarquia a que convencionalmente se chama "absolutismo". A terrível experiência das guerras civis em França e nos Países Baixos fez com que o medo da desordem civil tornasse aceitável a monarquia autoritária e despertou a hostilidade em relação a todas as teorias de liberdades constitucionais que pudessem ser usadas para justificar a revolução. Os argumentos a favor do absolutismo seguiam dois caminhos. Um era o da teoria do direito divino dos reis. Constituindo a injunção bíblica (Romanos 13: 1-7) que ordenava a obediência à autoridade política estabelecida o principal obstáculo que tinham de enfrentar os cristãos que quisessem justificar a resistência aos tiranos, os teóricos do direito divino defendiam que os preceitos bíblicos eram absolutos e não admitiam excepção. A autoridade de um estado secular, mesmo pagão ou herético, derivava directamente de Deus, e por isso era sagrada. O direito do rei a governar não era outorgado pelo povo, mas sim por Deus Todo-Poderoso, pelo que aqueles que Deus colocara sob a sua autoridade não podiam restringi-lo nem resistir-lhe. O mais proeminente defensor do direito divino, ele próprio um rei, foi Jaime VI da Escócia, nos seus ensaios políticos *The Trew Law of Free Monarchies* (1598) e *Basilikon Doron* (1599).

A segunda justificação teórica da monarquia absoluta era mais racionalista. O seu representante mais capaz foi o jurista francês Jean Bodin (*c*.1530-1596). Produziu duas obras essenciais de política e de história: *Methodus ad facilem historiarum cognitionem* (1566) e *Six Livres de la République* (1576). No seu *Methodus*, Bodin defende uma monarquia poderosa, mas considera ainda, como muitos pensadores de formação jurídica, que a autoridade régia é limitada por algumas leis e costumes tradicionais. Contudo, Bodin já criticava no *Methodus* o conceito de "constituição mista", onde os elementos monárquicos, aristocráticos e populares têm uma garantia constitucional de voto, de modo a que o poder esteja dividido e não possa ser apropriado por um só desses elementos. Em 1576, data de publicação da *República*, Bodin tinha reforçado as suas objecções às constituições mistas e alterado a sua opinião em relação a vários pontos. A crise da sociedade civil, a partir de 1572, convenceu-o de que a preservação das liberdades do povo era muito menos importante do que a manutenção da ordem social. A partir de então, passou a rejeitar quase qualquer limite ao poder real.

O fundamento da *República* é o conceito de soberania de Bodin. Foi o primeiro pensador a desenvolver completamente esta ideia, que afirmava ser invenção sua. Em termos simples, a soberania é o poder de fazer leis, sem ter de assegurar o consentimento de ninguém, nem de observar quaisquer procedimentos preliminares ou quaisquer formalidades. A lei não é senão uma declaração da vontade do soberano. Quando chama absoluto ao soberano, Bodin quer dizer que, mesmo que o soberano seja um opressor, nenhum súbdito tem o direito de desafiar as leis ou de a elas se opor em nome da justiça. Ainda que Bodin se ocupe sobretudo da França do seu tempo, a sua teoria aplica-se a qualquer forma de governo. A soberania é a característica específica que constitui qualquer estado, e sem soberania não há Estado. A soberania não tem de estar nas mãos de um rei. Encontra-se onde se encontrar, em última instância, o poder de fazer leis. Está nas mãos dos nobres numa aristocracia e nas mãos dos representantes eleitos numa república. Mas a soberania tem de existir nalgum lugar em qualquer governo. Se o lugar da soberania não é claro, ou é disputado, o conflito político e a desordem social são inevitáveis. Bodin prefere a monarquia, porque a soberania está nas mãos de uma única pessoa. Só uma vontade está envolvida, pelo que não há dificuldade na determinação da lei. Nas aristocracias e nas repúblicas, é mais difícil criar uma vontade única, pelo que é mais difícil fazer leis. Aqueles que insistem em que o Parlamentos ou os Estados Gerais têm de dar consentimento à legislação régia estão, na realidade, a tentar deslocar a soberania do rei para os juízes ou para os estados. Um rei soberano faz leis; não está limitado por elas. A despeito da clareza dos seus princípios gerais, Bodin confunde a questão ao reconhecer alguns limites ao soberano. A limitação mais perigosa é a insistência de Bodin em que o soberano está obrigado a respeitar a propriedade privada dos seus súbditos. Esta defesa da propriedade privada é compreensível do ponto de vista de Bodin, já que o propósito do Estado é preservar a paz social. Já que a sociedade é feita de famílias, e que as famílias não podem existir sem propriedade, a ordem social depende do respeito pela propriedade privada, mesmo por parte do rei. Ainda que esta restrição se justifique pela concepção que Bodin tem da família como fundamento da ordem social, a sua doutrina sobre os direitos de propriedade constituía uma ameaça potencial ao poder soberano.

Desafios ao conhecimento: formas de cepticismo

Os europeus instruídos do fim do século XVI enfrentavam uma situação em que eram contestadas muitas das hipóteses acerca do mundo que os seus antepassados tinham como certas. O mais chocante desses desafios foi a Reforma protestante e o consequente fim da unidade religiosa. O humanismo cristão, que florescera no início do século, desmoronara-se no meio das lutas ideológicas das décadas de 1520 e 1530. O humanismo que sobreviveu era mais cauteloso, privado das suas aspirações grandiosas ao renascimento cultural e à renovação espiritual, preocupado sobretudo com a educação e com a erudição. A frustrante busca de novos caminhos de regeneração da vida religiosa, política e social, através do estudo da Antiguidade, deixou muita gente culta numa situação desconfortável. Já nada parecia seguro. Sincretistas, como os neoplatónicos florentinos, tinham a expectativa de que um melhor conhecimento da filosofia antiga revelasse que, no fundo, todas as filosofias antigas eram apenas uma. Pelo contrário, demonstrou que os filósofos da Antiguidade estavam tão divididos como os contemporâneos.

Alguns pensadores recordaram que os cépticos gregos tinham posto a questão de saber se a mente humana é capaz de descobrir a verdade absoluta. A filosofia medieval não tinha mostrado grande interesse por estas ideias, mas uma obra céptica de um grande autor latino, a *Academica* de Cícero, estava amplamente disponível, ainda que não se lhe tenha dado muita atenção na Idade Média. Cícero defendia o cepticismo moderado (ou académico) da Nova Academia platónica, que pretendia que a razão humana é capaz de distinguir o mais provável do menos provável, mas não consegue conhecer com certeza absoluta a verdade de qualquer proposição. Uma forma mais radical de cepticismo antigo, o pirronismo, colocava objecções mesmo à conclusão dos académicos de que nada podia ser conhecido com certeza. Os pirronistas consideravam que, ao enfrentar a incerteza, o filósofo é obrigado a suspender o juízo. Na Idade Média, esta forma de cepticismo era ainda menos conhecida do que o cepticismo académico. Só sobreviveu um autor pirronista antigo, Sexto Empírico. À excepção de um livro pouco divulgado de Gianfrancesco Pico della Mirandola (1470-1533), não há provas seguras de um uso directo das obras de Sexto até 1562, quando foi publicada a tradução latina do seu trabalho sobre as ideias de Pirro. No entanto, as ideias cépticas já andavam no ar na primeira metade do século. Há referências a pirronistas e a cépticos no *Tiers livre* (*Terceiro Livro*, 1546) do mais popular prosador francês, François Rabelais (c.1494-1553). As referências de Rabelais são particularmente significativas, já que, apesar de ser um homem culto, escrevia um livro em vernáculo, dirigido a um público popular. O filósofo francês Omer Talon (1510-1562), na sua obra *Academica* (1548), usa a defesa que Cícero faz do cepticismo académico para justificar os ataques de Petrus Ramus à filosofia aristotélica. Como quase todos os que defendem o cepticismo nesse século, Talon argumenta que o cepticismo se limita a mostrar que o verdadeiro caminho para o conhecimento de Deus é a fé cristã, e não a filosofia aristotélica.

O interesse crescente pelo cepticismo encontra a sua expressão mais clara nas obras de dois autores franceses, um deles famoso, o outro quase esquecido. O mais obscuro é Francisco Sanches (1552-1623), que ensinou filosofia e medicina em Toulouse. O seu livro *Quod nihil scitur* (*Que nada se sabe*, 1581) é um ataque sistemático ao conceito aristotélico de conhecimento. Oferece uma crítica detalhada dos fundamentos da confiança de Aristóteles na razão e apresenta um argumento genuinamente filosófico, muito diferente dos argumentos de cépticos anteriores, menos elaborados. Mas Sanches parece ter tido pouca influência.

Embora o seu cepticismo fosse menos consistente, foi bem maior a influência de Michel de Montaigne, em parte por ter sido um grande escritor. Nos seus *Ensaios* (1580-1588), que divagam por um grande número de tópicos, há muita coisa a encontrar, para lá do cepticismo. Os *Ensaios* são especialmente importantes por estarem, como de resto o autor, enraizados na cultura do humanismo renascentista. Em criança, Montaigne fora educado a falar apenas latim. Recebera a melhor educação humanística disponível, na melhor escola clássica de França. O seu domínio da literatura antiga era evidente em tudo o que escreveu. Contudo, insistiu, no seu ensaio "Da Educação", que a aprendizagem livresca, ainda que desejável, é muito menos importante do que uma boa moral e do que um pensamento claro. A familiaridade com os clássicos, um dos principais objectivos da educação humanística, embora útil, só tem valor real se o conhecimento for assimilado, e não apenas memorizado.

Apesar de conhecer a obra de Sexto, a posição de Montaigne sobre o conhecimento humano vinha mais das tendências antifilosóficas da retórica humanista do que de Sexto ou de qualquer outro filósofo. A retórica era a arte da oratória persuasiva. Era uma contestação do processo intelectual que pretendia determinar a verdade absoluta, o objectivo da filosofia aristotélica. Ao contrário, a retórica dirigia-se para decisões mais morais do que científicas, como a determinação de políticas públicas ou questões da vida quotidiana, quando um indivíduo tem de escolher entre cursos de acção alternativos. Os retóricos humanistas consideravam que as questões que envolvem a verdade absoluta surgem raramente, se surgirem, na vida de um indivíduo ou de uma comunidade política. A "verdade absoluta", do tipo que a lógica aristotélica procurava, era sobretudo matéria de especulação ociosa entre académicos. Estas reservas da retórica em relação à capacidade de conseguir certezas já tinham sido aplicadas por Erasmo contra Martinho Lutero e pelo humanista Sebastião Castélio contra João Calvino.

Montaigne era o herdeiro desta tendência humanística. A sua experiência da violência causada pela Reforma reforçou as suas tendências cépticas. Foi provavelmente o cepticismo pirronista de Sexto Empírico que o levou a escrever o mais céptico dos seus ensaios, "Apologia de Raimundo Sabunde". Sabunde, um teólogo espanhol do século XV, afirmava que as questões especulativas de qualquer tipo podiam ser determinadas pela razão, incluindo a questão da existência de Deus e a questão dos atributos divinos. Um tribunal da igreja forçou-o a abjurar, por não deixar espaço para a fé. Montaigne "defendeu" Sabunde, sustentando que os seus argumentos racionalistas tinham precisamente a mesma validade das conclusões dos filósofos racionalistas em geral: isto é, não tinham validade nenhuma. Montaigne foi buscar a Sexto Empírico uma crítica devastadora dos sentidos humanos, mostrando que não é possível confiar nos sentidos, considerados por Aristóteles a origem de todas as ideias humanas, e que, portanto, o raciocínio baseado em ideias humanas nunca pode determinar qualquer questão especulativa. Os ensaios de Montaigne exprimem também um relativismo cultural com origem nos relatos dos exploradores europeus. No seu ensaio "Dos Canibais", sugere que os canibais brasileiros, que cozinhavam e comiam os inimigos vencidos, não eram mais irracionais nem menos naturais do que os cristãos europeus, que pilhavam, torturavam e massacravam os seus concidadãos em nome da religião.

A obra de Montaigne está cheia de referências a autores clássicos, e o escritor declarava a sua admiração pela sabedoria dos antigos. Considerava, contudo, que a verdade não estava ordenadamente arrumada nos textos onde a procuraram os seus precursores humanistas. A fé optimista do Renascimento no poder de regeneração da cultura da Antiguidade tinha desaparecido. Em última instância, concluiu Montaigne, a verdade absoluta está para lá do alcance do pensamento humano. Como todos os cépticos deste período, Montaigne pretendia que a consequência do reconhecimento das limitações da razão humana é a confiança na verdade revelada por Deus. Uma geração mais tarde, o cepticismo pirronista tornar-se-ia, na realidade, a principal defesa filosófica do catolicismo em França.

A caminho do século XVII

Os trabalhos dos cépticos abriram caminho aos filósofos do século XVII, que não estavam dispostos a aceitar o cepticismo como resultado final do discurso intelectual. Os dois primeiros autores de primeiro plano a enfrentar o problema do conhecimento foram ambos influenciados por Montaigne. René Descartes (1596-1650), que no início da sua nova filosofia alinhou com o cepticismo pirronista, é uma figura do novo século. Já Francis Bacon (1561-1626) é muito mais um produto do fim do século XVI. Bacon concordou com o ataque ao racionalismo aristotélico, mas procurou, em *The Advancement of Learning* (*O progresso do Conhecimento*, 1605), definir uma nova orientação para a filosofia. Como Aristóteles, e ao contrário dos cépticos, Bacon reafirmava o valor da experiência sensível, tentando, ainda que sem grande sucesso, definir uma nova lógica capaz de conduzir o pensamento da experiência sensível até generalizações científicas válidas.

De forma bem mais directa do que Montaigne, Bacon punha em causa os estudos clássicos, considerando-os inúteis para a investigação filosófica e científica, ainda que reconhecesse a sua utilidade para outros propósitos. Numa obra que nunca terminou, *The Great Instauration*, Bacon declarou: «Há que afirmar claramente que a sabedoria que fomos buscar principalmente aos gregos é apenas a infância do conhecimento, e tem as propriedades características das crianças: consegue falar, mas não consegue gerar, porque é fértil nas controvérsias, mas estéril nas obras.» Num certo sentido, esta passagem é apenas outro ataque renascentista a Aristóteles. Contudo, num sentido mais fundo, marca o fim da fé renascentista na possibilidade de redescobrir a sabedoria, pesquisando nos despojos literários da Antiguidade grega e romana. Para Bacon, a confiança do Renascimento na tradição clássica chegara ao fim: os gregos antigos não representavam a sabedoria madura da raça humana, mas a sua juventude inexperiente, tagarela e imatura.

5

O turbilhão da fé

Euan Cameron

Se há uma idade de mudança tumultuosa na história do cristianismo europeu, essa idade é o século XVI. Em 1500, os habitantes da Europa Ocidental pertenciam a uma Igreja internacional, teoricamente ao serviço de todos. Apesar de flexível e diversa em muitos aspectos, essa Igreja estava tão próxima de ser universal, que poucos europeus sentiam a necessidade consciente de se considerarem cristãos ocidentais, latinos e católicos. Apesar de haver, na Europa Ocidental, em bolsas isoladas, células de algumas dezenas ou centenas de "heréticos" valdenses ou lolardos, a heresia estruturada recuara e era agora uma fracção do que fora em tempos anteriores. Mesmo a Igreja da Boémia, meio separada desde o tempo de Jan Hus, tinha arranjado maneira de coexistir com Roma. Em 1600, em completo contraste com esta quase uniformidade, muitos europeus, possivelmente a maioria, tinham uma aguda consciência de serem católicos romanos, luteranos ou cristãos reformados. Esperava-se, de gente apenas moderadamente culta, que soubesse por que razão era o que era. No Ocidente, a adesão a uma ou outra das confissões, principais ou menores, definia não apenas a consciência de cada um, mas também as suas fidelidades políticas. Os estados alinhavam-se, uns contra os outros, numa variedade de ligas e alianças pouco estáveis, preparados para conduzir a Europa Central para o banho de sangue que ocorreu a partir de 1618.

As crenças da maioria

No entanto, há que evitar, nesta questão, o exagero. Só agora se começa a compreender a importância e a durabilidade de um corpo de crenças que persiste por baixo da superfície da cultura europeia. Essas crenças não existiam isoladas numa espécie de compartimento conhecido como "cultura popular" ou "religião popular". Elas sobrepunham-se, misturavam-se e interagiam com as crenças e actividades religiosas oficialmente patrocinadas, e reflectiam as preocupações, necessidades e inseguranças a que se expunham, no dia a dia, a maior parte, ou mesmo a totalidade, dos europeus da Idade Moderna.

A vasta maioria dos europeus vivia num relacionamento relativamente estreito com a terra. A sua segurança, o seu estilo de vida, por vezes a própria existência, dependiam da fertilidade do solo, da sobrevivência e fecundidade dos seus animais, de um clima favorável nas alturas críticas do ano – aspectos que se foram tornando cada vez mais problemáticos ao longo do século XVI. Precisavam também de conservar, eles próprios, as suas famílias e os seus criados, a saúde e o vigor suficientes à execução das tarefas de rotina necessárias. E necessitavam de acesso ao solo e de o poder usar livremente, sem estarem sujeitos à extorsão, à presença de exércitos ou às exigências de uma cobrança de impostos cada vez mais intrusiva. Estes factores estavam quase sempre fora do controlo real da maioria, ou mesmo de toda a gente. Não havia meios naturalmente eficazes de garantir o bem-estar próprio ou de prevenir o infortúnio. Procurava-se por isso uma assistência sobrenatural, recorrendo a meios que incluíam, mas também ultrapassavam, os recursos oferecidos pela Igreja estabelecida.

Os teólogos católicos do início do século contribuíam para este sentimento de dependência de um auxílio sobrenatural contra males que tinham uma origem potencialmente sobrenatural. Em 1505, o teólogo Martin Plantsch, da Universidade de Tübingen, pregou uma série de sermões na igreja paroquial de S. Jorge. Plantsch defendia, de modo bastante convencional, que os demónios podiam causar dano às pessoas, desencadeando tempestades que destruíam as culturas, roubando-lhes o grão ou o vinho armazenados, secando o leite aos animais, ou provocando doenças, esterilidade ou impotência nas pessoas ou no gado. Os feiticeiros causavam com frequência as mesmas desgraças, recorrendo a feitiços, encantamentos, imagens e substâncias medicinais ou venenosas (mesmo que esses instrumentos fossem meros símbolos usados para instigar os demónios a causar os problemas). Era normal haver muita gente a reagir à experiência do infortúnio, procurando ajuda junto de uma variedade de fontes sobrenaturais, incluindo algumas muito afastadas das aprovadas pela Igreja. Plantsch defendia que procurar ajuda junto de curandeiros populares, de "habilidosos" ou de mágicos, era um erro desastroso. Todos os males que as pessoas sofriam derivavam, em última instância, da providência de um Deus compassivo. Deus permitia o mal, para tentar a fé dos fracos e para experimentar a fortaleza dos santos. As pessoas eram avisadas de que deviam evitar qualquer forma de remédio ou protecção que se aparentasse com as artes demoníacas da magia e da feitiçaria. Em vez disso, deviam recorrer aos remédios espirituais aprovadas pela Igreja Católica e à medicina tradicional. Plantsch recomendava aos habitantes de Tübingen a aplicação de água benta nas chagas e feridas, e mesmo nas casas e construções. Podiam queimar folhas benzidas de palmeira para afastar as trovoadas, desde que o fizessem "em honra de Deus". Podiam utilizar todo um arsenal de águas, velas, ou pão consagrado, dedicados a santos em particular, para curarem os males ligados especificamente a esses santos: água de Santo António contra as inflamações, água de S. Pedro Mártir contra as febres, ou velas de S. Brás contra as dores de garganta.

Durante o século XVI, as igrejas protestantes, luteranas e reformadas, rejeitariam, com impressionante unanimidade, o quadro de pensamento donde procediam estes remédios abençoados. Os teólogos protestantes defendiam que as propriedades dos objectos materiais não podiam ser alteradas, nem pelos rituais da Igreja, nem por cerimónias mágicas. Por mais abençoados que fossem, a água e o sal continuavam a ser apenas água e sal. Contudo, a maioria continuava a ver a causa dos seus infortúnios em termos sobrenaturais, ou mesmo demoníacos. As fontes da época são coincidentes na indicação de que as pessoas comuns continuavam a acreditar que o mau-olhado ou os maus pensamentos podiam causar doenças ou mesmo a morte. Continuavam a recorrer a uma série de curas populares e empíricas, para lá dos limites da medicina convencional ou da religião convencional. Acreditavam que várias técnicas de adivinhação permitiam localizar objectos perdidos e identificar os ladrões responsáveis pelo seu desaparecimento. Listas destas prescrições e remédios foram registadas pelo físico céptico renascentista Johannes Weyer, pelo escritor luterano Johann Georg Godelmann e pelo teólogo jesuíta Martín del Río. Por mais que estivessem em desacordo na ideologia, estas autoridades coincidiam nos "dados" que apresentavam em relação às crenças dos que não tinham instrução.

No início do século XVI, surgira na sociedade da Europa Ocidental um novo recurso contra a magia demoníaca. Aqueles que se supunha terem utilizado a magia para causarem danos eram acusados de pertencer a uma subcultura demoníaca, a "heresia" das bruxas. A caça às bruxas começou na Europa antes de 1500, mas só revelou os seus aspectos piores e mais espectaculares depois de 1600. Em grande parte do século XVI, permaneceu na sombra dos acontecimentos da Reforma, que trouxeram uma grande confusão à justiça eclesiástica. Muito antes do início do período moderno, as pessoas temiam que os vizinhos pudessem, se quisessem, causar-lhes danos graves, ou mesmo mortais, se se tornassem alvos da sua má vontade. O que mudou na "caça às bruxas" foi que várias autoridades judiciais, religiosas ou seculares, centrais ou (mais frequentemente) locais e provinciais, se dispuseram a usar a justiça criminal como forma de lidar com quem fosse suspeito de "bruxaria", em alternativa à contramagia ou à negociação. No século XV, a justiça disponível era sobretudo, embora não exclusivamente, a dos padres inquisidores, que fundiram as suas imagens mentais de heréticos e mágicos, criando o "estereótipo" da bruxa, como alguém que pertence a uma sociedade real e visível, que se reúne com regularidade para adorar o diabo e realiza actos hostis de feitiçaria com a ajuda do demónio. No início do século XVI, esta imagem era difundida por numerosas pinturas de género e também por tratados eruditos, condicionando os pontos de vista teóricos da época e (até certo ponto) a jurisprudência, mas tendo um impacto mais limitado nas ideias populares. Entretanto, foi principalmente numa época mais tardia do século XVI, e num tipo específico de territórios (nalguns principados episcopais da Alemanha, no Sarre, em regiões limítrofes da Europa, na Suíça e na Suábia), que as bruxas foram sistematicamente perseguidas por processos inquisitoriais. Nessa altura, era mais frequente os julgamentos serem presididos por tribunais seculares do que por juízes eclesiásticos. O mais provável era serem autoridades provinciais locais a conduzir este tipo "popular" de investigação, caracterizado pelo uso indiscriminado da tortura e, em consequência, por um efeito dominó de acusações consecutivas. Sistemas legais altamente centralizados, como a Inquisição italiana ou espanhola ou o Parlamento de Paris, aderiam em geral a um sistema mais estrito de prova, prazos e apelos, fazendo por isso menos vítimas.

Num ponto importante, as crenças das várias elites teológicas e da maioria do povo davam as mãos. Sempre que a ordem da natureza parecia ser violentamente perturbada, via-se nisso a acção da mão de Deus. Gente das mais variadas origens tomava nota de prodígios, abortos, eclipses, cometas, e de outros maus presságios e sinais da ira ou do aviso de Deus. Dois dos mais conhecidos abortos animais, o "Burro Papa", encontrado morto no Tibre em 1496, e o "Vitelo Monge", nascido em Freiberg, na Saxónia, em 1522, deram origem a um grande número de interpretações e debates eruditos. Em 1531, em Augsburgo, uma mulher deu à luz três criaturas grotescamente deformadas, facto devidamente descrito na literatura. No Báltico, aconteceu pescarem-se peixes com mensagens curiosas nas escamas, ou com corpos disformes. Entre 1530 e 1550, quando a Alemanha protestante foi repetidamente ameaçada por conflitos religiosos armados, vários prodígios foram observados nos céus: cavaleiros de armadura, torres, leões, ursos e dragões. Os cometas, que apareciam de forma imprevista em céus de outro modo perfeitos e estáveis, só podiam ser sinal de terríveis avisos de Deus.

O catolicismo como religião comum nas vésperas da Reforma

Em vésperas da Reforma, a devoção religiosa da Europa Ocidental católica, centrada em princípios cuja importância aumentara ao longo da Idade Média, tinha adquirido alguns traços que a distinguiam. A obra de salvação de Jesus Cristo era mediada pelo ministério sacrificial e sacramental dos padres da Igreja Católica. Na Igreja, tal como foi definido no IV Concílio de Latrão, Jesus Cristo é simultaneamente sacerdote e aquele que se oferece em sacrifício; fora da Igreja, ninguém é salvo. Deste modo, Jesus Cristo, crucificado pelos pecados da humanidade, está no centro do cristianismo do fim da Idade Média. No gótico tardio, as representações do sacrifício de Cristo, nas tábuas dos retábulos, nas esculturas em madeira ou na estatuária, insistem no detalhe macabro, por vezes quase pornográfico, do horror físico do seu sofrimento. Os Passos da Cruz dão uma estrutura e uma forma narrativa à meditação sobre a história da Paixão, que há muito vinha a ser elaborada para lá dos relatos dos Evangelhos. A um certo nível, pretende-se com esta insistência na Paixão levar o crente a uma contemplação empática, e por isso meritória, das consequências dos seus próprios pecados. Contudo, não é possível interpretar as representações da Paixão no final da Idade Média sem ter em conta as suas conotações eucarísticas. No famoso Retábulo de Isenheim, de Matthias Grünewald, o cordeiro de Deus, aos pés da cruz, sangra directamente para um cálice. Ao invés, as hóstias milagrosas preservadas no santuário rural alemão de Wilsnack derramaram gotas de sangue do corpo do Deus-homem crucificado em que tinham sido transubstanciadas. Por outras palavras, o sacrifício de Cristo não era um acontecimento velho de mais de catorze séculos: era um milagre diariamente repetido e rememorado em cada altar da Cristandade.

Os historiadores analisam habitualmente as doutrinas gémeas da presença eucarística e do sacrifício eucarístico como componentes separados do pensamento medieval. Na realidade, como é evidente, cada uma delas sustentava e reforçava a outra, e o significado de cada uma delas foi-se tornando cada vez maior, à medida que se aproximava o ano de 1500. Como Cristo se tinha tornado tão acessível, tão tangível e visível na Eucaristia, esta tornou-se a forma mais natural de conceder a graça divina aos indivíduos e às comunidades. O culto cristão centrou-se cada vez mais na elevação da hóstia, na exibição da hóstia consagrada em custódias, ou na procissão da hóstia pela comunidade na festa do Corpo de Deus (festa inventada em Liège em 1246, mas que só se tornou amplamente popular depois de conseguir o patrocínio dos papas a partir do início do século XIV). Por outro lado, padres e leigos foram ficando cada vez mais seguros de que os benefícios de uma missa sacrificial podiam ser quantificados e multiplicados. Quanto mais missas fossem ditas, permanecendo iguais os outros factores, tanto maior a graça concedida. Em vésperas da Reforma, esta não era uma ideia nova: no fim do século XIII, os padres tinham sido avisados para não celebrarem missas com múltiplos beneficiários. Contudo, foi sobretudo no século XV que este princípio sancionou as múltiplas missas de defuntos, as dotações perpétuas para missas, e colégios inteiros de padres dedicados ao propósito único de acelerar a passagem pelo purgatório das almas dos falecidos, recorrendo a numerosas repetições do sacrifício da Eucaristia. Esta "contabilidade com o além" atingiu níveis tais que aqueles que, nalgumas partes da Europa, compraram apenas um número *moderado* de missas para depois da morte se tornaram suspeitos, aos olhos dos historiadores, de serem heréticos valdenses.

No entanto, se for vista de uma outra perspectiva, a religião anterior à Reforma não parece afinal tão centrada em Cristo. Cristo podia mostrar-se a todos como pão no altar. No entanto, quando não era representado na cruz, como um aviso terrível das consequências do pecado, era mostrado a presidir ao Juízo Final, um aviso ainda mais terrível do destino que esperava aqueles que desdenhavam dos meios oferecidos pela Igreja para a expiação dos pecados. O papel de protecção amável e compreensiva foi passando cada vez mais para a mãe de Jesus. A Virgem Maria transformou-se, nas últimas décadas da Idade Média, em muito mais do que um exemplo de mansa submissão à vontade de Deus. Nos sermões do teólogo de Tübingen Gabriel Biel (falecido em 1495), a Virgem aparecia como co-redentora da humanidade. Em

orações, gravuras e esculturas devotas, abrigava a humanidade pecadora dos rigores do juízo divino. Desidério Erasmo (c.1467-1536) observou que o culto da Virgem era tão universal, que as promessas que
lhe eram feitas não eram consideradas válidas se não especificassem
que invocação particular da Virgem Santíssima, e em que santuário,
recebera as intenções do devoto. Erasmo imaginou também a Virgem
cansada das intermináveis petições dos mortais, que parecem supor
ter ela tal poder sobre o Menino Jesus que «se ele negar alguma coisa
ao peticionário, eu pela minha parte recusar-lhe-ei o seio quando ele
tiver sede».

Se a Virgem Maria estava acima de todos os santos, a todos eles
cabia, em certa medida, o dever de intercessão e patrocínio – e na Europa Católica isto manter-se-ia assim ao longo de todo o século. Os
santos e o seu culto interrompiam a segunda metade do ano litúrgico,
quebrando, no Verão e no Outono, com festas religiosas, a monotonia
do "tempo comum". Os santos concediam a sua identidade e a sua protecção às comunidades que conservavam as suas relíquias, ou àquelas
que simplesmente lhes estavam gratas por as terem no passado liber-
tado de secas, inundações, pestes ou outros infortúnios. Era grande o
prestígio em jogo na aquisição e exibição de relíquias. Em bastiões da
cultura gótica tardia, como a Alemanha, não é de surpreender que um
príncipe convencionalmente devoto como Frederico III da Saxónia
tenha reunido uma ampla e exótica colecção de fragmentos de santos. Mas mesmo Pio II (falecido em 1464), um papa do Renascimento,
sardónico e cínico, autor de uma das análises mais imperturbavelmen-
te seculares da corte pontifícia, experimentou um prazer ingénuo na
translação da cabeça de Santo André de Patras para Roma, em Abril
de 1462.

Havia uma questão teológica séria por trás dos esforços, por vezes
frenéticos, com que os cristãos do final da Idade Média procuravam
associar-se, a si e aos seus mais próximos, a toda e qualquer manifestação do sagrado. Os seres humanos não podiam salvar as suas próprias
almas. Mesmo nos momentos em que mais defendeu a necessidade da
realização de boas obras, a Igreja medieval nunca considerou verdadeiramente que os cristãos "ganhassem" a salvação. Os santos precisavam da ajuda divina, como todos os outros. Essa ajuda conseguia-se,
habitualmente, pelo sistema das purificações penitenciais. Desde 1215
que os cristãos do Ocidente eram obrigados por lei a fazer, pelo menos
uma vez por ano (normalmente na Quaresma), uma confissão privada dos seus pecados ao pároco ou ao seu substituto ou assistente, e a
cumprir uma reparação ou "penitência", discricionariamente decidida

pelo confessor. O sistema tinha-se desenvolvido, e a sua crescente complexidade começava a ficar fora do alcance das capacidades de muitos párocos. Confessores especializados (frequentemente frades), ou mesmo confessores privados, guiavam os penitentes através do labirinto de prescrições, contidas nos volumosos e complexos manuais para confessores, como a *Summa Angelica* e a *Summa Sylvestrina*, que definiam o que estava certo e errado do ponto de vista da moral individual. Assustadoramente judicial à primeira vista, o sistema combinava, na realidade, o legalismo ético com um elemento medicinal e terapêutico. Para aqueles que achavam a penitência demasiado rigorosa, era muitas vezes possível trocar a "reparação" prescrita por qualquer coisa mais fácil ou mais amena. A peregrinação a certos santuários ou mesmo a contemplação devota de uma imagem permitiam ganhar "indulgências", suprimindo parte da penitência devida aqui ou no além. Quando os papas proclamavam um jubileu ou outras indulgências especiais, ofereciam um alívio ainda mais fácil, em troca de uma soma de dinheiro, variável em função dos recursos de cada um. Quando Martinho Lutero (1483-1546) pôs em causa as indulgências, em 1517, partiu de uma questão completamente convencional na Idade Média: é boa ideia, para os pecadores, serem aliviados do fardo da sua penitência deste modo espúrio? Completar a penitência não é (literalmente) melhor para a alma?

O "movimento de Lutero"

Na Reforma do século XVI, há uma coisa que é clara; a Reforma não foi desencadeada por uma única figura, por uma única ambição ou por um único objectivo, nem por um único movimento social, político ou religioso. O seu resultado dependeu de interacções extremamente complexas e imprevisíveis entre personalidades, acontecimentos, crenças e atitudes. No entanto, é impossível separar da personalidade de Martinho Lutero a história dos primeiros tempos da Reforma. Como eremita agostinho, da ala observante da Ordem, Lutero é um produto do ressurgimento da piedade ascética tradicional no fim da Idade Média. Nominalista em filosofia, combinou uma atitude rigorosamente crítica da linguagem teológica com o sentimento de que um Deus transcendente poderia ter feito tudo de modo diferente. Como produto do Renascimento do Norte, sabia que a literatura clássica, e sobretudo as línguas clássicas, tinham coisas importantes a dizer ao seu próprio tempo. Deslizava facilmente para a linguagem do nacionalismo eclesiástico alemão, sobretudo quando se encontrava com representantes da teologia pouco consistente da cúria pontifícia. No entanto, era mais do que a soma das suas muitas partes. Era pouco habitual um teólogo universitário converter-se num propagandista e panfletário brilhante. Não era normal que um estudioso do Renascimento acreditasse que as doutrinas religiosas devem: *a*) ser compreendidas com absoluta clareza crítica; *b*) ser difundidas mesmo entre a massa do povo mais vulgar. E era caso quase único que alguém com tal competência e estatuto colocasse a sua consciência e o seu pensamento contra a opinião comum do cristianismo ocidental, estando pronto a dar a vida pelas suas certezas.

A controvérsia inicial sobre as indulgências só tangencialmente se relaciona com as questões teológicas que irão estar no centro da Reforma. O arcebispo-eleitor de Mainz, Alberto de Hohenzollern, ia ser autorizado a recuperar alguns dos enormes custos da sua confirmação na diocese através de uma reemissão das indulgências originalmente destinadas a ajudar a reconstrução da basílica de S. Pedro, em Roma. Essas indulgências já tinham provocado nalguns sectores reacções de cepticismo religioso, e noutros um ressentimento motivado por considerações de ordem financeira. Mas são preocupações pastorais que ditam a resposta de Lutero. Seria realmente benéfico, para um cristão sincero, abandonar as orações e as oferendas da penitência, mesmo no caso de uma indulgência as ter tornado desnecessárias? Inicialmente, Lutero tencionava apresentar ao arcebispo um protesto discreto e respeitoso, e ao mesmo tempo convidar a academia teológica a discutir a questão. Só começou a divulgar as suas *Noventa e cinco Teses* quando verificou que não lhe chegava de Mainz nenhuma resposta construtiva. No entanto, envolvidas no latim escolar e técnico das teses, apresentava versões hipotéticas do que os leigos cépticos poderiam pensar. «Por que não esvazia o Papa o purgatório por causa do santíssimo amor e da extrema necessidade das almas – o que seria a mais justa de todas as causas –, se redime um número infinito de almas por causa do funestíssimo dinheiro?»; «Por que se mantêm as exéquias e os aniversários dos defuntos, e por que não restitui o Papa, ou permite que se recebam de volta, os benefícios instituídos pelas suas almas, visto que já não é justo orar pelos redimidos?»; «Por que é que os cânones penitenciais – de facto, e por desuso, já há muito revogados e mortos – são ainda assim redimidos com dinheiro, pela concessão de indulgências?». Lutero não colocava ele próprio estas questões, mas imaginava outros a fazê-lo.

As teses continham as sementes de uma campanha de propaganda, o que foi compreendido pelos impressores-editores que as publicaram como panfletos, sem a aprovação de Lutero.

A "disputa das indulgências" deu azo a uma série de reacções erradas e mal geridas, transformando-se assim numa crise. Elementos da ordem dominicana viram a crítica do teólogo agostinho como um ultraje. Os teólogos do papado consideraram intolerável a desconsideração implícita do poder espiritual do Papa. Lutero foi ficando cada vez mais desiludido à medida que os emissários de Roma, um após outro, incluindo o cardeal Caetano, um dos maiores teólogos dominicanos da época, se mostraram pateticamente incapazes de responder aos seus argumentos. A hierarquia romana meteu-se num beco sem saída ao alinhar com os elementos mais desacreditados e exclusivos da cultura religiosa. Quando Lutero foi excomungado, em 1520, só os defensores mais perseverantes da corte pontifícia – e havia muito poucos na Alemanha – mantinham uma atitude hostil à sua causa. Quando confrontou o imperador em Worms, em 1521, Lutero era um herói alemão. É duvidoso que o jovem imperador Carlos V estivesse em condições de se poder atrever a entregá-lo às autoridades romanas, mesmo que não lhe tivesse prometido um salvo-conduto.

Entretanto, Lutero tinha evoluído por caminhos muito distantes da questão das indulgências. Desde o início das suas aulas sobre as Escrituras em Wittenberg, em 1513, que se confrontara continuamente com o entendimento teológico do modo como as almas são salvas do pecado. Muito rapidamente se convenceu, como outros na sua ordem, de que a "justificação", o processo que torna as pessoas justas e aceites por Deus, era um dom de Deus, e não o fruto de uma resposta humana. Se Lutero tivesse parado por aqui, não teria sido necessária nenhuma Reforma, já que esse tipo de crença cabia perfeitamente no espectro das opiniões católicas aceitáveis. O verdadeiro ponto capital era um tanto técnico, mas pode ser expresso do seguinte modo: Deus entra na alma de uma pessoa e torna-a mais santa, para assim a aceitar? Ou Deus decide arbitrariamente considerar as pessoas "cobertas" pelos méritos de Jesus Cristo, "extrinsecamente" livres do pecado, independentemente da sua condição espiritual *real*? Em 1515-1517, Lutero apresentava aos seus alunos as duas opções misturadas e permutáveis. Em 1518-1519, o seu pensamento tinha evoluído, não por uma súbita epifania, antes pela adopção gradual de uma interpretação, com exclusão de todas as outras. A decisão de Deus de salvar, de "justificar", redime almas *intrinsecamente indignas*, sem consideração de nenhuma qualidade que lhes seja inerente. A "graça de Deus" concedida ao crente significa, na realidade, a *absolvição* do crente antes do julgamento, por decisão arbitrária de Deus.

Em 1520, era claro que esta opinião não era mera teologia radical, mas que, pela sua lógica interna, requeria um conceito completamente diferente de culto e de Igreja cristã. Se Deus decreta que as almas humanas são salvas pela pregação de um evangelho de perdão radical, e não pela administração de sacramentos de purificação, qual a necessidade de manter um sacerdócio sacrificial separado, no plano ritual e legal? Qual o objectivo de uma elite de padres, monges e freiras celibatários, a mortificar a carne na fútil crença de que se tornarão mais santos ao fazê-lo? Quando escreveu *Do Cativeiro Babilónico da Igreja* (1520), um ataque virulento à opinião tradicional sobre os sacramentos, o próprio Lutero já tomara consciência das implicações das suas posições. Estavam tão entranhadas as ideias erradas sobre a finalidade do culto cristão que, para as corrigir:

seria necessário abolir a maior parte dos livros agora na moda, alterar quase inteiramente a forma exterior das igrejas e introduzir, ou mais precisamente reintroduzir, um tipo completamente diferente de cerimónias. Mas o meu Cristo vive, e devemos ter o cuidado de dar mais atenção à Palavra de Deus do que a todos os pensamentos dos homens e dos anjos.

Nesta última frase, Lutero confia a Deus as consequências políticas do seu movimento. Pretende pregar e ensinar a verdade, e deixar que os acontecimentos sigam o seu curso. Esta atitude é típica de Lutero, mas não tem sempre o mesmo alcance. No seu próprio território de Wittenberg, vê as coisas de outro modo. No Inverno de 1521-1522, Lutero passou algum tempo em Wartburg, sob a custódia protectora do seu príncipe. Nesse remoto castelo, escreveu febrilmente e iniciou a sua tradução para alemão do Novo Testamento, que iria marcar uma época. Durante a sua ausência, os amigos e colegas começaram a pôr as suas ideias em prática: mudaram a ordem da missa, ofereceram o cálice de vinho aos leigos como ao clero, esvaziaram mosteiros e destruíram imagens "idólatras" e altares. Lutero viu que havia o risco de substituir uma religião fetichista por outra igualmente fetichista. Regressou a Wittenberg em Março de 1522 e pediu aos seus seguidores que parassem, reflectissem e ensinassem. A menos que houvesse ensino e entendimento, as mudanças no comportamento religioso exterior não levariam a nada. Apesar das dificuldades práticas que levantava, Lutero insistirá até ao fim da vida nesta necessidade de educação religiosa das massas. No movimento em direcção ao culto reformado, Wittenberg chegou na cauda do comboio e não na vanguarda da Reforma.

Reformas de comunidades e cidades no mundo alemão

Lutero tornou-se rapidamente um ícone público, uma figura celebrada em gravuras e *Flugschriften* por toda a Alemanha e mais além. Diversos grupos identificaram-se com a sua causa. Elementos da pequena nobreza, por exemplo, como Franz von Sickingen ou Hartmuth von Cronberg, críticos do alto clero e dos bispos, entusiasmaram-se com a sua denúncia da arrogância e dos privilégios do clero. Os homens de letras do Renascimento apreciaram a sua campanha de substituição de Aristóteles e Pedro Lombardo pela Bíblia grega e hebraica e pelos Padres da Igreja. Mas foi talvez na atmosfera das cidades corporativas independentes que se formou a aliança mais natural – ainda que passageira – entre a mensagem teológica de Lutero e tendências presentes no pensamento social e político.

As cidades do Império, no fim da Idade Média, eram comunidades à parte. Como outras cidades, eram entidades jurídicas, governadas pelas corporações e definidas pelo perímetro dos seus muros. Contudo, para além disto, as cidades do Império Alemão e da Confederação Suíça eram estados soberanos *de facto*. Muitas governavam pequenos territórios. Estabeleciam alianças, contratavam soldados, participavam em acções de policiamento ou em guerras menores. E sobretudo tinham questões a resolver com a Igreja. Algumas tinham-se tornado "cidades livres" com a expulsão, séculos atrás, do príncipe-bispo que presidia nominalmente ao seu governo. Com um forte sentido de responsabilidade comunitária e de ajuda mútua, irritavam-se com os privilégios fiscais e legais do clero. Décadas antes da Reforma, cidades como Nuremberga ou Estrasburgo tinham procurado conseguir o padroado das principais igrejas da cidade, ou persuadido o clero a abdicar voluntariamente das suas imunidades em troca do *Schirm*, uma forma de protecção civil concedida aos cidadãos de pleno direito. Muitas cidades contrataram um pregador, pago pela cidade, fora do sistema normal de benefícios: Zurique recrutou Huldrych Zwingli (*c*.1484-1531) como *Leutpriester* ou padre estipendiário, antes de Zwingli aderir à Reforma. As cidades medievais viam-se como uma só comunidade submetida a Deus, e não como duas comunidades separadas, uma de leigos e outra de clérigos. Verificou-se uma sobreposição fortuita, mas historicamente crucial, entre as suas aspirações e o novo conceito de Igreja e de ministério apresentado por Martinho Lutero.

Entre 1521 e 1525, as cidades e outros aglomerados urbanos do Império assistiram a uma experiência quase única de debate público religioso. Uma das chaves para compreender este fenómeno foi o crescimento de uma imprensa relativamente livre e extraordinariamente prolífica. A tecnologia de impressão já tinha, em 1520, sessenta anos. Nessas décadas iniciais, os livros impressos assemelhavam-se a manuscritos produzidos de outro modo: as inovações no formato tinham sido relativamente poucas. Com a chegada de Lutero, os impressores-editores rapidamente descobriram que uma ou duas folhas de papel dobradas em quatro podiam conter o material de um panfleto de dezasseis páginas ou mais. O panfleto, ou pequeno folheto, preencheu o espaço entre o tomo erudito e a folha única, de grande formato e impressão xilográfica, até aí utilizada na maior parte das publicações populares baratas. As primeiras obras de Lutero, sobretudo os seus sermões, adequavam-se perfeitamente a este formato. Depressa as suas peças de controvérsia começaram também a aparecer no prático formato *in-quarto*. Outros autores de obras religiosas, como Erasmo, publicaram também as suas obras de modo similar, no que foram seguidos por um exército de polemistas, incluindo leigos, como Hans Sachs, e mulheres, como Argula von Grumbach e Katharina Zell. Nesses anos de fermentação intelectual, Lutero foi, de longe, quem mais escreveu, publicou e vendeu. Igualmente importante, contudo, foi ter criado um espaço onde novas questões podiam ser colocadas. Um cristão pode salvar-se sem indulgências? Uma comunidade cristã tem o direito de convidar, instalar e demitir os seus ministros?

A maior parte das pessoas era analfabeta, mesmo nas cidades mais sofisticadas. Mas os panfletos não funcionavam só por si, mas em conjunção com sermões ruidosos e concorridos. Estes eram acessíveis a todos os que viessem ouvi-los, da cidade e dos arredores. A pregação não era uma prerrogativa dos espíritos reformadores: os tradicionalistas respondiam do mesmo modo. No início da década de 1520, em muitas cidades, os pregadores, dos dois lados dos debates da Reforma, mostravam-se tão impetuosos e indisciplinados, que se tentou recorrer à autoridade civil com o intuito de acalmá-los. Pelo menos em dezassete cidades da Alemanha e da Confederação Suíça ordenou-se aos pregadores que se limitassem à exposição das Escrituras e evitassem a acrimónia mútua. As injunções não tiveram sucesso, como acontece habitualmente. Mais importante, estes éditos deram às autoridades municipais a responsabilidade de vigiar o seu próprio entendimento das "Escrituras". O sentido de dever cívico das autoridades municipais coincidia com o encorajamento, dado pelos pregadores reformistas, à auto-estima dos leigos. Em Zurique, em Janeiro de 1523, Huldrych Zwingli enfrentou o vigário-geral do bispo de Constança, quando este defendeu que não devia ser permitida qualquer disputa teológica na presença de leigos. Zwingli respondeu-lhe:

> nesta sala, temos reunida uma assembleia cristã... Havendo, pois, nesta nossa assembleia, um grande número de verdadeiros fiéis do nosso próprio distrito e de outros lugares, e sendo esses fiéis iguais a tantos bispos piedosos e cultos... não vejo qualquer razão que nos impeça, aqui e agora, de legalmente exprimir nestas questões uma opinião diferente da do Vigário.

Foram precisos vários anos para que este processo chegasse a um termo. Fortalecidos pela convicção, regularmente reforçada, do carácter piedoso e não sacrílego dos seus actos, as comunidades urbanas tomaram o controlo das suas instituições eclesiásticas e dos vários tipos de hospitais, hospícios e outras estruturas de beneficência a eles ligadas. Os padres tornaram-se ministros civis, casados e integrados na cidadania. A missa foi substituída por um serviço reformado. Mais cedo ou mais tarde, foram fechadas todas as casas das ordens religiosas, e os seus bens confiscados. Um padrão confuso de caridade privada e comunitária foi substituído, em teoria, por um sistema racional de assistência à pobreza e de instrução pública. O processo político variou de cidade para cidade. A Reforma teve origem em diferendos políticos (nas cidades do Báltico), na hesitação compulsiva dos magistrados (em Augsburgo) ou mesmo na vontade do conjunto dos cidadãos, expressa em votação (Ulm, Constança, Memmingen, e outras cidades). Nenhuma análise cobre todos os casos: a única coisa que têm em comum é um interesse apaixonado pela religião civil.

Uma fatídica fenda começou a abrir-se, nos tempos iniciais da Reforma, entre as cidades do Norte e do Sul do Império. A divisória nunca foi claramente política ou teológica. Tinha mais a ver com os métodos usados na Reforma. Na Alemanha do Norte, Lutero e, mais do que ele, o seu grande amigo Johannes Bugenhagen (1485-1558) optaram por um movimento reformista liturgicamente bastante conservador. Defendiam a conservação das formas tradicionais nos casos em que isso fosse possível, encorajavam a mudança gradual e proibiam a destruição indiscriminada de imagens. Depois de séculos de luteranismo, algumas igrejas do Norte da Alemanha conservam ainda hoje os seus retábulos do fim da Idade Média. No Sul, Huldrych Zwingli, em Zurique, e Martin Bucer (1491-1551), em Estrasburgo, impuseram uma "limpeza" mais profunda da ordem medieval. As imagens foram retiradas e a liturgia foi sendo progressivamente purificada de elementos alheios às Escrituras. Lutero chegou a ver como uma ameaça este estilo de Reforma, presente na Suíça e no Sul da Alemanha, demasiado ansioso por mudanças súbitas e drásticas, demasiado confiante no poder da razão humana, demasiado arrogante ao pôr em questão os paradoxos divinos da presença eucarística. Lutero não era um arquitecto de instituições e, em primeiro lugar, nunca teria considerado necessária uma "comunhão reformada" unificada. Contudo, as desavenças e incompreensões do fim da década de 1520 iniciaram o processo que deixaria a Europa com dois blocos protestantes potencialmente antagónicos.

As Reformas das cidades foram um fenómeno cultural fascinante, mas não havia a possibilidade, fora da Confederação Suíça, de assegurar a sua defesa militar. As cidades do Sul da Alemanha, que habitualmente se apoiavam no imperador contra os príncipes, voltaram-se para as ligas formadas, a partir de 1531, pelos seus anteriores inimigos, os príncipes territoriais. Quando o imperador os atacou na década de 1540, esses mesmos príncipes deixaram as cidades livres entregues à sua sorte. As cidades perderam assim as suas próprias formas de culto e teologia: algumas perderiam também a liberdade.

Camponeses, príncipes e monarcas

Um forte sentimento de comunidade e responsabilidade mútua não era uma prerrogativa das cidades com governo próprio. Na atmosfera ardente do início da década de 1520, as comunas rurais do Centro e do Sul da Alemanha começaram a ver as suas aspirações sociais e culturais por um prisma assente no contexto da Reforma. Se Deus confiou os meios de salvação a uma comunidade, permitindo-lhe escolher e nomear o seu próprio pastor, não terá essa comunidade também o direito de usar as suas terras, florestas, rios e outros recursos naturais? Não devem os senhores e cavaleiros ter de provar que as suas pretensões territoriais se baseiam num consentimento anterior da comunidade? Com este pensamento pragmático, característico de uma comunidade aldeã, misturavam-se elementos mais radicais, com origem em visões milenaristas e em profecias de uma nova ordem cristã. Esta fermentação transbordou na Primavera de 1525, depois de vários meses de tumultos na Suábia. No Sul da Alemanha, bandos de "camponeses" (na realidade agricultores, aldeões e alguma gente da cidade) reuniram-se em armas, para protestarem contra a difícil situação em que se encontravam, concentrando-se na cidade de Memmingen e em redor desta. Mais para norte, na Turíngia, ligas de pessoas simples, algumas conduzidas ou inspiradas pelo visionário apocalíptico Tomás Münzer, reuniram-se em Frankenhausen. Os artigos dos camponeses suábios circulavam pela Alemanha, em panfletos impressos inevitavelmente no formato *in-quarto*, inspirando numerosos imitadores.

A "Guerra dos Camponeses" de 1525 foi denominada de um modo duplamente impróprio. Não se restringiu a "camponeses" e não foi verdadeiramente uma guerra. Os camponeses da Suábia dispersaram após conversações, e os da Turíngia foram massacrados junto a Frankenhausen por tropas bem preparadas. A "Guerra dos Camponeses" teve, no entanto, um efeito dramático nas atitudes da nobreza e das elites dominantes na Alemanha. Durante os primeiros anos da década de 1520, os aristocratas alemães mantiveram-se, em geral, afastados do debate religioso. Quem, como o duque Jorge da Saxónia, tentou apreender as bíblias em alemão, sofreu o escárnio fulminante de Lutero. Os acontecimentos de 1525 mostraram que uma desatenção benigna já não era a política adequada. Ainda que continuassem a aparecer expressões espontâneas de compromisso com a Reforma, especialmente em contextos urbanos, o ambiente na Alemanha, a partir de 1525, tornou-se mais hierárquico e mais controlado. Tinha chegado o tempo de uma maior afirmação do controlo aristocrático. Já havia precedentes de controlo dos príncipes sobre a Igreja do território, como havia precedentes de controlo dos magistrados municipais sobre as igrejas das cidades. Alguns príncipes-bispos tinham-se tornado, pelas suas propriedades seculares, vassalos de outros príncipes; alguns grandes príncipes tinham adquirido direitos de padroado eclesiástico, como as cabeças coroadas do resto da Europa. Principalmente no Norte e no Leste da Alemanha, os príncipes sentiam uma inegável atracção pelo arredondamento das fronteiras dos seus grandes principados, através da absorção de enclaves de terras da Igreja.

No entanto, a "Reforma dos príncipes" evoluiu lentamente e foi menos fértil em novos conceitos religiosos do que a sua correspondente urbana. Na Saxónia eleitoral, terra natal de Lutero, governada pela linha "Ernestina" da dinastia Wettin, a Igreja territorial organizou-se através de um processo de visitações patrocinadas pelo Estado (1528), que conduziram a um novo rito na década seguinte. Uma tentativa precoce de Filipe de Hesse de organização da sua Igreja no Sínodo de Homburg, em 1526, não teve êxito. Com o tempo, as igrejas territoriais foram-se fundindo em "ritos" patrocinados pelo regime dos príncipes: um exemplo particularmente detalhado é o do rito da Igreja de Nuremberga-Brandeburgo-Ansbach, de 1533. No início da década seguinte, a rede de principados luteranos da Alemanha estava quase completa. O processo foi demorado por causa do cálculo político e das rivalidades dinásticas. Muitas das dinastias do *Reich* estavam divididas em ramos rivais, cada um governando o seu próprio canteiro: quando um ramo reformava, o outro tendia a adiar a Reforma, pelo menos até à subida ao poder de um novo governante.

O contributo mais importante da Reforma dos príncipes para o conjunto de ideias da Reforma situa-se na área do pensamento político. No período final da Idade Média, o problema por excelência do Império Alemão tinha sido o problema da lei e da ordem. Na ausência de uma autoridade central eficaz, a escolha era entre um poder dos príncipes cada vez mais reforçado e uma rede de ligas e confederações de entidades politicamente responsáveis com poderes menores. Quando os príncipes perceberam que o seu patrocínio da Reforma punha em risco a sua sobrevivência, responderam à maneira tradicional, unindo-se com aqueles que tinham as mesmas ideias. No fim da década de 1520, as cidades e os príncipes exprimiram a sua solidariedade com a Reforma no "Protesto" apresentado, em 1529, na Dieta de Espira; em 1530, subscreveram a versão definitiva da "Confissão de Augsburgo", luterana, inviabilizando os últimos esforços de reintegração das igrejas do Império. Nos anos que se seguiram, foi formada uma liga defensiva protestante, incluindo estados luteranos e estados reformados do Sul da Alemanha, a Liga de Esmalcalda. Enquanto existiu, adquiriu, de forma embrionária, alguns dos atributos de um Estado, tendo convocado assembleias, reunido dinheiro e tropas e enviado embaixadas a potências estrangeiras. A Liga colocava, no entanto, um problema teórico aos teólogos da Reforma. A opinião inicial de Martinho Lutero tendia a considerar o *Reich* como um só reino, sob o governo do imperador. Quem quer que resistisse ao imperador pela força, fosse um cavaleiro, um camponês ou um príncipe, quebrava um mandamento divino. Em 1530, Lutero e os seus colegas tinham sido persuadidos a aceitar que, pelo menos no que diz respeito à lei secular, a constituição do Império Alemão era uma questão mais complexa, e que o regime político, na Alemanha, permitia que os príncipes pudessem legitimamente defender-se, e defender os seus súbditos, de um acto injusto do imperador, ou de qualquer agressor externo. Para o fim da vida, Lutero daria a este corpo de pensamento o seu tom apocalíptico próprio: o Papa era um monstro de depravação, saído de um conto de fadas, a que o conjunto da comunidade tinha a obrigação de resistir, e qualquer governante que se pusesse do seu lado perdia toda a legitimidade.

A teoria da resistência era uma coisa; a prática era outra. Em 1546, Carlos V tinha enfraquecido a Liga protestante, exercendo chantagem sobre Filipe de Hesse e seduzindo o ressentido duque Maurício, da Saxónia Albertina, afastando-o da aliança. Ficou assim com toda a liberdade para atacar as forças da Saxónia eleitoral e do Hesse. Depois de as derrotar em batalha, em 1547, Carlos V demonstrou ser completamente incapaz de ganhar a paz com a sua concepção de um rito ainda católico, mas moderado e parcialmente reformado. Os luteranos e os católicos do Império estavam demasiado afastados para poderem ser obrigados pela força a aceitar um casamento que adulterava os princípios de uns e de outros. No início da década seguinte, Carlos V atravessou um período de depressão e confiou a seu irmão Fernando a negociação de um sistema que permitisse a coexistência de católicos e luteranos no Império. Esta solução foi substancialmente acordada em 1552 e formalmente adoptada pela Paz de Augsburgo, em 1555. A subtil diversidade do contexto religioso alemão de antes de 1546 foi substituída por uma alternativa rígida entre luteranismo doutrinário e catolicismo hierárquico.

Entretanto, na Europa, vários monarcas tinham-se aproximado do luteranismo, com resultados diversos. As consequências foram particularmente evidentes na Escandinávia. No reino da Dinamarca (que incluía a Noruega, a ponta sul da Suécia actual, a Islândia e o Schleswig-Holstein), uma sequência de conflitos civis e de golpes de Estado culminaram, em 1536, com Cristiano III (1534-1559), no estabelecimento de uma Igreja luterana. Na Suécia, independente da coroa dinamarquesa desde 1523, Gustavo I Vasa (1523-1560), autoritário e por vezes caprichoso, instituiu gradualmente uma Igreja de Estado, de características luteranas, apesar de ter deliberadamente evitado confiar ao seu clero demasiada autoridade independente. Em França, Francisco I, monarca renascentista, esbanjador e muitas vezes imprevisível, jogou com alguns aspectos das ideias reformadoras, quando a ultracatólica faculdade de teologia de Paris ameaçou a sua própria supremacia ideológica. Tanto ele como o seu filho Henrique II deram repetidos sinais de abertura em relação a príncipes luteranos com quem estabeleceram alianças de conveniência, para promoverem a sua obsessão permanente de resistência ao poder militar da dinastia austro-espanhola dos

Habsburgos. Contudo, foram pontuando os seus reinados com episódios de feroz perseguição dos protestantes. Na Inglaterra, Henrique VIII (1509-1547) achou-se em desacordo com o papado, por causa dos seus problemas matrimoniais. Ele e os seus ministros passaram boa parte da década de 1530 num diálogo intermitente com os dirigentes políticos e religiosos do luteranismo. O rei chegou mesmo a autorizar que um conjunto de artigos de doutrina, de inspiração putativamente luterana, fosse apresentado ao sínodo de 1536. Contudo, ansiava por aliar-se com as potências europeias da primeira divisão, e não da segunda, e não resistiu a imiscuir-se ele próprio, de ânimo leve, em questões de teologia, para exasperação do seu próprio arcebispo Cranmer e de Philipp Melanchthon. Nas suas escolhas pessoais, a perspectiva de uma Inglaterra luterana foi rapidamente abandonada.

O paradigma dos refugiados

Na segunda metade do século XVI, a geografia e os alinhamentos religiosos da Europa transformaram-se, com o aparecimento de uma nova via para a Reforma. João Calvino (1509-1564) não começou logo por fundar um tipo novo e diferente de Reforma religiosa – na verdade, a ideia, provavelmente, tê-lo-ia horrorizado. Este francês sério, dotado, inteligente e quase inacreditavelmente diligente abraçou a mensagem da Reforma em 1533, num processo de conversão, sobre o qual (ao contrário de Lutero) raramente se debruçou. A seguir a uma breve aprendizagem em Basileia, publicou a primeira edição do seu manual de teologia reformada, a *Institutio*, um pouco à semelhança dos *Loci Communes* de Melanchthon, que tinha um temperamento bastante parecido com o seu. Depois, a partir de 1536, Calvino foi arrastado, quase à força, para a indesejada tarefa de ajudar a guiar a Reforma na cidade livre de Genebra, de língua francesa, antiga cidade episcopal sob a protecção do cantão de Berna. A sua determinação e os seus dotes excepcionais como escritor, professor e pregador granjearam-lhe um ascendente sem par entre os reformadores de pequenas cidades. A sua estatura, como reformador, começou por rivalizar com a do seu colega de Zurique, Heinrich Bullinger, para depois a ultrapassar. Com a homogeneização luterana das Igrejas protestantes alemãs, as cidades suíças tornaram-se, por volta de 1550, nas únicas representantes da tradição "reformada" não luterana. Destas, só Genebra e Zurique conservavam uma importância internacional – e Zurique, cercada por vizinhos católicos, com fronteiras que não conheciam nenhuma alteração desde 1531, estava manietada nas suas possibilidades de expansão.

Calvino era brilhante a organizar, expor e sistematizar a teologia reformada, era um diplomata religioso de génio e um mentor do mundo reformado. Mas não foi ele que planeou o papel que Genebra iria desempenhar na Reforma: esse papel foi um produto das circunstâncias. Em meados da década de 1550, Genebra, como Estrasburgo, Frankfurt e outras cidades da Europa Central, tornou-se ponto de destino de refugiados religiosos da França, dos Países Baixos, de Itália e Inglaterra. Nesse mesmo período, Calvino tinha levado o seu ascendente moral sobre a cidade ao ponto de conseguir o seu objectivo, que anteriormente tinha em vão procurado atingir, de impor a disciplina moral pela possibilidade de recorrer à excomunhão de forma bastante independente dos magistrados, algo que, em Zurique, nunca tinha sido tentado. Uma série de reveses políticos obrigaram Genebra a estabelecer, em 1559, a sua própria Academia, composta por uma escola e por um seminário.

Assim, os refugiados que afluíam a Genebra encontravam aí, como em mais parte alguma, uma cidade organizada como centro modelo da Reforma. Uma vez em Genebra, podiam ser treinados como ministros, para exportarem para outros cantos da Europa o que ali tinham visto. Na década de 1540, Calvino vira os seus compatriotas franceses hesitar, mantendo-se à margem da Reforma, vivendo inertes, na aparência como católicos, e à espera de melhores tempos, de acordo com o princípio conhecido como "nicodemismo". Atitude que Calvino considerava um perigoso acto de desonestidade, equivalente a cear com o diabo em troca de segurança. O exílio parecia-lhe seguramente melhor alternativa. Melhor ainda, potencialmente, seria instituir secretamente, pelo menos a princípio, um culto reformado no interior de um estado hostil, e verificar o número de adesões. Calvino diferia aqui diametralmente de Lutero, que desencorajou positivamente iniciativas privadas de fundação de igrejas secretas; Calvino apoiou-as. A abordagem de Calvino fazia sentido em áreas da Europa Ocidental politicamente muito mais homogéneas do que a Alemanha: a França, os Países Baixos (um território dos Habsburgos de Espanha desde 1548) e as Ilhas Britânicas. As suas ideias também despertaram interesse em partes da Europa Oriental, onde reformadores eslavos procuravam qualquer coisa de diferente do luteranismo dos seus vizinhos alemães.

O paradigma reformador conhecido mais tarde como "calvinismo" inverteu a ordem cronológica dos primeiros tempos da Reforma. Entre

1520 e 1540, a decisão de uma dada comunidade abraçar a mensagem da Reforma era o passo inicial; os detalhes litúrgicos, confessionais e de estrutura eclesial eram estudados *depois* de ter sido tomada a decisão de princípio. Com o "calvinismo", pelo contrário, estava disponível um tipo ideal ou modelo de cristianismo reformado, em que se podia pegar, como se pegou, *antes* de estar tomada a decisão da comunidade ou do Estado. Isto não quer dizer que o "calvinismo" esteja *invariavelmente* associado com uma "Reforma a partir de baixo" ou com uma revolução religiosa. Na Escócia, um grupo de nobres e de dirigentes eclesiásticos organizou, em 1560, contra a rainha-mãe, nascida em França, que ocupava a regência, um *putsch* aristocrático, apoiado, de forma relutante e muito tardia, por Isabel I de Inglaterra. A Igreja nacional que daí resultou, se teve algum efeito sobre a integridade do reino, foi no sentido de fortalecer essa integridade, não de a enfraquecer – ainda que de um modo nem sempre desejado pela coroa. Na Inglaterra, os espíritos protestantes no seio do clero e da nobreza já tinham optado, no reino de Eduardo VI, por um protestantismo reformado não luterano. A meia-irmã de Eduardo, Isabel, iria descobrir, ao suceder, em 1558, à católica Maria I, que tinha de lidar com uma ortodoxia reformada preestabelecida; contudo, demonstrou ser extremamente hábil no seu intuito de a tornar ideologicamente inofensiva e de a forçar a trabalhar no seio de uma Igreja nacional, que conservava as suas estruturas medievais. O caso mais impressivo é o da aliança forjada, a partir da década de 1560, nalgumas partes da Alemanha, entre os princípios "calvinistas" e o autoritarismo dos príncipes. Seguindo o exemplo do eleitor do Palatinado em Heidelberg, numerosos príncipes alemães procuraram, com sucesso variável, obrigar os seus súbditos luteranos a aderir às formas austeras, racionais e cerebrais do culto genebrino.

Não obstante, o modelo "reformado" de constituição da Igreja protestante viu-se em situação de revolta contra a monarquia Valois, em França, e contra o regime dos Habsburgos, nos Países Baixos. Mesmo no início deste processo, uma pequena Igreja minoritária nos Alpes forneceu um vivo exemplo de resistência religiosa. A partir de 1555, Genebra tinha inundado de ministros reformados os vales alpinos do Piemonte Ocidental, ocupados por heréticos "valdenses". De súbito, a dissensão furtiva transformou-se em culto público. O duque de Sabóia começou por ameaçar essa gente, que depois atacou pela força. Aproveitando o terreno, os protestantes valdenses defenderam-se de forma tão eficaz, que o duque assinou a paz em 1561 e concedeu-lhes o seu enclave reformado. Esta vitória da "Reforma a partir de baixo", estatisticamente insignificante, teve um impacto psicológico imenso.

Foi narrada por toda a Europa, em panfletos e martirológios, precisamente no momento em que os protestantes franceses e flamengos iniciavam os combates pelo seu próprio reconhecimento. Em França, a luta por uma Igreja protestante estabelecida centrou-se muito claramente, a partir de 1562, na questão de saber que grau de privilégio e que amplitude de distribuição a Igreja reformada, minoritária, conseguiria alcançar. A monarquia e a sociedade eram tão instáveis, que foram necessários mais de trinta anos de intermitente carnificina para se alcançar um compromisso aceitável, em 1598, com Henrique IV, que tinha sido protestante. Nos Países Baixos, a luta pelo protestantismo conjugou-se com as queixas da nobreza flamenga contra os representantes dos Habsburgos no governo, com as aspirações dos artesãos da Flandres e do Brabante a viver e a trabalhar livres da dominação dos Habsburgos, e com as ambições políticas da casa nobre de Orange--Nassau. Apesar de os reformados serem uma minoria, como eram em França, nos Países Baixos essa minoria tornou-se a voz de um sentimento "nacional" holandês nascente e converteu-se na classe natural de governo, pelo menos nas províncias do Norte, onde a revolta se entrincheirou a partir de meados da década de 1580.

O modo "calvinista" de Reforma demonstrou o seu poder de atracção também nalgumas partes da Europa Oriental. Inicialmente, mas nalguns casos de forma decisiva, as comunidades alemãs do Leste, da costa báltica aos *Siebenbürgen* da Transilvânia, tinham aceitado o luteranismo. Secções da nobreza eslava e magiar acharam contudo que seria bom adoptar uma forma de protestantismo diferente da dos seus vizinhos teutónicos: deste modo, nobres polacos, como Leszczyński e Tarnowski, defenderam ter o direito político de apoiar o calvinismo nas suas esferas de influência, e os dirigentes calvinistas magiares, incluindo Martin Santa Kálmáncsehi e Péter Méliusz Juhasz, organizaram uma estrutura sinódica calvinista para rivalizar com a luterana. Como na Alemanha, no essencial só os nobres e as cidades tinham alguma possibilidade de escolher livremente a confissão religiosa. Para além disso, as raízes do protestantismo reformado mostraram ser, nalgumas áreas, pouco profundas. Quem, como os Radziwiłł na Polónia, se tinha superficialmente interessado pelo calvinismo mostrou ser igualmente capaz de se interessar superficialmente por outras heresias exóticas, incluindo as primeiras formas de antitrinitarismo ou socinianismo (ver *infra* "Nas margens das confissões").

Apesar das enormes discrepâncias geopolíticas entre diferentes partes do mundo "calvinista", algumas atitudes em relação à Igreja Católica eram comuns a todas elas. Os reformados acreditavam que a sua

Reforma estava completa naquilo que a Reforma luterana tinha deixado por completar. Orgulhavam-se de rejeitar tudo o que cheirasse a "idolatria" no culto tradicional. Aspiravam, com graus diferentes de sucesso, a uma disciplina eclesiástica vigorosa. Tendiam a ser internacionalistas: enquanto os luteranos pensavam em termos de interesse nacional ou provincial, os reformados pensavam em termos de uma "causa" maior e mais abstracta. O século seguinte assistiria aos resultados fatais destas perspectivas incompatíveis da política protestante.

O catolicismo escolhe o seu caminho

O aparecimento de uma "Igreja Católica Romana", como rival antagónica e contrapeso ideológico das Igrejas reformadas, não era uma consequência necessária do processo da Reforma. Em vários momentos, mais ou menos até meio do século, pareceu possível considerar uma reintegração numa só instituição das visões fracturadas do cristianismo europeu. O cristianismo católico posterior a 1520 ganhou forma através de uma série de escolhas políticas e ideológicas. Hoje é claro que não se mantém de pé a imagem tradicional da Igreja do Renascimento, uniformemente decadente, faustosa, indisciplinada, a cambalear de forma despreocupada em direcção ao precipício da Reforma. No seio do clero, regular e secular, e também junto de alguns leigos, conduziram-se campanhas para encorajar a vida devota e a piedade ascética. Como parte dessas campanhas, reformadores religiosos escreveram denúncias do laxismo das ordens religiosas não reformadas, do baixo nível de muito do clero secular, ou do esbanjamento na administração da Igreja. Justas ou injustas, estas queixas testemunham o vigor do sentimento reformador, e não a falta desse sentimento. Já não é tão clara a questão de saber se essas ondas de aperfeiçoamento moral e de denúncia dos vícios devem ser consideradas um movimento de "pré-reforma", como fase distinta na história do catolicismo. Talvez seja mais rigoroso ver esse criticismo como um fio contínuo, que se estendeu por toda a Idade Média.

Uma característica do catolicismo no início do século XVI – que só mais tarde seria vista como uma falha ou um vício – era uma certa abertura em questões doutrinais. Em muitas questões teológicas, nomeadamente na doutrina da justificação, a Igreja ainda não tinha proclamado uma posição teológica definitiva. Nas primeiras três décadas do século XVI, algumas das mentes mais dotadas de Itália, no plano espiritual e intelectual, muitas delas pertencendo ao círculo de amigos do nobre veneziano e futuro cardeal Gasparo Contarini, deram forma a crenças sobre a justificação, que, pelo menos na sua formulação, eram muito próximas das dos reformadores. Delas não tiraram as mesmas consequências que os protestantes, em relação ao culto e à igreja, pelo menos inicialmente; na verdade, a sua piedade teológica tendia a ser um tanto egocêntrica e introvertida, mais adequada a salões religiosos e a grupos de discussão do que a pregações e panfletos. É provável que aqueles que tinham atitudes mais liberais face à doutrina tenham dominado, até à década de 1540, os mais altos conselhos da Igreja, tanto no plano moral como numérico. Contra eles erguia-se um punhado de rigoristas, de que o melhor exemplo era Giovanni Pietro Carafa, o futuro papa Paulo IV, que considerava a "heresia", entendendo por isso qualquer dogma que pusesse em causa o núcleo mais duro da mais dura ortodoxia, uma falta disciplinar grave, como a simonia ou a depravação moral. A facção espiritual e a facção rigorista podiam estar de acordo quanto à necessidade de uma regeneração moral, mas não podiam entender-se nos tipos de resposta aos desafios da Reforma que deviam fazer parte dessa regeneração.

Os debates prolongaram-se por quase todo o período que vai de 1520 a 1540. Num período de cerca de vinte anos, desde que, em 1522, se reacenderam as guerras italianas, a cúria romana foi incapaz de concertar uma resposta unida à Reforma. Sem paz entre a Áustria e a França, não era possível reunir o concílio geral prometido, nem contar com o apoio vital dos soberanos católicos. No início da década de 1540, alguns factores mudaram o panorama. Na Alemanha, os mais distintos representantes do pensamento católico liberal fizeram o que puderam para chegarem a acordo com os luteranos moderados, em conferências em Hagenau, Worms e Regensburg, em 1540 e 1541, e falharam. Na Itália, a ala espiritual deu de mão beijada uma vitória aos rigoristas, quando dois dos seus principais representantes se passaram para o protestantismo, em 1542; no mesmo ano, foi fundado pela primeira vez na Itália um tribunal permanente da Inquisição. Ainda em 1542, o papa Paulo III conseguiu, por fim, organizar a convocação do concílio geral, há muito prometido e muitas vezes adiado, ainda que este só se tenha vindo a reunir, em Trento, em 1545. Entretanto, o imperador ia preparando a sua máquina militar para atacar a Liga Luterana na Alemanha.

As decisões tomadas pelo Concílio de Trento, reunido de 1545 a 1547, em 1551 e 1552, e ainda em 1562 e 1563, devem pois ser lidas contra este fundo de uma maré que se vai gradualmente afastando da conciliação. Na sua quarta sessão, a 8 de Abril de 1546, Trento condicionava de facto todas as outras discussões em matéria de doutrina, ao declarar que recebia «com igual afecto de piedade e reverência» tanto as Escrituras como as tradições históricas da Igreja: a doutrina e a prática devem ser contínuas, e não descontínuas ao longo da História. A Vulgata, tradução em latim da Bíblia, do século IV, atribuída a S. Jerónimo e fonte de muitas das formulações de que dependia a teologia medieval, foi declarada autêntica (com superioridade implícita sobre os originais em grego e hebraico). O pouco espaço de manobra que restava foi ainda mais confinado por um decreto sobre a justificação, habilidosamente redigido. Este interessante decreto tornava eficazmente canónica a interpretação de S. Tomás de Aquino e dos neotomistas, para desagrado, tanto dos que defendiam a perspectiva nominalista do fim da Idade Média, como dos que defendiam, no seu íntimo, qualquer coisa muito mais próxima dos pontos de vista da Reforma (como o legado inglês Reginald Pole, que presidia à sessão). Os outros decretos sublinhavam a continuidade da prática sacramental e disciplinar tradicional: a investigação teológica destinava-se a suportar os costumes estabelecidos, e não a pô-los em causa.

E, no entanto, Trento mudou o catolicismo. Em paralelo com a consolidação da doutrina tradicional, executou-se um programa para tornar mais eficaz o controlo pastoral sobre as dioceses. Exigiu-se que os bispos residissem nas suas dioceses, para pregarem e orientarem os fiéis. Nada disto era novo, nem pouco mais ou menos. Estas regras já tinham sido estipuladas em concílios medievais, e alguns bispos procuravam cumpri-las. O que era novo era o grau de autoridade conferido aos bispos para, em caso de necessidade, passarem, sem contemplações, por cima de isenções e privilégios detidos por todo o tipo de organismos dentro da Igreja. Aos bispos diocesanos foi dado o poder de agirem sem todas aquelas restrições e impedimentos que tinham chegado, com frequência, a tornar a residência intolerável para os seus pares do fim da Idade Média Tardia. Os sínodos e as visitas pastorais reformistas, esporadicamente tentados no passado, tornaram-se prática normal e regular. Neste processo, nem tudo era positivo. O arquétipo do prelado reformista, Carlo Borromeu, de Milão, atraiu uma hostilidade significativa com o seu inexorável esforço de reforma. Outros bispos consideraram pastoralmente mais eficaz procurar a reconciliação com os não reformados, evitando provocá-los. Há também quem tenha defendido que o aparecimento de um modelo de pároco com mais instrução e culturalmente mais distanciado, ouvindo anonimamente as confissões no confessionário popularizado por Borromeu, pode ter alargado o fosso entre padres e povo.

A história do catolicismo no século XVI não pode ser vista apenas como uma resposta a reptos doutrinais ou disciplinares. Em partes importantes da Europa, em especial na Península Ibérica, a vida religiosa prosseguiu de acordo com os mesmos princípios que vigoraram durante a Idade Média. Aqui, o "bem das almas" implicava a continuação e o desenvolvimento de princípios espirituais e ascéticos há muito estabelecidos. Este ambiente encorajou movimentos de observância e de renovação monástica e as significativas tradições místicas e visionárias, representadas por figuras como Teresa de Ávila e João da Cruz. E serviu de apoio a um desenvolvimento contínuo da teologia neotomista, inspirada sem interrupções nos modelos medievais. Foi também nesse ambiente que nasceu a Companhia de Jesus. Inácio de Loyola procedia de uma Espanha ainda medieval, que continuava a ver-se como uma terra de fronteira da Cristandade, onde os valores cavaleirescos e católicos se misturavam nas ordens militares. A sociedade de padres regulares, para que ele e os seus companheiros conseguiram, em 1540, a aprovação papal, dedicava-se a obras de conforto pastoral, pela educação e pela confissão, e a missões entre não cristãos. É convincente o argumento de que nada disto, nas suas origens, tinha muito que ver com o combate ao protestantismo.

Contudo, poucos anos depois da sua criação, a Companhia de Jesus estava fortemente empenhada na educação, religiosa e não só. Inácio reconhecia que uma parte fundamental da educação consistia em instilar as doutrinas "correctas" da Igreja, de uma forma clara e sumária, para benefício até dos estudantes mais jovens. O Concílio de Trento, entretanto, tinha sustentado a necessidade de educar em seminários vocacionais todos os que fossem destinados ao sacerdócio. Como resultado destas ambições paralelas, os jesuítas foram arrastados para o trabalho de formar os sacerdotes da Contra-Reforma. Os seus seminários preenchiam um espaço que teria sido um imenso vazio, caso a Igreja se tivesse apoiado apenas nas iniciativas dos bispos. Os seus missionários partiram em missões heróicas, por vezes suicidas, para regiões da América e da Ásia, com o intuito de convencer os não cristãos; embarcaram também em missões (por vezes igualmente suicidas) na Europa, com o intuito de convencer os não católicos e de consolidar as minorias católicas na sua resistência. No século seguinte, os padres jesuítas desempenhariam um papel vital nas políticas religiosas da Europa, estabelecendo linhas de comunicação com governantes católicos zelosos, incluindo alguns que tinham estudado nas suas escolas, como

Maximiliano, duque da Baviera, ou o imperador Fernando II, e ajudando a criar uma aliança entre a doutrina católica e o poder do Estado, que iria determinar a imagem do catolicismo no século XVII.

Nas margens das confissões

A esmagadora maioria da população europeia estava integrada numa das confissões religiosas principais. Contudo, existiram também movimentos religiosos em que comunidades de devotos, por decisão própria, se separavam da sociedade em geral e formavam uma Igreja inteiramente à parte. Neste aspecto, foram mais longe do que a maior parte dos heréticos medievais, que mantinham habitualmente alguma prática residual do culto comunitário tradicional. Estas "igrejas congregadas" voluntariamente inspiraram sempre um grande interesse académico, por parecerem prefigurar a sociedade moderna; a sua religião, como a nossa, era voluntária e fruto de uma decisão própria. Contudo, estes paralelismos são por vezes enganadores. Tomar a decisão de se excluir de uma comunidade mais ampla e juntar-se a uma congregação de eleitos implicava, no século XVI, uma enorme segurança espiritual, a expectativa do fim iminente da história ou uma vontade determinada de sacrificar a vida àquilo em que se acreditava. A atmosfera arrebatada do anabaptismo do século XVI tem poucas semelhanças com o calmo relativismo das igrejas liberais pós-iluministas.

Aquilo que se tornou conhecido como "anabaptismo" foi, em parte, o produto do fervilhar de ideias e experiências religiosas no início da década de 1520. No Norte da Suíça e no Sul da Alemanha apareceram pensadores religiosos que aspiravam a repensar e redefinir completamente a comunidade cristã. Rejeitavam dois detalhes importantes, partilhados por todos os principais reformadores. Em primeiro lugar, não concordavam que os salvos, os eleitos, fossem também pecadores, a necessitar de disciplina social, indistinguíveis dos outros aos olhos humanos. Em segundo lugar, consideravam a reforma uma experiência só para os eleitos, e não para comunidades inteiras. Deste modo, pretendiam formar imediatamente comunidades totalmente reformadas, compostas apenas por aqueles que se tivessem regenerado completamente. Gradualmente, embora não de imediato, esses grupos começaram a definir-se pelo ritual do baptismo dos crentes. Os primeiros dirigentes da primeira comunidade "anabaptista" foram expulsos de Zurique no início da década de 1520 e reuniram apoiantes nas zonas rurais em torno da cidade. Estabeleceram contactos com gente com o mesmo tipo de convicções, que ia aparecendo nas regiões do Sul e Oeste da Alemanha. Hoje considera-se em geral o "anabaptismo" um feixe de múltiplos movimentos paralelos, conscientes da existência uns dos outros, mas que não tiveram necessariamente todos a mesma origem.

Para a maior parte da gente do século XVI, o anabaptismo ficou associado a um exemplo espectacular e altamente atípico. O rebaptismo tornou-se subitamente popular na província da Holanda no início da década de 1530. Perseguidos pelas autoridades dos Habsburgos, muitos seguidores fugiram e reuniram-se na cidade episcopal de Münster, na Vestefália, que estava nas mãos de um movimento reformador relativamente convencional. Os anabaptistas de Münster caíram sob a influência de um visionário apocalíptico, chamado Melchior Hoffman, que estava preso em Estrasburgo. Cercados pelo príncipe-bispo, o comando passou para um ditador brutal e excêntrico, Jan Beukelszoon, de Leiden, cujo governo arbitrário e sangrento transformou Münster num caso paradigmático, antes da sua derrota e execução em 1535.

Mesmo antes da derrota de Münster, havia forças, dentro do anabaptismo, que trabalhavam numa concepção de sobrevivência da comunidade que não tivesse como condição prévia a segunda vinda de Cristo e o fim da História. Em meados do século XVI, duas formas de comunidades anabaptistas mostraram-se viáveis, mesmo enfrentando uma hostilidade generalizada. A primeira foi a do movimento dos seguidores de Menno Simons, conhecidos como "menonitas", que formaram comunidades fechadas, quietistas e pacifistas, nas províncias mais remotas dos Países Baixos. A segunda foi a do movimento "huterita", cujo nome (como é frequente) não vem do seu primeiro fundador, mas de Jakob Hutter, que encabeçou as comunidades anabaptistas das aldeias da Morávia. Os huteritas foram pioneiros nas experiências de vida em comunidade baseada na partilha absoluta de toda a propriedade. Nenhuma destas formas de dissensão religiosa era inteiramente estável, no plano social ou ideológico. Numa comunidade que aspirava a uma verdadeira regeneração, as disputas, os desacordos e os escândalos, que eram bastante frequentes, podiam causar verdadeiras crises. Ambos os movimentos se fragmentaram e desentenderam uma vez ou outra. Para os seus membros, o risco de martírio era elevado, em caso de captura; alguns esperavam que isso acontecesse e preparavam-se activamente para essa possibilidade.

Uma outra espécie bem diferente é muitas vezes incluída na

chamada "ala radical da Reforma". As principais correntes da Reforma tinham-se mantido fiéis a grande parte das tradições que a Igreja do Ocidente herdara da Antiguidade tardia, sob a forma da versão latina dos três credos tradicionais, da doutrina trinitária nicena e da cristologia calcedónia. Não se tratava de um tradicionalismo irreflectido: há escritos eloquentes de Lutero e Calvino sobre as razões por que são verdadeiras as concepções transmitidas no Ocidente sobre a Trindade e sobre Cristo. Outros não eram tão ortodoxos. Um número significativo daqueles que aderiram, na Itália, aos pontos de vista da Reforma – embora não todos, como no passado se chegou a pensar –, deixaram-se levar até qualquer coisa mais exótica do que o protestantismo. Muitos desses italianos, de que os mais famosos são possivelmente Lelio e Fausto Sozzini, deixaram a Itália para procurar segurança no mundo religioso muito pouco regulamentado da Europa Oriental. Aí influenciaram pensadores reformadores autóctones, que tinham aberto a teologia à mais radical das revisões, e associaram-se a eles. Na década de 1560, formaram na Polónia a Igreja que ficou conhecida como Igreja "menor" ou antitrinitária, rapidamente congregada numa comunidade em Raków, na propriedade de um nobre seu apoiante. Na Transilvânia, um protectorado otomano numa região europeia de fronteira, disputada pelos Habsburgos e pelos turcos, tornou-se explícita e formalmente tolerada pelas autoridades locais a deriva para o "unitarismo", um sistema de crenças que rejeita Jesus Cristo como pessoa divina. No século XVIII, os sobreviventes e descendentes desses movimentos iriam exercer uma influência considerável na Europa e na América do Iluminismo. De momento, essa influência estava ainda muito distante; bastava ir sobrevivendo e evitando qualquer cisma fatal.

Conclusão

Em termos religiosos, o fim do século XVI e o início do século XVII parecem muitas vezes uma idade de ferro. Onde a Reforma tinha aberto questões, a era da ortodoxia religiosa voltou a fechá-las, tanto nos países protestantes como nos países católicos. No entanto, as tentativas de distinguir de forma taxativa entre uma "era da Reforma" e uma "era confessional" não deram grandes resultados. A questão é esta: é frequente que os comentadores contemporâneos se sintam atraídos pelo período inicial da Reforma, pelo seu carácter difuso, aberto, cheio de possibilidades. No entanto, nunca se pretendeu que esse carácter difuso fosse permanente: tratava-se de um subproduto da busca de uma verdade mais alta, e não de um fim em si. As pessoas religiosas do século XVI acreditavam que se podia alcançar a verdade absoluta a partir dos textos das Escrituras e que, uma vez alcançada, essa verdade devia ser proclamada e defendida de uma forma absoluta. A rigidez e a militância da "era confessional" foram uma consequência natural da Reforma, e não uma traição dos seus ideais. A tragédia do século XVII foi ter-se levado tanto tempo a perceber que nenhum conjunto de dogmas podia – ou mesmo devia – ganhar um predomínio absoluto.

6

A Europa e um mundo expandido

D. A. Brading

Territórios em expansão no século XVI

Na sua obra *Riqueza das Nações* (1776), Adam Smith declara: «O descobrimento da América e o da passagem para as Índias Orientais pelo Cabo da Boa Esperança constituem os dois acontecimentos maiores e mais importantes da história da humanidade.» Adam Smith acrescentava que, embora não se tivesse ainda manifestado a série completa dos benefícios e infortúnios causados por essas descobertas, já era claro que alguns países europeus tinham encontrado mercados amplos e de crescimento rápido para os seus produtos manufacturados. Ao mesmo tempo, Smith admitia francamente: «Para os nativos, tanto das Índias Orientais como das Ocidentais, todas as vantagens comerciais que podem ter resultado desses acontecimentos foram sufocadas e perderam-se nos terríveis infortúnios que causaram.»

Mas a hipótese de Smith, de se poder encarar a colonização europeia da Ásia e a da América como abertura de mercados para produtos manufacturados, não se aplica facilmente ao século XVI, já que o que movia, em larga medida, os exploradores e conquistadores ibéricos da época era a procura de especiarias e de metais preciosos, já para não falar de almas humanas. Nesse tempo, as indústrias europeias produziam poucos bens que pudessem ser vendidos na Ásia, ou que pudessem encontrar muitos compradores na América. Para além disso, o carácter e os resultados da colonização ibérica foram radicalmente diferentes no Velho e no Novo Mundo. Na América, tanto os espanhóis como os portugueses conquistaram e colonizaram grandes extensões de território, estabelecendo rapidamente formas europeias de produção e criando prósperas indústrias exportadoras de açúcar e prata. Em contrapartida, os portugueses entraram na Ásia como intrusos predadores e estabeleceram, apoiados num poderio naval superior, um império comercial marítimo, assente na troca de metais preciosos por pimenta e outras especiarias.

Na verdade, se a América não fosse tida em consideração, as potências mais claramente empenhadas na expansão territorial, no século XVI, seriam os três "impérios da pólvora" do Islão, os turcos otomanos, os sefévidas do Irão e os mogóis na Índia. Foi nesta época que os otomanos subjugaram o mundo árabe, ou seja, a Síria, o Egipto e a Mesopotâmia, e a seguir, em 1529, cercaram Viena, para pouco depois anexarem o reino da Hungria. Na Índia, a dinastia mogol, que utilizava o persa como língua da corte, recorria a mercenários iranianos e turcos na sua conquista do Norte da Índia. Em 1565, os três sultões muçulmanos do Decão derrotaram e destruíram Vijaynagar, o último grande reino hindu, cuja capital se calcula ter atingido meio milhão de habitantes. Foi também durante o século XVI e o início do século XVII que o Islão consolidou a conquista religiosa de Samatra e de Java, para não falar de outras ilhas, mais pequenas, do arquipélago indonésio. Com efeito, uma cultura islâmica comum, árabe e iraniana, passou a governar o Sul e o Sudeste da Ásia.

Só nas margens deste mundo islâmico em expansão conseguiam as potências cristãs arrebatar ao controlo muçulmano algumas províncias. Em 1492, os reis católicos de Espanha, Isabel de Castela e Fernando de Aragão, completaram a reconquista do populoso emirado de Granada, destruindo a tiro de canhão a cadeia de fortalezas de montanha, até então inexpugnável. Mas não conseguiram manter nenhum ponto de apoio no Norte de África, apesar de terem enviado, tanto eles como o seu herdeiro Carlos V, várias expedições a esse continente. Para além disso, apesar de o rei D. João I de Portugal, fundador da dinastia de Avis, ter capturado, em 1415, o porto marroquino de Ceuta, que se manteve na posse dos portugueses, as expedições portuguesas subsequentes ao Norte de África não conseguiram obter nenhum sucesso substancial ou duradouro. De facto, em 1578, o último rebento da dinastia, o jovem rei D. Sebastião, sofreu uma trágica derrota, onde encontrou, na companhia de milhares dos seus súbditos, uma morte prematura. Curiosamente, no outro extremo do mundo cristão, Ivã, o Terrível (1533-1584), proclamava-se czar da terceira Roma, conseguia a nomeação do primeiro patriarca ortodoxo de Moscovo, conquistava a sul os canatos tártaros de Kazan e Astrakhan e ameaçava a Crimeia, onde um governante muçulmano, súbdito dos otomanos, ocupava então o poder. Eram assim duas grandes regiões, em tempos devastadas pelas invasões muçulmanas, a Rússia e a Península Ibérica, aquelas que exibiam, no século XVI, a maior animosidade contra o poder islâmico. E de modo similar, os temperamentos teocráticos de Ivã, o Terrível, e de Filipe II de Espanha encontraram uma expressão monumental nos edifícios incomparáveis do Kremlin e do Escorial.

As potências ibéricas e as primeiras explorações oceânicas

Se as potências ibéricas dominaram a exploração e a conquista dos oceanos, devem-no em grande parte ao príncipe D. Henrique, filho de D. João I de Portugal, que utilizou a sua herança e os recursos da Ordem Militar de Cristo, de que era governador, no povoamento das ilhas atlânticas e na organização de uma série de expedições navais para reconhecer e cartografar as costas ocidentais da África. Em 1425, enviou colonos para as ilhas desabitadas da Madeira e Porto Santo, arrendando-as a subdonatários, encarregados do seu desenvolvimento. Em 1439, preparou a ocupação dos Açores, a que se seguiu a das ilhas de Cabo Verde, à medida que os barcos prosseguiam para sul, até à Gâmbia e ao Senegal. Em 1444, inaugurou o comércio atlântico de escravos, enviando barcos para se apoderarem de nativos desprevenidos. Contudo, na década seguinte, os seus agentes no Senegal compravam escravos, trocando-os por cavalos, à taxa de sete africanos por um animal. Em 1460, à data da morte de D. Henrique, já tinham sido visitadas mais de 2500 milhas de costa. Falhou, no entanto, a sua tentativa de conquistar as ilhas Canárias, tarefa assumida com vigor por agentes autorizados dos Reis Católicos na década de 1480. No reinado de D. João II de Portugal (1481-1495), os portugueses estabeleceram uma "feitoria" fortificada na ilha de São Jorge da Mina, em frente à costa da Guiné, daí seguindo para sul, ao longo da costa, até à Angola actual. Todo este ciclo de exploração paciente, ao longo da costa, que se prolongou por cinquenta anos, culminou com a viagem de Bartolomeu Dias, que, em 1487-1488, seguiu pacientemente as costas africanas até Walvis Bay, na actual Namíbia, onde foi empurrado para mar aberto, passando treze dias sem avistar terra, até atingir as costas orientais da África do Sul, abrindo assim o caminho para a Índia.

Quando portugueses e espanhóis atingiram a Índia e a América, os seus barcos, com destaque para as caravelas, correspondiam à fusão da galé mediterrânica, de configuração estreita e vela latina, com os barcos "redondos", de vela quadrada, das costas atlânticas. Surgiu assim o navio característico do século XVI, com três ou quatro mastros, velas quadradas no mastro do traquete e no mastro grande e vela latina no mastro da mezena, e com "castelos" numa ou nas duas extremidades. Mas a navegação oceânica dependia do uso sistemático da bússola, implicando a observação da Estrela do Sul com quadrante e astrolábio, o cálculo diário da distância percorrida e, evidentemente, a divulgação de cartas náuticas e de cálculos aritméticos. Com efeito, à medida que os portugueses viajavam para sul, foi surgindo um corpo de conhecimentos empíricos, cumulativo e colectivo, preservado em mapas divididos por linhas de latitude e longitude e complementados pela experiência prática de correntes e ventos. O terceiro elemento em tudo isto foi a instalação de artilharia nas embarcações, apetrechadas com canhões de médio porte, instalados por baixo do convés, na parte central da embarcação, com vigias que podiam ser fechadas em situações de mar mais agitado. Quando Francis Bacon declara, no *Novum Organum* (1620), que a imprensa, a pólvora e a bússola náutica mudaram «a face e a condição das coisas em todo o globo», implicitamente reconhece o papel das "fortalezas flutuantes" europeias na Ásia e na América. Além disso, graças à "revolução da imprensa" no século XV, as notícias dos descobrimentos e das conquistas ultramarinas das potências ibéricas transmitiram-se rapidamente por toda a Europa.

As façanhas da navegação no Atlântico e no Índico, por mais audaciosas que tenham sido, não teriam mudado a história do mundo se os monarcas ibéricos não tivessem agido rapidamente para converter os "descobrimentos" em império, através do envio de uma longa série de expedições armadas, para defender e alargar as suas novas possessões. Tanto em Portugal como em Castela, a coroa atraiu os serviços da nobreza, desde os aristocratas em posições de comando até um enxame de nobres empobrecidos e pequenos fidalgos, que viajavam até às Índias em busca de fortuna. Esses homens foram sempre tão capazes de construir uma fortuna pessoal como de servir os interesses do rei, mas nos dois casos contribuíam para desenvolver a economia colonial. Ao mesmo tempo, o comércio e a produção nos territórios ultramarinos eram frequentemente financiados pelo sistema comercial e bancário da Europa, com mercadores genoveses como intermediários em Sevilha e Lisboa. A rápida chegada de ouro da ilha de Espanhola e de pimenta da Índia foi imediatamente comentada nos círculos financeiros da Flandres, do Sul da Alemanha e das repúblicas italianas: criaram-se então linhas de crédito, que atravessavam os oceanos. De facto, para os reis peninsulares, a própria capacidade de manterem os seus impérios ultramarinos dependia em parte dos empréstimos e do crédito do sistema bancário internacional, especialmente no caso da Espanha, que se tornara, com Carlos V, o centro da principal monarquia da Europa.

Quando Cristóvão Colombo, um marinheiro genovês com uma grande experiência do comércio português em África, se aventurou pelo Atlântico, em 1492, com três pequenos barcos e noventa homens, navegando trinta dias sem desembarcar por mares não cartografados, contava atingir pelo ocidente as costas da Ásia. Aí, escreveu ele, esperava converter ao cristianismo o grande cã do Catai e formar, a seguir, uma grande aliança contra o Islão, para libertar Jerusalém do domínio muçulmano. Ao atingir as Caraíbas, tomou posse de Espanhola e de outras ilhas, em nome dos seus patronos, os Reis Católicos de Espanha. Depois do seu regresso, esses monarcas obtiveram de Alexandre VI, em 1493, uma bula papal, que concedia aos reis de Castela o domínio das ilhas e da terra firme do mar oceano, ainda que com a condição de promoverem a conversão dos habitantes dessas terras acabadas de descobrir. No ano seguinte, com a aprovação do Papa, assinaram, com D. João II de Portugal, o Tratado de Tordesilhas. Nesse tratado, as duas potências ibéricas dividiam a posse do mundo ultramarino, fixando os limites dessa divisão de acordo com linhas longitudinais traçadas de modo pouco rigoroso. Foi isso que permitiu a Pedro Álvares Cabral, que descobriu o Brasil em 1500, depois de ter sido arrastado para fora da sua rota a caminho da Índia, reivindicar de imediato a sua posse para Portugal. Mas só foi possível identificar os limites entre as duas potências ibéricas na Ásia em 1519-1523, quando Fernão de Magalhães, um marinheiro português que servira em águas da Índia, tentou, às ordens de Carlos V, circum-navegar o mundo. Magalhães entrou no Pacífico através do estreito que tem o seu nome, para cair nas Filipinas vítima de um ataque dos nativos, deixando a Sebastián Elcano o comando da viagem de regresso a Espanha, depois de quase três anos no mar.

Apesar de as notícias das descobertas de Colombo se terem espalhado rapidamente pela Europa, coube a um aventureiro florentino, Américo Vespúcio, que tinha acompanhado uma expedição portuguesa ao Brasil, definir o seu verdadeiro significado no seu *Novus Mundus* (c.1503), um breve relato escrito num elegante latim renascentista, que celebrava a existência de um novo continente, cheio de árvores enormes e de densas florestas, povoado por um número incontável de espécies de aves e de outros animais desconhecidos dos antigos naturalistas, e onde até o céu mostrava constelações diferentes. Além disso, os nativos dessas terras andavam completamente nus, tratavam uns com os outros livremente, tendo tudo em comum, sem os constrangimentos da lei, da religião e da propriedade individual, e sem serem molestados pela obediência a qualquer rei ou senhor. Uma liberdade semelhante regulava as relações sexuais, sendo a promiscuidade a regra e o casamento desconhecido. Ainda que, nas suas *Cartas* posteriores, Vespúcio tenha admitido que os nativos estavam constantemente em guerra e que comiam com gosto a carne dos cativos, a sua primeira imagem de um paraíso tropical, onde o homem vivia uma vida natural, estava destinada a enfeitiçar a imaginação da Europa. Foi em tributo à exuberante descrição de Vespúcio que, em 1507, o cartógrafo alemão Martin Waldseemüller, ao ser encarregado de elaborar um mapa do mundo, teve a audácia de chamar "América" ao continente acabado de descobrir, ainda que tenha aplicado o termo apenas à sua parte sul.

Apesar de ter sido nomeado pelos Reis Católicos almirante e vice-rei, Colombo mostrou-se incapaz de governar os desregrados aventureiros castelhanos que acorreram ao Novo Mundo, pelo que Nicolás de Ovando, um nobre cavaleiro da Ordem Militar de Alcântara, foi nomeado governador da ilha de Espanhola (1502-1509), onde chegou com trinta navios e 2500 homens. Rapidamente, a ilha foi dotada de uma tesouraria real, de um tribunal superior e de uma diocese. Para explorar os seus recursos, Ovando introduziu a instituição da *encomienda*, que permitia a entrega de um certo número de índios a um colono espanhol, com a obrigação de trabalharem gratuitamente para este e de lhe pagarem um tributo em géneros, em troca de protecção e de educação na fé cristã. Na prática, esta distribuição da população nativa correspondia a uma virtual escravização, e tão pesadas eram as exigências feitas aos indígenas, que muitos foram conduzidos a uma morte prematura, já que não estavam acostumados ao trabalho diário e necessitavam de poder caçar animais selvagens, como complemento da sua dieta de pão de mandioca. Quando a mão-de-obra disponível começou a escassear, os espanhóis atacaram as ilhas mais pequenas das Antilhas, escravizando os seus habitantes, sob o pretexto de serem culpados de canibalismo. Com tudo isto, os lucros da extracção de ouro aluvial na ilha de Espanhola foram suficientes para os espanhóis organizarem expedições para a conquista e colonização de Porto Rico, Jamaica e Cuba, entre 1508 e 1511. Foi só em 1513 que a coroa espanhola enviou uma nova expedição, comandada por Pedrarias Dávila, à cabeça de cerca de 2000 homens, muitos deles veteranos das guerras italianas, para tomar posse de Darién, no actual Panamá. Para minerarem as jazidas de ouro que encontravam, esses conquistadores escravizavam os desgraçados nativos da região e usavam mastins de caça para matar os que resistiam às suas exigências. Foi tal a devastação operada pelos espanhóis nas Caraíbas, para não falar do impacto de doenças epidémicas, que foi necessário, na década de 1520, importar escravos de África, quando se estabeleceram plantações de açúcar na ilha de Espanhola. Nesta última fase, foram introduzidas no Novo Mundo as técnicas de produção desenvolvidas pelos portugueses nas ilhas da Madeira e São Tomé.

As conquistas do México e do Peru

O carácter e a escala da colonização espanhola transformaram-se drasticamente, entre 1519 e 1521, quando Hernán Cortés, um *encomendero* de Cuba, conseguiu derrubar o Império Asteca. Os primeiros conquistadores de México-Tenochtitlán nunca esqueceriam a grandeza da ilha-cidade de 150000 habitantes, dominada pelo grande templo, uma pirâmide em degraus, onde se celebravam regularmente cerimónias com sacrifícios humanos. Pensa-se que a população da bacia central do México fosse próxima do milhão de habitantes, sustentados por um sistema de agricultura intensiva, com socalcos irrigados e ilhas de vegetação flutuantes, que permitiam duas colheitas por ano. Com efeito, os espanhóis encontraram uma civilização avançada, completamente autóctone, e uma sociedade diferenciada, com um campesinato sedentário, artesãos residentes em núcleos urbanos, nobres guerreiros e clero, para não falar de templos piramidais, palácios e dinastias imperiais. Mas era também uma civilização que, apesar da sua grande competência na agricultura, dependia dos músculos humanos para o transporte e para a tracção, e que não usava ainda instrumentos ou armas de metal, quanto mais a roda. Os mexicas eram uma tribo guerreira, chegada há não muito tempo ao Vale Central, cujo império era o último rebento político de uma civilização que se tinha desenvolvido de modo irregular ao longo de dois mil anos. Ainda que um Cortés exultante escrevesse a Carlos V que «Vossa alteza ... pode chamar-se uma vez mais imperador, com um título com não menor mérito do que o de imperador da Alemanha», o México não proporcionou de imediato quaisquer tesouros aos conquistadores, já que o tributo imperial arrecadado pelos astecas consistia num grande número de arcas de milho e de fardos de tecido de algodão, a que se acrescentavam peles de jaguar e penas de águia usadas pelos guerreiros.

A Espanha quase não tivera tempo de digerir as excitantes notícias chegadas do México, quando, de 1532 a 1535, Francisco Pizarro, um *encomendero* veterano de Darién, conduziu uma pequena expedição até às regiões montanhosas dos Andes, conseguindo o controlo do Império Inca. Aqui, os conquistadores foram dar com uma enorme quantidade de ouro e prata, oferecida como resgate pelo imperador Atahualpa, que os espanhóis tinham capturado e que mais tarde executariam. Além disso, enquanto os mexicas tinham estabelecido um domínio predatório baseado no terror, os incas exigiam aos povos conquistados grandes contingentes de trabalhadores, que não eram utilizados apenas na edificação de fortalezas e de templos, mas também na construção de socalcos e de canais de rega, conseguindo assim um grande crescimento da produção agrícola. Distribuíam também rebanhos de lamas pelo Império, que se estendia do Equador até ao Norte do Chile. Para a manutenção dos seus exércitos, construíram um grande número de armazéns, que enchiam com armas, roupas e alimentos, e abriram duas estradas, uma pela costa, a outra pelas montanhas, que ligavam as longínquas fronteiras à cidade capital de Cuzco. Até hoje, a qualidade e a presença maciça das suas construções em pedra continuam a impressionar todos os que visitam Machu Picchu e Cuzco. Mas, como os mexicas, os incas também não tinham instrumentos e armas de metal, nem usavam a roda. Com a chegada violenta dos espanhóis, o seu domínio ruiu, e os povos que tinham conquistado foram abandonando a sua anterior fidelidade.

A conquista destes grandes impérios foi conseguida por um número relativamente pequeno de conquistadores – Cortés entrou no México com 500 homens e Pizarro tinha 169 homens – armados de espadas de aço, bestas e arcabuzes, com poucos homens a cavalo e um número ainda mais reduzido de pequenos canhões. Habitualmente, os conquistadores falavam de si mesmos como "companheiros", mais do que como soldados, e foram descritos por um contemporâneo como «homens de qualidade, nascidos pobres, obrigados a seguir o regime militar, um regime mais estrito do que o da Ordem dos Cartuxos, e mais perigoso». Quando eram recrutados para uma expedição, uma *entrada*, constituíam uma *compaña*, uma companhia livre do tipo das que tinham lutado em França durante a Guerra dos Cem Anos, unidas pela expectativa da pilhagem, mas sujeitas à autoridade do seu capitão ou *caudillo*, que mantinha uma disciplina frouxa, mas sumária. Com efeito, o impulso da conquista e da colonização foi sustentado por um número sempre crescente de aventureiros, que se precipitaram para o Novo Mundo, muitos morrendo novos, mas deixando sobreviventes, que formavam uma espécie resistente de colonos de fronteira, tão capazes de aguentar os rigores do clima e as privações como de responder às exigências da guerra. Em tudo isto, o único papel da coroa espanhola foi o de conceder aos capitães que conduziam essas aventuras uma *capitulación*, uma licença para subjugar e administrar um determinado território, embora com a obrigação de enviar ao rei a *quinta real*, um quinto de todos os metais preciosos.

Contudo, não eram os excepcionais lucros da conquista que os conquistadores do México e do Peru apresentavam como objectivo, mas sim a pacificação e a distribuição da população nativa por *encomiendas*. Além disso, ao contrário das concessões nas Caraíbas, as *encomiendas* da Mesoamérica e da zona dos Andes tinham por base as comunidades étnicas e os senhorios regionais, pelo que a mobilização da mão-de-obra e a colecta de impostos podiam ser delegadas na nobreza nativa. Daí que fossem grandes as *encomiendas* distribuídas por Cortés e Pizarro, já que no México abrangiam habitualmente pelo menos 5000 tributários, índios do sexo masculino, com idades entre os 18 e os 55, e no Peru chegavam a compreender 10000 tributários. Era obrigação dos *encomenderos* de primeira geração estabelecer residência numa cidade espanhola próxima da sua concessão, onde serviam geralmente como conselheiros e magistrados. Assim, apesar de uma *encomienda* não proporcionar ao seu possuidor qualquer jurisdição, civil ou criminal, o papel dos *encomenderos* como conselheiros ou magistrados urbanos permitia-lhes ceder terras desocupadas, propriedade anterior de templos ou da dinastia imperial, e regular, se necessário, o fluxo de mão-de-obra nativa. Na realidade, os *encomenderos* constituíam uma nobreza colonial de mesa aberta, sustentando cada um, pelo menos no Peru, cerca de dez outros espanhóis, ocupados com tarefas diversas.

A importância central das *encomiendas* para os primeiros conquistadores pode ser demonstrada por um exame da escala dos seus empreendimentos. Em Anahuac, rebaptizada Nova Espanha, Hernán Cortés estabeleceu a sua capital e construiu o seu palácio entre as ruínas de México-Tenochtitlán, procurando herdar o prestígio cosmológico da cidade asteca. Na distribuição de *encomiendas* concedeu-se a si mesmo 23000 tributários nativos, utilizando essa mão-de-obra gratuita na mineração de prata em Tasco, na extracção de ouro aluvial em Oaxaca, na plantação de açúcar ao longo do golfo do México, na construção naval em Tehuantepec, para o comércio com a América Central e o Peru, na abertura de campos para o cultivo de trigo e na importação de vacas, cavalos e ovelhas, para criação e para uso próprio. No Peru, Francisco Pizarro ignorou as pretensões imperiais de Cuzco e construiu uma nova capital em Lima, na costa do Pacífico, perto de Callao. Atribuiu-se, no sistema de *encomienda*, mais de 25000 tributários e usou os seus serviços para plantar coca ao longo da vertente ocidental dos Andes, trigo e milho nos vales das montanhas, e açúcar ao longo da costa. Operava também, na costa do Pacífico, com navios para o Panamá, e abriu armazéns para comércio em Lima e noutros lugares. O seu irmão, Hernando, que recebeu 6250 tributários índios, plantou coca e enviou grandes contingentes para trabalharem nas minas de prata de Potosi. Calcula-se que as empresas reunidas dos irmãos Pizarro, a *empresa*, tenham chegado a empregar mais de 400 espanhóis na gestão dos seus múltiplos interesses, com linhas de crédito que se estendiam de Sevilha a Cuzco. Com efeito, os *encomenderos* movimentaram-se com rapidez, instalando no Novo Mundo as fundações de uma economia europeia, com a vantagem de empregar mão-de-obra forçada e sem salário.

A Igreja na Nova Espanha: respostas éticas à conquista

Em 1524, Hernán Cortés ajoelhou no pó em frente à nobreza reunida da Cidade do México, espanhola e índia, e beijou a mão a Martín de Valencia, o ascético líder de uma missão franciscana, composta por doze frades, que tinham caminhado descalços desde Veracruz. Estes frades mendicantes, a que depressa se juntariam dominicanos e agostinhos, vinham encarregados da conversão dos povos nativos. Com esse objectivo, os frades arrasaram templos, quebraram ídolos, queimaram códices, onde viram sinais de necromancia, e baniram definitivamente qualquer celebração de ritos pagãos. Qualquer nobre ou sacerdote que procurasse preservar a velha religião estava sujeito a ser chicoteado, preso, exilado ou, em casos mais raros, queimado. Em substituição, os frades seduziam os índios com todos os recursos da liturgia católica e com o esplendor das suas novas igrejas, celebrando as principais festas do calendário litúrgico com grande pompa. No fim da década de 1540, coube também a esses frades mendicantes a tarefa do grande reassentamento das comunidades índias, concentrando os habitantes das aldeolas dispersas em cidades, construídas com base numa malha ortogonal, a partir de uma praça principal, dominada pela igreja e pelas câmaras tuteladas pela nobreza nativa.

Os franciscanos no México estavam animados pelo desejo de regresso à simplicidade da Igreja primitiva e interpretavam a conversão dos índios da Nova Espanha como uma compensação divina, face à heresia protestante da Europa do Norte. Desde o início, incentivaram os filhos da nobreza nativa a viverem nos seus conventos, utilizando depois esses jovens discípulos como intérpretes. Dedicaram grandes esforços à aprendizagem de línguas nativas e, com a ajuda dos seus discípulos nativos, elaboraram catecismos, hinos e sermões nas línguas principais. Mais tarde, publicaram gramáticas e vocabulários e levaram a cabo inquéritos exaustivos sobre a religião, a cultura e a história dos nativos. Nas suas igrejas, utilizavam pintores autóctones, que eles próprios formavam, e constituíam coros e pequenas orquestras para a liturgia. O primeiro livro a ser impresso no Novo Mundo foi publicado na Cidade do México, em 1539, por Juan de Zumárraga, o seu primeiro bispo, e era um sumário de doutrina cristã "em língua mexicana e castelhana".

Apesar de as conquistas do México e do Peru terem obviamente causado uma considerável perda de vidas e destruído a ordem social existente, evitaram-se em grande medida os piores excessos cometidos nas Caraíbas, sobretudo porque tanto os *encomenderos* como os frades se apoiaram na nobreza nativa para mobilizar a mão-de-obra índia. Mas a situação transformou-se com o aparecimento de doenças epidémicas, cujo impacto se tornou ainda mais violento devido ao isolamento do hemisfério americano, que deixou os povos nativos sem imunidade ou resistência à varíola, ao sarampo, ao tifo, à peste pneumónica e à febre amarela. Durante o cerco a México-Tenochtitlán, os habitantes morriam de varíola, e a doença alcançaria o Peru ainda antes de os espanhóis aí chegarem. O resultado foi uma catástrofe demográfica. Na Nova Espanha, a população nativa, que se calcula que fosse de dez milhões em 1519, tinha decrescido, em 1600, para menos de um milhão de almas. A tendência era muito semelhante na zona andina, mais pronunciada na costa, menos rápida nos vales das altas montanhas, mas provavelmente atingindo no conjunto valores de uma grandeza parecida. Nalguns lugares, a dieta do campesinato nativo, que já era pobre antes da conquista, a subsequente destruição da economia planificada ao nível da produção agrícola e a introdução de gado europeu contribuíram para ampliar o desastre.

Foram os horrores da exploração espanhola nas Caraíbas e o rápido desaparecimento da população nativa que levaram Bartolomeu de Las Casas (1483-1566), um frade dominicano e antigo *encomendero,* a lançar uma persistente campanha em defesa dos direitos dos índios e de condenação dos abusos dos conquistadores. Deveu-se ao seu virulento ensaio, mais tarde publicado como *Brevíssima Relação da Destruição das Índias* (1522), a promulgação por Carlos V, em 1542, das Novas Leis, que emancipavam todos os escravos índios e aboliam o direito dos *encomenderos* de exigir trabalho não remunerado aos seus índios, que a partir de então passaram apenas a pagar impostos em dinheiro ou géneros. Igualmente importante era a medida que impunha que todo o trabalho realizado por índios para espanhóis fosse pago de acordo com um salário diário. Apesar do pé-de-vento levantado pelos protestos dos colonos, estas determinações foram aplicadas. Mas foi tal o alvoroço provocado pelas acusações de Las Casas que, em 1551-1552, o imperador convocou um "debate" sobre a justiça da conquista espanhola entre o dominicano e Juan Ginés de Sepúlveda, um padre humanista. O que tornou o acontecimento tão fascinante foi que os debates se centraram na natureza dos índios, isto é, em saber se estes eram ou não "servis" e incapazes de verdadeiro autogoverno, e em saber se o governo dos incas e mexicas era "tirânico" ou benevolente. Para apoiar a defesa da sua posição, Las Casas foi levado a reunir uma grande quantidade de informação respeitante aos regimes anteriores à conquista, que ele qualificou como iguais em justiça e civilidade aos do mundo clássico de Roma e da Grécia.

Enquanto o primeiro vice-rei da Nova Espanha, Antonio de Mendoza (1535-1551), aplicou as novas leis com grandes cautelas, no Peru, em contrapartida, o novo vice-rei tentou despojar os principais *encomenderos* das suas concessões, provocando uma rebelião conduzida por Gonzalo Pizarro, que ameaçou o domínio real. Foi Filipe II (1569-1581) quem converteu estes reinos ultramarinos em possessões lucrativas. Depois de uma visita cuidadosa de juristas da sua confiança, nomeou dois nobres administradores da sua casa real, Francisco de Toledo (1569-1581) e Martín Enríquez (1568-1580), como vice-reis do Peru e do México. Tiveram ambos sucesso, aumentando o fluxo de receitas para Espanha e reforçando a autoridade régia com a nomeação de *corregidores* e *alcaldes mayores,* magistrados locais responsáveis, a partir de então, pela colecta do tributo índio, reduzindo assim os *encomenderos* ao nível de pensionistas da coroa. Ao mesmo tempo, aumentou o número de tesourarias régias e de tribunais superiores. Foi também nesse período que a Inquisição se estabeleceu nos dois países.

O estabelecimento de uma sociedade hispânica no Novo Mundo

O empreendimento mais impressionante da época deu-se no Peru, onde o vice-rei Toledo conduziu um minucioso inquérito às práticas e princípios do governo inca, concluindo que os governantes incas sabiam que «a inclinação e a natureza dos índios era serem ociosos e indolentes», pelo que era necessária a coerção, se se quisesse mobilizar a mão-de-obra camponesa. O primeiro resultado deste inquérito foi um programa maciço de concentração dos índios em povoações dominadas pela igreja paroquial. Ao mesmo tempo, foi reforçada a autoridade dos *kurakas*, os senhores índios, cuja lealdade era assegurada através do pagamento de um salário deduzido dos rendimentos régios. Contrariou-se qualquer nostalgia dos incas com o assassinato judicial de Tupac Amaru, o último governante de um pequeno principado de montanha. Maior importância teve a acção decidida de Toledo no sentido do revigoramento da indústria mineira em Potosi, onde os *encomenderos* e os *kurakas* tinham esgotado os depósitos mais ricos. Conduziu experiências que demonstraram que os minérios de baixa qualidade podiam ser refinados, se se misturassem com mercúrio e com outras substâncias, e transformou assim a indústria, tendo os empresários espanhóis substituído os simples fornos de barro dos índios por instalações industriais de refinação, dotadas de um sistema complexo de pátios, tanques e rodas hidráulicas. Localizou também importantes depósitos de mercúrio em Huancavelica, na região central do Peru, e arrendou a sua exploração a mineiros independentes.

Por último, Toledo invocou o precedente inca e recuperou a *mita*, uma requisição de trabalho obrigatório, que atingia um sétimo de todos os adultos do sexo masculino, recrutados em catorze províncias, numa área que ia de Potosi quase até Cuzco, o que lhe permitiu dispor de 13500 homens para trabalharem em Potosi. Nessa altura, as minas empregavam um número considerável de trabalhadores qualificados, atraídos por salários elevados, pelo que a função da *mita* era fornecer uma massa de mão-de-obra barata, paga a menos de metade do salário dos trabalhadores permanentes. Mas o resultado da inovação tecnológica, do investimento de capitais e da mobilização de mão-de-obra foi um impressionante crescimento da produção, que permitiu que a *quinta real*, que tinha caído, em 1569, para menos de 200000 pesos no ano, ultrapassasse, dez anos depois, o milhão de pesos. Foi o afluxo de prata, vinda sobretudo de Potosi, que salvou Filipe II da bancarrota, na década de 1580, e lhe permitiu prosseguir as suas aventuras militares na Europa. De facto, o trabalho do campesinato andino financiou a hegemonia da coroa espanhola e permitiu, como veremos, que a Europa mantivesse o equilíbrio nas suas relações de comércio com a Ásia.

Na Nova Espanha, a catástrofe demográfica, tão evidente com o recrudescimento da peste em 1576, levou os *encomenderos* e outros colonos espanhóis a conseguir dos vice-reis a concessão de terras nas regiões do Centro e do Sul, criando gradualmente grandes propriedades, algumas usadas apenas para a criação de ovelhas, outras dedicadas ao cultivo de trigo ou milho e algumas, na região semitropical de Morelos, à plantação de cana-de-açúcar. Conseguiam mão-de-obra pelo sistema dos *repartimientos*, que permitia que os magistrados locais dispusessem para distribuição de dez por cento da população índia masculina disponível, ainda que as deslocações, do ponto de vista da distância, não pudessem exceder certos limites. As minas de prata no México Central, como as de Tasco, Pachuca ou Real del Monte, beneficiavam todas dessas requisições de mão-de-obra. Contudo, a descoberta, em 1546, de abundantes depósitos de prata em Zacatecas, seguida da localização de alguns campos mais pequenos, todos situados nos territórios do Norte, muito para lá dos confins do campesinato sedentário da Mesoamérica, conduziu à emergência de uma forma diferente de recrutamento de mão-de-obra. Sem qualquer precedente mexica de requisição de mão-de-obra para longas distâncias, os mineiros de Zacatecas foram forçados a atrair, entre os índios, com a oferta de salários elevados, trabalhadores migrantes livres, provenientes do México Central. Esses trabalhadores chegaram em grupos e instalaram-se com os seus compatriotas em lugarejos à volta da cidade. Pela sua parte, os mineiros bascos, que dominavam a indústria, tornaram-se governadores do rei nesses territórios do Norte, obtendo vastas concessões de terras, onde estabeleceram grandes herdades de criação de ovelhas. De facto, a conquista do Novo México, na última década do século XVI, foi inteiramente financiada pelos filhos desses mineiros bascos.

Se o envio da *quinta real* permitiu que Filipe II ampliasse o seu crédito junto dos banqueiros alemães, como os Fuggers, o produto das minas de prata americanas sustentou o comércio transatlântico. Mais de 80% das exportações do México e do Peru consistiam em metais preciosos, sobretudo prata, complementados por corantes e madeiras exóticas. Em contrapartida, as colónias importavam sobretudo tecidos de luxo, que perfaziam pelo menos 65% do valor das importações, para além de vinho, papel e utensílios de ferro. Devido aos ataques dos corsários franceses, a partir de 1564 o comércio do Atlântico passou a realizar-se em dois comboios anuais, um com destino a Veracruz, outro com destino a Nombre de Dios, no Panamá, onde a carga era transportada através do istmo, e embarcada para Lima. Era tal a importância deste comércio e dos lucros que gerava, que muitos mercadores espanhóis estabeleceram residência permanente na Cidade do México e em Lima, mantendo com frequência estabelecimentos adicionais nas cidades de província e nos principais centros mineiros. A partir daí, bastou um pequeno passo para que alguns mercadores mais ricos começassem a conceder crédito aos proprietários das minas de prata, envolvendo-se assim na produção. O estatuto social desses grandes comerciantes importadores foi reconhecido com a fundação, em 1592, de um grémio de mercadores, um *consulado*, na Cidade do México, tendo-se estabelecido o seu equivalente em Lima em 1613. Estes organismos serão dominados, até à independência, por imigrantes de Espanha. Os seus principais membros muitas vezes compravam herdades e igualavam ou ultrapassavam, em riqueza, os grandes senhores de terras e os proprietários das minas de prata.

Em 1600, o império espanhol na América compreendia os dois vice-reinos da Nova Espanha e do Peru e onze tribunais superiores, as *audiencias*, situados em Guadalajara, Cidade do México, Guatemala, Panamá, Santo Domingo, Santa Fé de Bogotá, Quito, Lima, Charcas (a actual Sucre), Santiago do Chile e Manila. Com excepção de Guadalajara, todas estas cidades se tornarão capitais de repúblicas independentes. Na esfera espiritual, os mesmos territórios albergavam seis arcebispos, trinta bispos e 906 cónegos. Na Nova Espanha havia 149 magistrados locais, e no Peru cerca de 70. Havia tesourarias régias nas capitais, nos portos e nos campos de minas. Este majestoso edifício imperial foi construído com o trabalho do campesinato índio, auxiliado nalguns lugares por 75000 escravos africanos importados no século XVI, mas também pela iniciativa e pela energia de 56000 colonos espanhóis registados, dos quais, nas últimas quatro décadas do século, cerca de um quarto eram mulheres. Obviamente, podem ter chegado muito mais espanhóis, e alguns estudos consideram que podem ter atingido os 250000, ainda que pareça mais provável um número próximo de metade desse, já que, na década de 1560, a Nova Espanha não tinha mais de 10000 *vecinos* ou chefes de família espanhóis, metade dos quais residia na capital. Na mesma década, viviam no Peru cerca de 6000 espanhóis, sendo as mulheres apenas um oitavo desse número. No fim do século, há numerosas referências a um número crescente de *castas*, indivíduos de origem étnica mista, mestiços e mulatos, como eram conhecidos, que formariam um grupo intermediário entre as duas comunidades, as duas *repúblicas*, de índios e de espanhóis.

Em 1600, já eram também visíveis os primeiros sinais de uma consciência crioula, isto é, os primeiros escritos de espanhóis nascidos na América, descendentes dos conquistadores e dos *encomenderos*, a protestar amargamente contra a perda da sua herança e contra o enriquecimento crescente dos mercadores imigrantes. A chegada dos jesuítas, em 1569-1571, tanto ao México como ao Peru, levou ao estabelecimento imediato de uma série de colégios, que educavam os jovens crioulos e os preparavam para poderem depois frequentar as universidades fundadas em 1551, tanto na Cidade do México como em Lima. Os licenciados dessas instituições, membros muitas vezes de uma elite empobrecida, engrossavam as fileiras do clero ou procuravam ingressar na burocracia civil. Tratava-se, de facto, de toda uma sociedade hispânica recriada no Novo Mundo.

O império português

Em Julho de 1497, Vasco da Gama (1469-1524), um nobre português, cavaleiro da Ordem Militar de Santiago, partiu de Lisboa com três pequenas naus, um navio de provisões e 190 homens. Depois de atingir as ilhas de Cabo Verde, internou-se no Atlântico e navegou em seguida para sul, antes de seguir os alísios para leste, passando noventa dias sem ver terra, até alcançar a África do Sul. Depois de ultrapassar o Cabo da Boa Esperança, aventurou-se para norte, passando quatro meses a visitar os pequenos sultanatos muçulmanos que pontilhavam a costa, de Moçambique a Melinde. Aí contratou um piloto guzerate muçulmano, que conduziu a expedição através do Índico, tendo atingido o porto de Calecut, na costa do Malabar, em Maio de 1498. Uma crise na sucessão da coroa portuguesa, por um lado, e a agitação causada pela descoberta da América, por outro, explicam este intervalo de nove anos entre o regresso de Bartolomeu Dias e a partida de Vasco da Gama. Coube a D. Manuel I (1495-1521), monarca culto e visionário, cujo sonho era libertar Jerusalém através de uma aliança com o Preste João, o lendário rei cristão da "Índia", reatar a busca de uma passagem directa para essa terra ainda misteriosa. Quando Vasco da Gama regressou da Índia, atingindo Lisboa em Julho de 1499, o rei D. Manuel assumiu de imediato o título grandioso de "Senhor da Conquista, Navegação e Comércio da Etiópia, Arábia, Pérsia e Índia" e enviou ao Papa e aos reis católicos de Espanha notícia do "descobrimento", um termo que Américo Vespúcio iria contestar.

Descobrimento parecia um termo impróprio, porque Vasco da Gama e os seus homens encontraram os portos do oceano Índico cheios de comerciantes muçulmanos e dos seus barcos. De facto, quando um dos seus homens foi mandado a terra em Calecut, encontrou «dois mouros de Tunes, que sabiam falar castelhano e genovês», e que exclamaram: «Que o diabo vos leve! O que vos trouxe aqui?». A isso respondeu: «Viemos procurar cristãos e especiarias». Com efeito, boa parte da Índia era uma extensão do Médio Oriente, ligada a essa região por séculos de comércio e também pela religião. Na verdade, os portugueses esperavam obter informações sobre o Preste João e, ao entrarem pela primeira vez nos templos hindus de Calecut, identificaram o seu culto com uma forma aberrante de cristianismo. Quaisquer esperanças de uma aliança contra o Islão foram rapidamente desfeitas pelo modo insolente como o governante hindu de Calecut, o Samorim, recusou os insignificantes presentes de Vasco da Gama, qualificando--os como indignos de um mercador, quanto mais do enviado de um monarca.

Quando Vasco da Gama regressou à Índia em 1502, levava consigo treze barcos e mil homens, e transportava prata da Europa e ouro em pó, que obtivera na África Oriental. Para vingar um ataque a uma anterior expedição portuguesa, e convencido entretanto de que o hinduísmo era apenas uma forma de paganismo, bombardeou Calecut. Atacou também e afundou um barco de peregrinos muçulmanos de regresso de Meca, apesar das promessas de pagamento de resgate. Em resumo, estendeu até às costas do oceano Índico a guerra dos portugueses contra o Islão. Usou a prata e ouro que levava para comprar um rico carregamento de pimenta e especiarias e, ao partir, deixou cinco barcos e a sua tripulação a defender a "feitoria" que estabeleceu em Cochim. Nesses primeiros anos do "descobrimento", entre 1501 e 1505, o rei D. Manuel enviou à Ásia pelo menos oitenta e um barcos e 7000 homens.

Coube a Afonso de Albuquerque, eficiente vice-rei entre 1509 e 1515, construir os alicerces do império marítimo português na Ásia. Por essa altura, as expedições portuguesas tinham navegado por todo o oceano Índico, atacando barcos e portos muçulmanos, o que levou os governantes mamelucos do Egipto a enviar uma grande frota para contrariar esses ataques. Contudo, essa frota, constituída por galés, foi

destruída pelos portugueses em 1509. Mais importante foi Albuquerque ter capturado, em 1510, a ilha e cidade de Goa, e ter assaltado, no
ano seguinte, o populoso porto de Malaca (Merlaka), que dominava
os estreitos entre Samatra e a península de Malaca. Em 1515, depois de
ter falhado a conquista de Adem, o porto fortificado que guardava o
acesso ao mar Vermelho, conquistou Ormuz, um porto numa ilha à
entrada do golfo Pérsico. A partir de então, os portugueses exigiram
que todos os barcos que pretendessem frequentar esses portos obtives-
sem uma autorização, o cartaz, e pagassem direitos. Em troca desses
direitos eram, por vezes, fornecidas escoltas. Para além desses portos
altamente fortificados, os portugueses instalaram uma cadeia de "feitorias" comerciais menores à volta do oceano Índico. Em 1521, tomaram o controlo virtual de Ternate, nas ilhas Molucas, origem de ricas
especiarias. Este "império" estabeleceu-se a tão baixo custo devido, em
boa parte, à superioridade dos barcos portugueses e à artilharia, que
convertia as rápidas caravelas e as pesadas carracas em "fortalezas flutuantes". Mesmo quando os otomanos conquistaram o mundo árabe
e enviaram sucessivas frotas para desalojar os portugueses, foram re-
dondamente derrotados em 1533, e de novo em 1554. Para além disto,
a coroa portuguesa não se limitou a estabelecer um envio regular de
navios para a Ásia, mas manteve uma pequena frota no oceano Índico
e usou os recursos de Goa para a construção local de navios.

Na sua primeira fase, a base económica deste longínquo império
foi a troca de prata, primeiro alemã, depois americana, por pimenta
e outras especiarias, ou seja, um comércio entre Lisboa e Goa, mono-
polizado pelo rei de Portugal e transportado em barcos que eram propriedade sua. Nesses primeiros anos, a pimenta da Índia representava
90% das exportações asiáticas. À pimenta juntava-se canela de Ceilão
e noz-moscada, cravo e macis das Molucas. Os lucros eram muito elevados e a distribuição dessas especiarias pela Europa era levada a cabo
por sociedades de mercadores estabelecidos em Antuérpia. Como seria de esperar, a coroa foi-se progressivamente endividando, à medida
que essas sociedades foram adiantando dinheiro bem antes da chegada
dos produtos da Ásia. O monopólio real foi rapidamente diluído pelo
aluguer de espaço de carga a particulares, para, em 1570, ser finalmente abolido. Há que salientar que em momento algum os portugueses
monopolizaram completamente o comércio de especiarias, já que a
procura da Ásia e do Médio Oriente permaneceu elevada e, na década
de 1550, mesmo o mercado europeu era em parte abastecido através do
mar Vermelho. Para além disso, no período entre 1580 e 1640, para o
qual dispomos de números precisos, os comboios entre Lisboa e Goa

transportavam sobretudo tecidos de algodão e seda de Guzerate, representando 62% do valor dos carregamentos, em comparação com 15% para a pimenta e as especiarias e 14% para os diamantes e outras pedras preciosas.

Esperava-se que o império português na Ásia se sustentasse a si próprio, e por isso o monopólio régio era apenas uma parte da sua actividade comercial. Havia muito comércio dentro da própria Ásia, levado a cabo, como antes, por mercadores muçulmanos e hindus, para além dos portugueses. Assim, importavam-se cavalos do Médio Oriente, através do golfo Pérsico, e os tecidos de Guzerate encontravam mercados em Samatra e em Java, para não falar da África Oriental. Para além disso, a exploração do comércio do Extremo Oriente foi deixada nas mãos de privados. A seguir à abertura das relações com o Japão, os portugueses estabeleceram-se em Macau em 1555-1557, tendo-se iniciado um comércio lucrativo, quando a produção japonesa de prata disparou, já que esta podia ser obtida a partir da venda de sedas e porcelanas chinesas, e depois lucrativamente trocada por ouro na China. Além disso, em 1567, uma expedição espanhola, saída do México, ocupava as Filipinas e estabelecia a capital em Manila. Nos anos seguintes, gerou-se um comércio valioso no Pacífico, com um grande galeão a cruzar o oceano todos os anos, para trocar tecidos da Índia e sedas e porcelanas da China por prata mexicana. Um papel significativo neste comércio foi desempenhado por uma grande comunidade de mercadores chineses estabelecida em Manila. No fim do século XVI, o sistema comercial português na Ásia ainda estava pujante e tinha, por essa altura, atraído mercadores e investidores cristãos-novos, isto é, pertencentes a famílias de judeus convertidos, ligadas ao comércio, muitas delas com parentes estabelecidos em Amesterdão, a nova capital financeira da Europa.

Apesar de a coroa portuguesa ter reivindicado com sucesso, em 1500, a posse do Brasil, foi só em 1533 que D. João III dividiu a sua vasta linha de costa em quinze capitanias donatariais, autorizando assim alguns nobres a empreender numa base individual a sua colonização. O que transformou o empreendimento, e mais visivelmente no Nordeste, foi a introdução da plantação de açúcar. De facto, quando o rei, em 1548, nomeou o primeiro governador régio em Salvador da Baía, instruiu-o para que estabelecesse uma plantação e um engenho de açúcar pertencentes à coroa. É claro que, nessa altura, já os portugueses tinham desenvolvido essas plantações na Madeira, com trabalho escravo importado das Canárias, e na ilha de São Tomé, sendo aqui os escravos provenientes da África Ocidental. No Brasil, as plantações concentravam-se sobretudo em Pernambuco e na zona à volta da grande baía de São Salvador. Até à década de 1570, a mão-de--obra era composta sobretudo por índios locais, alguns deles escravizados e outros fornecidos por aldeias livres administradas por jesuítas, mas uns e outros sujeitos, no entanto, a sucumbir às doenças europeias. Foi só nas duas últimas décadas do século XVI que a importação de escravos africanos e a produção de açúcar cresceram rapidamente, o que permitiu que o Brasil se tornasse, em pouco tempo, o principal fornecedor do açúcar consumido na Europa, ultrapassando de longe as exportações das Caraíbas espanholas. A emergência do Brasil é, assim, essencialmente um fenómeno do século XVII, consumado em 1695, com a descoberta de grandes depósitos de ouro no interior, em Minas Gerais, a oeste do Rio de Janeiro.

Como os seus rivais castelhanos, os reis portugueses possuíam os direitos e as obrigações do *Padroado*, o direito de apresentação eclesiástica nos seus impérios ultramarinos. Em 1534, Goa tornou-se um bispado, que se converteu, em 1577, em arcebispado, dotado de uma esplêndida catedral. Os jesuítas chegaram em 1542, abriram um colégio e iniciaram um trabalho missionário. Rapidamente, outras ordens religiosas os seguiram. O rebanho cristão mais evidente era o dos portugueses, que se casaram com mulheres locais, dando assim origem a uma geração de mestiços em todas as principais cidades. Mas também existia uma comunidade de cristãos no Sul da Índia, com cerca de 30000 membros, que utilizavam o aramaico na liturgia e seguiam a doutrina nestoriana. Embora as relações entre os portugueses e estes cristãos de São Tomé tenham inicialmente sido amigáveis, surgiram conflitos quando prelados autoritários tentaram exigir que abjurassem das crenças nestorianas, e mesmo que substituíssem o aramaico pelo latim, exigências que iriam dividir a comunidade em duas confissões separadas. O empreendimento missionário mais impressionante deu--se em 1535-1537, quando os paravás, um povo de pescadores da ponta do subcontinente, se converteram em massa, em parte para evitarem o domínio muçulmano. Em geral, os portugueses não conseguiram, na Ásia, atrair para o cristianismo muitos convertidos, dado o poder de atracção superior do Islão e a capacidade de resistência do hinduísmo. O cristianismo só avançou nas Filipinas, e isso porque, com a excepção de Mindanau, a população nativa dessas ilhas ainda não tinha sido invadida pelo Islão e não possuía nenhuma forma avançada de religião ou de poder de Estado. Para além do mais, os espanhóis iriam permanecer entrincheirados nessa colónia durante quatro séculos.

Outras potências europeias

Se as potências ibéricas dominaram a expansão europeia no século XVI, a sua hegemonia foi desafiada por exploradores, corsários e mercadores franceses, ingleses e holandeses. De 1534 a 1542, Jacques Cartier fez três viagens, subindo o rio São Lourenço mil milhas terra adentro, até aos locais onde actualmente se encontram Quebeque e Montreal; mas uma exploração permanente das suas descobertas só foi empreendida no século seguinte. Do mesmo modo, corsários e mercadores franceses atingiram as Caraíbas e atacaram Havana em 1555. Comerciaram também ao longo da costa do Brasil, e uma expedição francesa, conduzida por Nicolau de Villegagnon, ocupou uma ilha na baía do Rio de Janeiro, entre 1555 e 1560, até ser expulsa pelos portugueses. A primeira tentativa de colonizar o Canadá só teve lugar em 1603, com a viagem de Samuel de Champlain. Os ingleses tiveram mais sucesso na sua pirataria. Depois de um ataque traiçoeiro dos espanhóis, em 1568, contra a frota inglesa estacionada no porto de San Juan de Ulúa, os seus comandantes, Sir John Hawkins e Francis Drake, abriram as hostilidades, tendo Drake desembarcado em Nombre de Dios, apoderando-se do comboio da prata do Peru, quando este atravessava o istmo do Panamá. Em 1577, Drake conduziu, com três barcos e 160 homens, uma expedição de circum-navegação do mundo. Depois de passar o estreito de Magalhães, conduziu vários ataques ao longo da costa do Peru, capturando um galeão carregado de prata. A seguir, dirigiu-se para norte, atingindo Vancouver e fundeando na baía de São Francisco. Atravessou depois o Pacífico, comprou especiarias nas Molucas e acabou por conduzir o *Golden Hind* até Plymouth, onde desembarcou depois de uma viagem de dois anos e dez meses. Thomas Cavendish repetiu a viagem de circum-navegação, entre 1586 e 1588, e capturou o galeão espanhol que ligava, uma vez por ano, Acapulco a Manila. Outros corsários ingleses atacaram possessões espanholas nas Caraíbas, incluindo um assalto a Santo Domingo, em 1585, sob a condução de Sir Francis Drake, tendo os protestantes ingleses profanado igrejas e tomado reféns para resgate. Tanto Hawkins como Drake morreram no mar, em 1595, durante uma tentativa malograda de conquista do Panamá. Só em 1600 foi fundada a Companhia das Índias Orientais e enviada ao oceano Índico a primeira expedição comercial.

Os herdeiros dos portugueses na Ásia foram os holandeses. A partir da revolta protestante das províncias do Norte dos Países Baixos contra

Filipe II em 1567, a guerra aberta entre a Espanha e os holandeses iria durar muitas décadas, apesar de mitigada pelas necessidades do comércio. Quando Filipe se tornou também rei de Portugal, em 1580, os holandeses estenderam os seus ataques às feitorias e ao comércio dos portugueses na Ásia. Em 1595, fundaram a Companhia Holandesa das Índias Orientais e enviaram a primeira frota a dirigir-se directamente às Ilhas das Especiarias pela rota do Cabo da Boa Esperança. A partir de então, os holandeses atacaram de forma sistemática as possessões portuguesas e passaram a controlar de facto o comércio com o arquipélago indonésio, apesar de não terem conseguido conquistar Goa e Macau. Foi muito mais tarde, entre 1631 e 1652, que a Companhia Holandesa das Índias Ocidentais ocupou Pernambuco e explorou as suas plantações de açúcar, até ser expulsa por milícias recrutadas no Brasil, um sinal seguro da vitalidade crescente da sociedade crioula neste grande território. De facto, quando os holandeses ocuparam Luanda, uma colónia portuguesa fundada em 1576 no território que é hoje Angola, foi uma expedição saída do Brasil que recapturou a cidade em 1648.

Europeus em África

E África? Ao longo de todo o século XVI, os portugueses mantiveram uma cadeia de fortificações em portos e ilhas dos dois lados do continente. Mas, enquanto na América as doenças epidémicas auxiliaram a conquista ibérica, em África as febres endémicas eram um obstáculo à colonização europeia. Além disso, a África não possuía nenhum produto de grande procura, como a prata e as especiarias, que exigisse uma exploração activa. Em todo o caso, os estados e tribos de África possuíam armas de ferro e uma tradição guerreira, que faziam com que a sua subjugação não fosse coisa fácil. Em consequência, para além de algum marfim e ouro em pó, a grande exportação africana foram os escravos. Há que notar que, na sociedade africana, a principal manifestação de riqueza pessoal não era a terra, mas os escravos, adquiridos em grande parte na guerra. Não há pois que estranhar que os governantes africanos vendessem escravos para comprarem cavalos, tecidos de luxo e utensílios e armas de ferro. Mas, enquanto a maior parte dos escravos vendidos aos portugueses era, até à década de 1520, enviada para a Europa ou utilizada nas plantações de açúcar da Madeira, das Canárias e de São Tomé, a partir dos anos seguintes um número crescente de escravos foi sendo enviado para a América. Calcula-se que, no período que vai de 1451 a 1600, terão deixado África cerca de 254000 escravos, dos quais 75000 terão ido para a América espanhola, 50000 para o Brasil e 76000, surpreendentemente, para São Tomé. O século XVI assistiu assim à fundação do que iria ser, nos três séculos seguintes, a maior migração forçada da história humana. Nisto, os portugueses foram pioneiros, comprando as suas cargas humanas nos portos africanos.

Por causa do tráfico de escravos e das ambições missionárias, alguns portugueses viajaram pelo continente, embora sem efeitos duradouros. O rei do Congo, Afonso I (1506-1543), por exemplo, converteu-se e aceitou o catolicismo como religião de Estado, embora mantivesse um elevado número de mulheres. Depois da sua morte, o entusiasmo declinou, e só sobreviveram na região formas muito rudimentares de cristianismo. A mais decisiva intervenção portuguesa ocorreu na Etiópia, entre 1541 e 1543, quando uma expedição bem armada, de 400 homens, conduzida por Cristóvão da Gama, filho do grande navegador, conseguiu por fim libertar o país de uma invasão muçulmana recente. Durante doze anos, o imã Ahmed ibn Ibrahim al-Ghazi (1506-1543), um chefe muçulmano conhecido por Granhe, devastou e conquistou a Etiópia, destruindo as suas antigas igrejas e mosteiros, queimando valiosíssimos manuscritos, escravizando muitos dos seus novos súbditos e forçando milhares a converterem-se ao Islão. Com efeito, tratou os etíopes de modo muito semelhante, ou ainda pior, ao modo como os espanhóis trataram os mexicas e os incas. Apesar de o jovem rei e a rainha-mãe terem oposto uma resistência eficaz, foram as armas e os canhões dos portugueses que desempenharam o principal papel, salvando da destruição esta antiga monarquia e o seu cristianismo africano, ainda que o comandante da expedição e a maior parte dos seus homens tenham morrido na batalha.

A Companhia de Jesus no mundo

Quando as potências ibéricas cruzavam corajosamente os oceanos do mundo, recorriam com frequência ao auxílio de outros europeus e, de facto, agiam como ponta de lança da expansão económica europeia. Mas a participação de outros europeus foi particularmente importante na esfera das ordens religiosas, com destaque para o caso dos jesuítas. Desde a sua fundação, em 1540, que a Companhia de Jesus tomara como sua a tarefa de pregar o evangelho cristão a todas as nações do mundo. Logo em 1542, Francisco Xavier, que viria a ser canonizado, basco de origem, desembarcou em Goa, trabalhou alguns anos na Índia e nas Molucas e entrou no Japão em 1549, de lá enviando relatórios brilhantes sobre os seus habitantes. Desde o início, tentou obter o favor dos senhores feudais, envolvidos nessa época em permanentes desentendimentos. Quando a missão dos jesuítas se expandiu e conseguiu a conversão de um desses *daimyo*, a que outros se seguiram, abriu-se o caminho a uma série de conversões em catadupa, e a nova Igreja chegou a contar 300000 almas. Com a chegada de Alessandro Valignano, como visitador das missões dos jesuítas na Ásia, lançou-se uma campanha concertada de aprendizagem integral do japonês, de publicação de traduções dos catecismos e de outras obras cristãs, de admissão de japoneses como candidatos à Ordem e ao sacerdócio, e ainda de respeito pelo vestuário e pelos costumes locais. De facto, Valignano introduziu as perspectivas do humanismo italiano, rejeitando as suspeitas inatas dos ibéricos em relação à boa fé de todos os "cristãos-novos", fossem antes judeus ou budistas. Ao mesmo tempo, os jesuítas não hesitaram em destruir templos budistas e xintoístas nas áreas que dominavam. Deu-se, no entanto, uma reacção cultural adversa, fruto em parte de mudanças políticas, e em 1587 os cristãos eram perseguidos e os seus sacerdotes sujeitos ao martírio, tendo sobrevivido apenas um pequeno número, numa situação de clandestinidade.

A tentativa mais notável de um europeu penetrar e compreender uma cultura não cristã aconteceu na China, onde Matteo Ricci (1552-1610), um erudito jesuíta italiano, chegou em 1583, tendo conseguido não só dominar a língua, mas também os clássicos confucianos. Quando chegou a Pequim, em 1601, tinha escrito em chinês tratados sobre temas morais e ganhara a reputação de ser um grande estudioso. Como outros jesuítas da época, julgou o budismo pelos templos e pelas imagens, e condenou-o como uma forma de paganismo. Mas considerava o confucianismo uma filosofia que tinha atingido o conhecimento da existência de um deus supremo do universo e abraçado uma moralidade que obedecia aos princípios da lei natural. Na verdade, chegou a declarar-se esperançosamente confiante na possibilidade de o próprio Confúcio ter alcançado a salvação. Em Pequim, os jesuítas impressionaram os seus anfitriões com os seus conhecimentos de astronomia e geografia, para não falar da matemática, e a sua missão manter-se-ia até ao século XVIII.

O mundo na literatura europeia

Como seria de esperar, os cronistas portugueses e espanhóis celebraram os descobrimentos e conquistas das suas nações com considerável exuberância. No poema épico nacional português, *Os Lusíadas* (1572), Camões, que viveu alguns anos na Ásia, louva os feitos dos seus compatriotas como heróis que dominaram os elementos e empreenderam a guerra contra os infiéis. Do mesmo modo, Francisco López de Gómara, o capelão humanista de Cortés, redigiu uma *Historia General de las Indias* (1552), onde tem a coragem de declarar: «A maior coisa desde a criação do mundo, à parte a encarnação e a morte d'Aquele que o criou, foi o descobrimento das Índias; e assim se lhes chama Novo Mundo». Mais à frente lança-se num descarado panegírico dos espanhóis, quando declara que «Nunca, em tempo algum, um rei ou uma gente andou e sujeitou tanto em tão breve tempo como nós (...) em armas e navegação como na pregação do santo Evangelho e na conversão dos idólatras». Como seria talvez de esperar, reconhecendo embora a grandeza de México-Tenochtitlán, apresenta o retrato de uma sociedade que adora o diabo e se dedica a sacrifícios humanos em massa e ao canibalismo.

Esta glorificação dos conquistadores, contudo, é posta em causa por Las Casas, que chegou a declarar, no fim da sua longa vida, que Cortés e Pizarro deveriam ter sido enforcados como criminosos comuns. A sua *Brevíssima Relação* foi traduzida na maior parte das línguas europeias e foi muito citada pelos inimigos protestantes de Espanha. Mas os seus estudos sobre a religião, a cultura e o governo dos incas e mexicas influenciaram a historiografia subsequente, apesar de terem sido preservados apenas em manuscritos. Na sua *Monarchia Indiana* (1615), Juan de Torquemada, um franciscano que aprendeu nauatle na infância, utilizou uma grande variedade de crónicas manuscritas, códices nativos e a investigação de Las Casas para nos apresentar o México pré--hispânico como uma Babilónia deslumbrante, isto é, como uma civilização avançada, com uma moralidade estrita, mas irremediavelmente manchada pela idolatria. Celebrou também a fundação da Igreja mexicana, sublinhando o trabalho dedicado dos seus irmãos franciscanos. Por tudo isto, o efeito global da sua obra foi preservar a memória de mexicas e toltecas e fixar a data da fundação da Cidade do México em 1325, e não em 1521. A Nova Espanha definia-se assim como sucessora e herdeira do império mexica, e não como qualquer coisa criada *de novo* com a conquista.

No Peru, o inca Garcilaso de la Vega (1539-1616), filho de uma princesa inca e de um dos principais conquistadores, aplicou o seu conhecimento da historiografia do Renascimento, adquirido durante a sua estadia em Espanha, para apresentar os antigos governantes do Peru como uma casta de guardiães platónicos. Nos seus *Comentários Reais* (1609), declara que os imperadores incas e os seus *amautas*, os sábios nativos, atingiram o conhecimento do Deus único e verdadeiro, mas tiveram em conta as inclinações materiais dos seus súbditos, ao promoveram o culto do Sol como forma de encorajar o monoteísmo. Governaram as suas conquistas de um modo benevolente, procurando o bem-estar da população em geral, e seguindo em todos os casos os princípios da lei natural. Na verdade, trouxeram a civilização aos nativos do Peru. Esta versão dos acontecimentos foi imediatamente acarinhada pela elite nativa de Cuzco, educada pelos jesuítas, e, de facto, quando um remoto descendente dos incas levantou, em 1780, a bandeira da revolta, implicitamente fez apelo a esta história patriótica de Garcilaso. Nessa altura, muitos intelectuais crioulos, tanto nos Andes como no México, aceitavam as civilizações pré-hispânicas dos seus países como o fundamento clássico da sua história. No México, pelo menos, quando finalmente se alcançou a independência, em 1821, esta foi definida como a recuperação da liberdade de uma nação, que em 1519 já existia. Esta pretensão era decerto uma ficção jurídica, mas era também um mito histórico convincente.

Conclusão e comentário

Euan Cameron

Convencionalmente, os historiadores incluem o século XVI numa fase mais longa do desenvolvimento da Europa, conhecida nos meios académicos de língua inglesa como "early modern". É fácil zombar desta expressão, considerando-a contraditória nos termos ou uma construção retrospectiva. No entanto, esta descrição do período em causa continua a ser usada, apesar das objecções que possam ser levantadas, porque reflecte uma realidade interiorizada. O período que vai do século XVI ao século XVIII apresenta, no seu conjunto, uma trajectória própria. Essa trajectória acabará por conduzir a Europa a uma economia de consumo global altamente diversificada e em larga medida desregulada, a uma troca livre de ideias, à emancipação das ciências físicas da especulação metafísica, à tolerância religiosa, e a um sistema político tão baseado no pragmatismo, na soberania colectiva e na partilha de responsabilidades como nos precedentes, nos privilégios e nas imunidades de alguns interesses especiais. Se em 1800 nenhuma destas tendências fora levada às suas últimas consequências, em 1600 muito menos. Durante a maior parte deste período, poucos ou nenhuns europeus consideraram estes resultados desejáveis ou mesmo possíveis. Não foram feitas escolhas, individuais ou colectivas, com o propósito específico de provocar esses resultados, que são antes parte daquilo a que historiadores do passado chamavam "a lógica dos acontecimentos", se é que são parte de alguma coisa.

A questão, pois, é de saber se é possível distinguir em 1600 sinais de um movimento que indique onde é que a lógica dos acontecimentos, em última análise, irá levar. Por outras palavras, como é que continua no século XVII a história descrita acima? É possível demonstrar que os acontecimentos e movimentos visíveis no século XVII prosseguem as tendências percebidas no século anterior, de modo a que se possa legitimamente considerar o século XVI como parte da "modernidade"? Ou é mais correcto afirmar que os processos posteriores a 1600 constituem desenvolvimentos separados e distintos, conduzidos pela sua própria lógica interna? Na esfera económica, como seria previsível, as conclusões são mistas. Tom Scott demonstrou que várias "tendências" importantes, tradicionalmente atribuídas a toda a Idade Moderna, como a vedação crescente de terras comunais na agricultura inglesa, a redução radical à servidão de tantos camponeses na Europa a leste do Elba, ou o crescimento do mercado de bens de consumo de massas, especialmente na Inglaterra e nos Países Baixos, são na verdade características do século XVII, e não do século XVI. Mais importante ainda, Scott sublinha que muitos dos traços mais proeminentes ou mais distintivos de uma fase da economia podem não ser necessariamente os indicadores mais importantes de futuros desenvolvimentos. Por exemplo, tradicionalmente considerou-se que a agricultura "comercializada" e o sistema de "trabalho ao domicílio" na área da produção têxtil foram os motores que conduziram ao progresso económico numa fase posterior do período moderno, por supostamente serem mais flexíveis e responderem melhor às forças do mercado. Contudo, Scott argumenta que a agricultura protocapitalista e a manufactura proto-industrializada (na medida em que esses termos se possam considerar apropriados) não se transformam necessariamente em verdadeiro capitalismo ou industrialização. Por outro lado, nalgumas áreas, sobretudo no desenvolvimento de instrumentos de crédito e no recurso crescente a sociedades por acções para financiar o comércio internacional, há uma ligação genuína entre desenvolvimentos primitivos e posteriores. Na Inglaterra, antes de 1600, eram apenas visíveis os primeiros sinais do capitalismo das sociedades por acções; só mais tarde se assistiu ao sucesso das companhias permanentes de capital financeiro. No entanto, a tendência era essa.

Uma das lições mais importantes, nesta área, é a de que os desenvolvimentos numa esfera da actividade humana influenciam com frequência os que se produzem noutra. A origem do carácter distintivo, em termos económicos, da Inglaterra e das Províncias Unidas dos Países Baixos radica numa decisão política. Nestes países, o governo não estava mandatado para um nível de tributação permanente e arbitrária que permitisse a emissão de obrigações garantidas por receitas fiscais futuras; deste modo, não era desencorajado o investimento comercial de nobres e burgueses. Noutras partes da Europa, sobretudo na Espanha, na França e no papado, essas obrigações eram emitidas em tal quantidade e com taxas de juro tão elevadas que desviavam do comércio e da indústria grande parte dos capitais de investimento. Nalguns países, esta tendência era agravada pelas restrições legais relativas às actividades permitidas aos nobres sem perda de privilégios fiscais, ainda que o impacto dessas restrições possa ter sido exagerado. No caso da França, a prodigiosa bolha criada pela dívida da coroa não pararia de crescer, até rebentar no ano crítico de 1789. Neste domínio, um facto político – a tributação directa ter sido, em Inglaterra, precária e irregular até depois de 1688 – teve um claro impacto socio-económico, bem como importantes consequências políticas.

A política é talvez a área onde a busca de padrões ou linhas claras de desenvolvimento é menos produtiva – pelo menos, no sentido em que a ascensão ou queda relativas desta ou daquela dinastia ou nação não seguem nenhum tipo de necessidade lógica evidente. Não obstante, podem-se distinguir algumas tendências na teoria e nas regras básicas da política, e mais ainda nas técnicas usadas por uma potência para procurar exercer pressão sobre outra. No entanto, é extremamente difícil saber o que fazer com um lugar-comum dos textos políticos do século XVI, a "razão de Estado". A atitude dos contemporâneos em relação a esta expressão era ambivalente, e suspeita-se que não haveria grande acordo quanto ao seu significado. Se implica que o bem do corpo político pode justificar um governo arbitrário ou decisões baseadas na mera conveniência, é difícil provar que a aceitação deste conceito tenha tornado os políticos dos séculos XVI e XVII menos escrupulosos e mais cínicos e traiçoeiros do que os dos tempos anteriores. Contudo, a "razão de Estado" pode encaixar na tendência geral para a análise intelectual das actividades humanas se fragmentar em disciplinas autónomas. A política deixara de ser um ramo especializado da ética religiosa. Todavia, as tendências do século XVII vão, mais uma vez, gerar sinais contraditórios. Nesse século, irão ser debatidas e publicadas algumas das obras de análise política mais abertamente pragmáticas. O *Leviatã*, de Thomas Hobbes, combina o absolutismo de um Bodin com a lógica dedutiva de um Descartes. Por outro lado, Robert Filmer produziu, em data tão tardia como 1680, uma teoria política baseada na suposta autoridade patriarcal "natural" de Adão e dos seus descendentes. Como quer que o problema seja encarado, parece claro que o século XVI colocou a questão de saber o que é a "soberania", e o século XVII despendeu muita energia a tentar responder a essa questão. No entanto, os reflexos práticos das mudanças teóricas podem ser muito pobres. Alguns dos governantes mais abertamente autoritários do século XVII, figuras como o imperador Fernando II ou, mais tarde, Luís XIV, prestariam uma atenção constante aos conselhos dos confessores espirituais e de outros guias religiosos. Ambos estavam perfeitamente preparados (em 1629 e 1685, respectivamente) para tomarem decisões políticas em contradição manifesta com os seus interesses materiais e pragmáticos, aparentemente sob a influência de considerações religiosas.

Por outro lado, os desenvolvimentos militares do século XVII são a óbvia extrapolação dos do século XVI. O tamanho dos exércitos, com a consequente importância dada às linhas de aprovisionamento, não deixou de crescer ao longo do século XVII. As batalhas entre forças compactas de soldados de infantaria exigiam uma condução assente na matemática, no cálculo e no treino. Quando estava em causa a posse de uma fortaleza importante (como nas fases finais da guerra dos Países Baixos, pela sua independência de Espanha), os cercos podiam ser extremamente prolongados, já que as fortificações eram efectivamente inexpugnáveis, face à artilharia existente. Algumas das convenções menos eficazes das guerras do século XVI foram reformadas por Maurício de Nassau e por Gustavo Adolfo da Suécia. As peças de artilharia foram adaptadas para serem usadas no campo de batalha, mais do que nos cercos.

Talvez a tendência que, de forma mais clara, atravessa toda a Idade Moderna seja a tendência para aqueles europeus que o podiam fazer gastarem, ao longo desse período, cada vez mais dinheiro em todo o tipo de bens e actividades. Os governos gastavam com as cortes, os exércitos, os edifícios, o pessoal administrativo, e em bens de consumo conspícuo. Indivíduos oriundos de um sector cada vez mais amplo da escala social gastavam dinheiro em roupas e livros, em casas e no seu mobiliário e equipamento. A quantidade de recursos disponíveis e de trabalho dedicados à decoração destes bens de consumo ia aumentando; a moda na decoração evoluía e mudava com crescente rapidez. A importância quantitativa dos bens de luxo importados de zonas longínquas do mundo (açúcar, especiarias, sedas) tende sempre a ser exagerada, por vezes por causa dos avisos dos moralistas. Em 1520, Martinho Lutero queixava-se de que:

mesmo que o Papa não tivesse roubado os alemães com as suas intoleráveis extorsões, ainda assim não teríamos mãos a medir com os nossos próprios ladrões, os mercadores de sedas e veludos. No que respeita a roupas, como vemos, cada um quer ser igual a cada outro, e o orgulho e a inveja despertam e crescem entre nós, como merecemos. Toda esta miséria, e muito mais, poderia ser evitada, se a nossa curiosidade permitisse só que fôssemos gratos, e satisfeitos com os bens que Deus nos deu.

Não há, contudo, qualquer dúvida de que mesmo estes artigos foram ganhando uma importância crescente no decurso do século XVII, a partir da escala relativamente pequena e orientada para a nobreza, mas ainda assim significativa, do comércio do século XVI.

Na esfera da "filosofia natural", aquilo a que mais tarde se chamaria "ciência", as relações e as linhas de filiação entre o século XVI e o século XVII são complexas e problemáticas. Num dado momento, os historiadores da ciência, inflexivelmente teleológicos, partiram do aparecimento de cosmologias mecânicas e matemáticas, na passagem do século XVI para o século XVII, para defender que a "filosofia mecânica" era a tendência realmente importante. No extremo oposto estavam o ocultismo, o esoterismo e a procura da "teologia antiga" nos textos herméticos ou cabalísticos. Demonstrou-se que todos esses pseudo-assuntos foram uma sequência de becos sem saída para o conhecimento europeu. Em tempos mais recentes, surgiu uma reacção contra esta investigação das causas a partir dos efeitos. Houve historiadores que mostraram, com grande engenho, (i) que muitos modos "ocultos" de pensar continham em si os germes do pensamento experimental, sobretudo naquilo a que mais tarde se chamaria as ciências da vida; e (ii) que muitos dos que aderiram à "filosofia mecânica" e nela participaram, de Johannes Kepler a Isaac Newton, tinham curiosidade em relação a outros modos de pensar mais esotéricos e especulativos. Alguns relativistas culturais, que sublinham a vitalidade contínua dos esforços especulativos no pensamento do fim do Renascimento, opõem-se à prioridade histórica tradicionalmente atribuída ao pensamento mecanicista por razões ideológicas: "científico" é "moderno" e, portanto, hegemónico e antiliberal. Nos piores casos, este modo de pensamento histórico pode descer até ao pós-modernismo superficial ou à polémica gratuita.

Contudo, também há aqui um ponto sério em questão. Os pensadores do período moderno não podiam saber que linhas de investigação iriam ter sucesso, por isso exploraram inevitavelmente muitas possibilidades, que hoje podem parecer curiosas. Não havia um modo óbvio de decidir se era mais adequado explicar as forças de coesão do universo pelo magnetismo ou pela gravidade. Em segundo lugar, os pensadores, a partir do Renascimento e da Reforma, avançavam às apalpadelas em direcção a uma nova epistemologia. Que critério permitiria considerar qualquer coisa como "verdadeira"? Na Idade Média, a verdade era definida principalmente pela autoridade (em especial, a autoridade das Escrituras) e pela "recta razão", que equivalia na prática às regras da lógica académica, incluindo o princípio da não-contradição. Lutero, no depoimento decisivo que prestou em Worms, em 1521, insistiu em que, para ser refutado, teriam de lhe demonstrar o seu erro «pelo testemunho das Escrituras ou da razão evidente». Ao longo do século XVI, algumas formas de autoridade textual entraram em declínio (como as de muitos teólogos e filósofos medievais), enquanto aumentava o ascendente de outras, como os textos recuperados e reconstituídos de autores da Antiguidade. Contudo, no meio de tudo isto, houve que encontrar um lugar adequado, na hierarquia do conhecimento, para os dados registados com precisão e para as experiências passíveis de repetição e verificação. Mesmo no fim do seu capítulo, Charles Nauert cita Francis Bacon, que recusa a filosofia grega, considerando-a «a infância do conhecimento, ... fértil nas controvérsias, mas estéril nas obras». Bacon escreveu no princípio do século XVII, mesmo no início do projecto de acumulação de conhecimentos descritivos protocientíficos, e foi um dos mais eficazes propagandistas desse movimento. No entanto, as suas peças de propaganda seriam quase inconcebíveis sem os êxitos dos cientistas descritivos do século XVI, Fuchs, Gesner ou Vesalius, na botânica, na zoologia e na anatomia. A descrição cuidadosa e meticulosa de dados encontrados num mundo estável, povoado por espécies claramente distintas, marca uma das mais importantes iniciativas que o século XVI legou ao século seguinte.

No campo da história do cristianismo, a transição do século XVI para o século XVII é, de certo modo, mais clara do que noutros campos. O período que vai de cerca de 1560 até à segunda metade do século XVII é conhecido por "idade confessional". Dependendo do ponto de vista teológico ou confessional de cada um, esse tempo pode ser entendido como a realização ou como a traição da Reforma. Se a Reforma e/ou a Contra-Reforma "restauraram" a correcta doutrina cristã, a era confessional levou à prática esses ensinamentos. Em contrapartida, se o que esteve em causa na era da Reforma foi a diversidade nas ideias e nas crenças, a liberdade individual de pensar e escrever os próprios pensamentos de acordo com os ditames da consciência, então a era confessional foi um desastre. A liberdade e a maioridade espirituais foram concedidas, pelo menos a alguns europeus, apenas para lhes serem de novo brutalmente retiradas. Ao mesmo tempo, alguns historiadores, sobretudo alemães, definiram a "confessionalização" como um programa de supervisão sistemática, moral e dogmática, da população do estado territorial, sob o comando de um príncipe comprometido no plano religioso, algo que pode ser observado tanto em estados protestantes como católicos. A liberdade espiritual não foi a única vítima da era confessional.

Estes retratos antitéticos de uma era são demasiado toscos. Em primeiro lugar, como já foi dito, não há nenhuma barreira clara que separe, quanto a propósitos e intenções, os primeiros e segundos reformadores das gerações subsequentes de teólogos voltados para a sistematização confessional. Permanecer para sempre no caos produtivo, excitante e arrebatado do início da década de 1520 nunca foi um plano ou uma opção. Os chefes religiosos do século XVI já estavam comprometidos com conceitos de "verdade", que não permitiam facilmente o pluralismo. O seu desacordo quanto ao que dizia de facto essa verdade era a sua desgraça, não o seu ideal. Em segundo lugar, mesmo na "era confessional", era perfeitamente possível que o caos arrebatado da década de 1520 irrompesse de novo, desde que reunidas as circunstâncias adequadas. Em Inglaterra, entre 1640 e 1660, a autoridade religiosa da Igreja nacional e do episcopado desmoronou-se, como ocorrera na Alemanha entre 1521 e 1525. As consequências foram exactamente as mesmas: aumento do número de publicações com todo o tipo de escritos polémicos; aparecimento de uma variedade de seitas exóticas e diversificadas; leigos, homens e mulheres, que escreviam e pregavam em todo o tipo de contextos antes considerados inadequados. Mais, esse processo teve o seu termo, em 1662, em toda a Inglaterra, com a mesma espécie de reacção "disciplinadora" que ocorrera na Alemanha a partir de 1525. Por último, e ainda mais importante, a vitória da "ortodoxia confessional" foi sempre uma vitória parcial. Nenhuma confissão conseguiu eliminar as rivais. Mesmo os desenvolvimentos mais frágeis e aparentemente indefesos, como os menonitas e os huteritas, agarraram-se à vida. Os príncipes acabaram por renunciar às suas tentativas de compelir os seus súbditos a submeterem-se às escolhas dos governantes em questões de fé. E já que Deus Todo-Poderoso parecia disposto a permitir que se mantivesse e mesmo que se desenvolvesse mais do que um modo incompatível de cristianismo, cada vez se tornou mais admissível pensar a possibilidade de, ao fim e ao cabo, poder haver mais do que uma fé verdadeira. Em 1699, o pietista luterano Gottfried Arnold podia mesmo escrever:

> A Igreja universal invisível (...) não está ligada a nenhuma sociedade visível específica, antes está espalhada e distribuída por todo o mundo, entre todos os povos e congregações. (...) É, por isso, muito difícil dizer a que congregação eclesiástica externa se deve dar o nome de Igreja verdadeira.

Deviam tomar nota disto aqueles que, no início do século XXI, mantêm na Internet páginas que exaltam como única religião pura o calvinismo, o luteranismo ortodoxo ou o catolicismo tridentino.

O estudo, feito por David Brading, da história dos contactos dos europeus com o resto do mundo, no século XVI, demonstrou ser surpreendentemente premonitório em relação a alguns desenvolvimentos posteriores. O século XVI não foi apenas uma idade de descobrimentos e de encontro com o desconhecido: foi uma idade de exploração comercial e de expansão imperial. Houve evidentemente alguma ingenuidade económica na primeira fase deste desenvolvimento. A concentração na importação de "tesouros" da América, grandes quantidades de lingotes de ouro e prata, economicamente não fazia sentido a longo prazo, mesmo que as suas consequências inflacionárias tenham sido exageradas. No entanto, o império espanhol não estava sozinho nesta loucura: Walter Ralegh, exaltando, no seu panfleto de 1596, as virtudes do seu «vasto, rico e belo império da Guiana», em boa medida imaginário, previa o estabelecimento de uma "Casa da Contratação" inglesa, à imagem da de Sevilha, para registar a chegada a Inglaterra dos carregamentos de tesouros da América do Sul.

Seria errado opor o século XVI, como era de pilhagem de tesouros, ao século XVII, como uma idade de plantações e de comércio. As frotas espanholas dos tesouros continuaram a navegar ao longo do século XVII, enquanto os ingleses e holandeses embarcavam, a partir de 1600, na mesma mistura de empreendimentos coloniais a que os seus rivais hispânicos se tinham dedicado no século precedente. Reproduziam comunidades europeias do outro lado do oceano; comerciavam produtos de luxo com povos exóticos; estabeleciam plantações, baseadas na exploração de trabalho forçado ou escravo, para abastecerem com matérias-primas os mercados domésticos. Em tudo isto, as potências europeias descobriram um aspecto peculiar da posse de colónias muito para lá do horizonte. Era possível travar entre si guerras coloniais menores, num nível de intensidade suficientemente baixo para não afectar necessariamente as relações entre as metrópoles na Europa.

De um modo ou de outro, cada período histórico levanta questões, a que os períodos subsequentes têm de tentar responder. No entanto, este lugar-comum aplica-se às relações entre o século XVI e o século XVII com mais pertinência do que é habitual. O século XVI foi, como ficou sugerido mais atrás, uma idade de ajustamento rápido e doloroso a incertezas e dilemas antes impensáveis. Uma expansão económica inexplicada e traumática pôs à prova, até à destruição, as tradições da vida agrícola e comercial. A "soberania" política deixou de estar confinada à convenção medieval das hierarquias paralelas da Igreja e do Império. A síntese escolástica da metafísica e da filosofia natural perdeu a exclusividade no seu apelo à fidelidade dos intelectuais, tanto na esfera intelectual como religiosa. Tornou-se cada vez mais claro que, nalgumas áreas, havia que abandonar a autoridade dos antigos. Acima de tudo, os europeus já não conseguiam estar seguros quanto à maneira de se aproximarem do Criador, em que a vasta maioria parece ter acreditado. Dois sistemas em conflito e competição, o da purificação sacramental e o da justificação imputada pela fé, incorporaram-se nas estruturas da Igreja e da sociedade. Por fim, os europeus tiveram de enfrentar a oportunidade e o desafio apresentados por todo um vasto mundo de continentes e de povos. A única maneira de defender a perspectiva europeia como a única válida era, ao que parecia, impor essa perspectiva com carácter normativo a todos os povos do mundo que os europeus pudessem descobrir e dominar. Por isso, o século XVII teve de se esforçar por descobrir novas respostas a estes desafios. Como seria de prever, algum desse esforço consistiu em procurar um maior controlo, para tentar disciplinar, regular, codificar e sistematizar essas respostas. Em contrapartida, e como era inevitável, essas tentativas de controlar a insubmissa confusão dos assuntos humanos levantaram novos desafios e trouxeram novas perturbações ao sentimento dos povos da Europa quanto ao seu lugar no mundo. Desta luta emergiriam as transformações tumultuosas e imprevisíveis da Época "Moderna".

Bibliografia

1. A Economia: Tom Scott

A economia da Europa no século XVI não pode ser analisada isoladamente como uma entidade autónoma. Mudanças profundas no fim da Idade Média, num período precipitadamente considerado de crise económica, influenciaram a economia do século XVI, que por sua vez marcou de forma decisiva os desenvolvimentos nos séculos seguintes. Por conseguinte, são poucos os trabalhos dedicados apenas ao século XVI.

Muito superior a qualquer outra investigação recente é a obra de Robert S. DuPlessis, *Transitions to Capitalism in Early Modern Europe* (Cambridge, 1997), que, a despeito do título, é adequadamente prudente e não vê a mão do capitalismo em todo o lado e a toda a hora. Contém também uma bibliografia anotada abrangente. DuPlessis, de forma controversa, mas correcta, quase prescinde de tabelas, gráficos e números, em marcado contraste com a anterior obra de referência de Peter Kriedte, *Peasants, Landlords and Merchant Capitalists: Europe and the World Economy, 1500-1800,* trad. de Volker R. Berghahn (Leamingston Spa, 1983), que está saturada de material estatístico, muitas vezes apresentado de forma descuidada e confusa. Ao tentar reconciliar a abordagem marxista da economia moderna com a abordagem neoclássica, Kriedte abriu na altura novas perspectivas, e as suas ideias permanecem conceptualmente válidas. A obra de Kriedte foi colocada no seu contexto numa importante recensão historiográfica de William W. Hagen, "Capitalism and the Countryside in Early Modern Europe: Interpretations, Models, Debates", *Agricultural History,* 62 (1988), 13-47. Peter Musgrave, em *The Early Modern European Economy* (Houndmills e Nova Iorque, 1999), oferece uma tentativa recente de repensar as hipóteses fundamentais que subjazem tanto às abordagens marxistas como às não marxistas. Concebido para ser estimulantemente polémico, o livro, apesar do seu carácter repetitivo, sofre de falta de detalhes, e pode ser acusado de exagero e de relutância em identificar com precisão quem ou que interpretações pretende denunciar. Um trabalho muito mais antigo, de Hermann Kellenbenz, *The Rise of the European Economy: An Economic History of Continental Europe 1500-1750,* trad. de Gerhard Benecke (Londres, 1976), sempre foi deficiente no plano teórico, mas continua a poder ser explorado para obtenção de informação factual, sobretudo sobre os territórios alemães. Os leitores podem também recorrer aos volumes pertinentes de *The Cambridge Economic History of Europe,* mas o vol. IV, *The Economy of Expanding Europe in the Sixteenth and Seventeenth Centuries,* ed. E. E. Rich e C. H. Wilson (Cambridge, 1967), e o vol. V, *The Economic Organization of Early Modern Europe,* ed. E. E. Rich e C. H. Wilson (Cambridge, 1977), necessitam de uma revisão substancial. Mais útil hoje em dia será o *Handbook of European History 1400-1600: Late Middle Ages, Renaissance and Reformation,* vol. I,

Structures and Assertions, ed. Thomas A. Brady, Jr., Heiko A. Oberman e James D. Tracy (Leiden, 1994), sobretudo as contribuições de Bartolomé Yun, John H. Munro, James D. Tracy e Jan de Vries.

Sobre a emergência de uma "economia-mundo" a partir do século XVI, veja-se Immanuel Wallerstein, *The Modern World-System,* vol I, *Capitalist Agriculture and the Origins of the European World-Economy in the Sixteenth Century* (Nova Iorque, 1974) e *The Modern World-System,* vol. II, *Mercantilism and the Consolidation of the European World-Economy, 1600-1750* (Nova Iorque, 1980), uma obra refém da sua própria arquitectura. Apesar de conter algumas ideias úteis, a análise sofre de um conhecimento pouco adequado da Europa de Leste e Centro-Leste. Essencialmente, representa a projecção numa tela global do célebre estudo de Fernand Braudel sobre o mundo mediterrânico no século XVI, *The Mediterranean and the Mediterranean World in the Age of Philip II,* 2 vols., trad. de Siân Reynolds (Londres, 1972-1973). Para alguns círculos, criticar esta obra equivale a blasfemar, mas trata-se de um empreendimento espantosamente desigual. A obra, extensa e prolixa, aguenta-se pela sensibilidade, em relação à geografia histórica e económica, que caracterizava todos os membros da escola dos *Annales,* mas mantém a tese de que o Novo Mundo teve um impacto económico significativo na Europa continental ao longo do século XVI. A obra de Braudel *Capitalism and Material Life, 1400-1800,* trad. de Miriam Kochan (Londres, 1973), é fraca do ponto de vista da análise teórica da economia capitalista e pobre em detalhes empíricos. Foi reeditada, numa tradução revista e com um novo título, *The Structures of Everyday Life: The Limits of the Possible,* como vol. I de *Civilization and Capitalism,* 3 vols., trad. de Siân Reynolds (Londres e Nova Iorque, 1982). No seu conjunto, os volumes apresentam os mesmos pontos fortes e os mesmos pontos fracos do estudo de Braudel sobre o mundo mediterrânico. A narrativa clássica da supremacia económica da Europa do Noroeste, de Ralph Davis, *The Rise of the Atlantic Economies* (Londres, 1973), continua estimulante, ainda que a sua agenda tenha vindo a ser posta em questão, sobretudo pela brilhante demolição do carácter excepcional do caso europeu (ainda que tratando sobretudo do período a seguir ao século XVI) em Kenneth Pomeranz, *The Great Divergence: China, Europe, and the Making of the Modern World Economy* (Princeton e Oxford, 2000).

Não é este o lugar para apresentar uma lista detalhada de obras sobre a chamada crise económica do fim da Idade Média, mas é aí que se situam os fundamentos do debate sobre a transformação capitalista, iniciado por Robert Brenner. As contribuições estão reunidas em T. H. Aston e C. H. E. Philpin (eds.), *The Brenner Debate: Agrarian Class Structure and Economic Development in Pre-Industrial Europe* (Cambridge, 1985). Durante décadas o debate esmoreceu, mas foi recentemente reavivado por uma importante colecção de ensaios sobre a economia dos Países Baixos, de Peter Hoppenbrouwers e Jan Luiten van Zanden (eds.), *Peasants into Farmers? The Transformation of Rural Economy and Society in the Low Countries (Middle Ages-19th Century) in Light of the Brenner Debate* (Turnhout, 2001). Alguns dos colaboradores combinam uma grande densidade de detalhes empíricos com uma reflexão teórica ambiciosa; o extenso ensaio final de Robert Brenner representa uma clara viragem em relação aos argumentos que apresentara em 1975. Quatro outras colectâneas de ensaios de grande alcance sobre aspectos específicos da economia europeia são: Maarten Prak (ed.), *Early Modern Capitalism. Economic and Social Change in Europe, 1400-1800* (Londres, 2001); S. R. Epstein (ed.), *Town and Country in Europe, 1300-1800* (Cambridge, 2001); Tom Scott (ed.), *The Peasantries of Europe from the Fourteenth to the Eighteenth Centuries* (Londres e Nova Iorque, 1998); e Sheilagh Ogilvie e Markus Cerman (eds.), *European Proto-Industrialization* (Cambridge, 1996). A esta última pode acrescentar-se a útil investigação de Myron Gutmann, *Towards the Modern Economy: Early Industry in Europe, 1500-1800* (Filadélfia, 1988). Em relação à questão da urbanização, ver Jan de Vries, *European Urbanization 1500-1800* (Londres, 1984), que recorre a uma análise econométrica sofisticada. Em contrapartida, o estudo recente de David Nicholas, *Urban Europe, 1100-1700* (Houndmills e Nova Iorque, 2003), não necessita que o leitor exigente nele se detenha. Sobre os mercados e o quadro institucional do desenvolvimento económico, ver o sugestivo estudo de S. R. Epstein, *Freedom and Growth: The Rise of States and Markets in Europe, 1300-1750* (Londres e Nova Iorque, 2000).

Preços, salários e ciclos económicos seculares são debatidos em duas obras fundamentais: B. H. Slicher van Bath, *The Agrarian History of Western Europe A.D. 500-1850*, trad. de Olive Ordish (Londres, 1963), e Wilhelm Abel, *Agricultural Fluctuations in Europe from the Thirteenth to the Twentieth Centuries,* trad. de Olive Ordish da 3ª ed. alemã, de 1978, (Londres, 1980). Trata-se, no entanto, de duas obras já antigas, que devem ser complementadas por dois artigos recentes de Robert C. Allen: "The Great Divergence in European Wages and Prices from the Middle Ages to the First World War", *Explorations in Economic History*, 38 (2001), 411-447; e "Economic Structure and Agricultural Productivity in Europe, 1300-1800", *European Review of Economic History*, 4 (2000), 1-25. Sobre as mudanças climáticas, ver o estudo inovador de Christian Pfister, "The Little Ice Age: Thermal and Wetness Indices for Central Europe", *Journal of Interdisciplinary History*, 10 (1980), 665-696, e a investigação mais geral de J. M. Grove, *The Little Ice Age* (Londres, 1988).

Sobre a Europa de Leste, ver Daniel Chirot (ed.), *The Origins of Backwardness in Eastern Europe: Economics and Politics from the Middle Ages until the Early Twentieth Century* (Berkeley, 1989), de qualidade desigual, mas com ensaios importantes de Robert Brenner e Jacek Kochanowicz. É um complemento para a colectânea anterior de Antoni Mączak, Henryk Samsonowicz e Peter Burke (eds.), *East–Central Europe in Transition from the Fourteenth to the Seventeenth Century* (Cambridge e Paris, 1985), onde os ensaios de Leonid Żytkowicz, Marian Małowist e Jerzy Topolski merecem particular destaque (ainda que a informação estatística deva ser tratada com grande cautela). As espinhosas questões que envolvem a chamada "segunda servidão" nas regiões a leste do Elba não estão facilmente acessíveis a quem não ler alemão ou

polaco, mas são debatidas em Tom Scott, *Society and Economy in Germany,*
1300-1600 (Houndmills e Nova Iorque, 2002), cap. 6, e em William W. Hagen,
Ordinary Prussians: Brandenburg Junkers and Villagers, 1500-1840 (Cambridge,
2002). Em relação à Polónia, a análise neomarxista de Witold Kula, *An Eco-*
nomic Theory of the Feudal System: Towards a Model of the Polish Economy
1500-1800, trad. de Lawrence Garner (Londres, 1976), é densa e peca pela insistência na importância primordial dos mercados de exportação.

Em relação à Alemanha Ocidental, ver Tom Scott, *Society and Economy in*
Germany, 1300-1600 (Houndmills e Nova Iorque, 2002), e os ensaios reunidos
em Bob Scribner (ed.), *Germany: A New Social and Economic History,* 1º vol,
1450-1630 (Londres, 1996). Dos poucos estudos de âmbito regional disponíveis
em inglês, ver, para a zona de Hohenlohe, a notável monografia de Thomas
Robisheaux, *Rural Society and the Search for Order in Early Modern Germany*
(Cambridge, 1989); para a Baviera, o importante estudo revisionista de Go-
vind P. Sreenivasan, *The Peasants of Ottobeuren, 1487-1726: A Rural Society in*
Early Modern Europe (Cambridge, 2004); e para o Alto Reno, Tom Scott, *Frei-*
burg and the Breisgau: Town–Country Relations in the Age of Reformation and
Peasants' War (Oxford, 1986), e *Regional Identity and Economic Change: The*
Upper Rhine, 1450-1600 (Oxford, 1997). *Capitalism, the State and the Lutheran*
Reformation: Sixteenth-Century Hesse (Athens, Ohio, 1988), de William J. Wri-
ght, é um estudo um tanto excêntrico e pouco convincente. Sobre os Fuggers,
ver Richard Ehrenberg, *Capital and Finance in the Age of the Renaissance: A*
Study of the Fuggers and their Connections, trad. de H. M. Lucas (Nova Iorque,
1963)—a reedição mais recente de uma obra cuja primeira edição em inglês
data de 1896! Para Augsburgo, ver Martha White Paas, *Population Change, La-*
bor Supply, and Agriculture in Augsburg, 1480-1618: A Study of Early Demogra-
phic–Economic Interactions (Nova Iorque, 1981), com uma perspectiva sobre a
divisibilidade das explorações agrícolas camponesas no Leste da Suábia, que
permanece controversa. Para Nuremberga, ver Wolfgang von Stromer, "Com-
mercial Policy and Economic Conjuncture in Nuremberg at the Close of the
Middle Ages: A Model of Economic Policy", *Journal of European Economic*
History, 10 (1980), 119-129. O melhor estudo sobre a Liga Hanseática continua
a ser o de Philippe Hollinger, *The German Hansa,* trad. de D. S. Ault e S. H.
Steinberg (Londres, 1970), que foi reeditado com uma introdução de Mark
Casson (Londres e Nova Iorque, 1999). Há também um estudo sobre a Alema-
nha de Leste, profusamente ilustrado, de Johannes Schildhauer, *The Hansa:*
History and Culture, trad. de Katherine Vanovitch (Leipzig, 1985).

Os Países Baixos podem gabar-se de possuir uma vasta historiografia, embora, até ao aparecimento da obra de Hoppenbrouwers e van Zanden referida
atrás, tenha havido, compreensivelmente, uma tendência para os historiadores
belgas se concentrarem na eflorescência da Flandres e do Brabante na Idade
Média, e os historiadores holandeses na conquista, por parte dos Países Baixos
do Norte, da supremacia mercantil na Idade Moderna. No que se refere ao
Sul, ver os importantes ensaios de John H. Munro, *Textiles, Towns and Trade:*

Essays in the Economic History of Late-Medieval England and the Low Countries (Aldershot, 1984), e a comparação entre a Flandres e o Norte de Itália em Herman van der Wee (ed.), *The Rise and Decline of Urban Industries in Italy and the Low Countries: Late Middle Ages—Early Modern Times* (Lovaina, 1988). Sobre a produção têxtil em geral, ver Marc Boone e Walter Prevenier (org.), *Drapery Production in the Late Medieval Low Countries: Markets and Strategies for Survival (14th-16th Centuries)* (Lovaina e Apeldoorn, 1993). Sobre "nieuwe draperie", ver o extraordinário ensaio de Robert S. DuPlessis, "One Theory, Two Draperies, Three Provinces, and a Multitude of Fabrics: The New Drapery of French Flanders, Hainaut, and the Tournaisis, *c.*1500—*c.*1800", em N. B. Harte (ed.), *The New Draperies in the Low Countries and England, 1300-1800* (Oxford, 1997), 129-172. Sobre Antuérpia, o estudo clássico continua a ser o de Herman van der Wee, *The Growth of the Antwerp Market and the European Economy, Fourteenth—Sixteenth Centuries,* 3 vols. (Haia [impresso em Lovaina], 1963). O mais recente trabalho de investigação sobre o Norte é de Jan de Vries e Adriaan van der Woude, *The First Modern Economy: Success, Failure, and Perseverance of the Dutch Economy, 1500-1815* (Cambridge, 1997). Ver também Karel Davids e Leo Noordegraaf (eds.), *The Dutch Economy in the Golden Age: Nine Studies* (Amesterdão, 1993). Sobre a economia rural do Norte, ver Jan de Vries, *The Dutch Rural Economy in the Golden Age 1500-1700* (New Haven e Londres, 1974), um trabalho brilhante, que foi posto em questão, mas não foi refutado (ver de Vries na obra de Hoppenbrouwers e van Zanden referida atrás), e que, passados trinta anos, continua a ser um clássico, como também o é, mais de cinquenta anos depois, Violet Barbour, *Capitalism in Amsterdam in the Seventeenth Century* (Baltimore, Maryland, 1950). Estudos mais recentes sobre o capitalismo holandês incluem Jan Luiten van Zanden, *The Rise and Decline of Holland's Economy: Merchant Capitalism and the Labour Market* (Manchester, 1993), os ensaios contidos em Maurice Aymard (ed.), *Dutch Capitalism and World Capitalism* (Cambridge e Paris, 1982), e, entre as suas muitas monografias de grande qualidade, Jonathan Israel, *Dutch Primacy in World Trade, 1585—1740* (Oxford, 1989). Sobre o tema do crédito, ver o estudo inovador de James D. Tracy, *A Financial Revolution in the Habsburg Netherlands: "Renten" and "Renteniers" in the County of Holland, 1515-1565* (Berkeley e Los Angeles, 1985), e o estudo mais especializado de Marjolein 't Hart, *The Making of a Bourgeois State: War, Politics and Finance during the Dutch Revolt* (Manchester, 1993).

Não faltam estudos em inglês sobre a economia francesa a partir de 1600, mas o século XVI continua em grande medida *terra incognita* para quem não saiba francês. Sobre o campesinato e a economia rural, ver Emmanuel Le Roy Ladurie, *The French Peasantry 1450-1660*, trad. de Alan Sheridan (Aldershot, 1987), e a útil e recente investigação de Philip T. Hoffman, *Growth in a Traditional Society: The French Countryside 1450-1815* (Princeton, 1996). Há ainda a acrescentar o estudo local de grande alcance, de Jonathan Dewald, *Pont-St--Pierre 1398-1789: Lordship, Community and Capitalism in Early Modern France*

(Berkeley, Califórnia, 1987). O estudo de Guy Bois sobre a Normandia no fim da Idade Média, *The Crisis of Feudalism: Economy and Society in Eastern Normandy c. 1300-1550*, trad. anónima (Cambridge e Paris, 1984), escrito de uma perspectiva marxista não ortodoxa, insere uma investigação local exaustiva no quadro de uma reflexão teórica de grande alcance. Infelizmente, as suas observações sobre o século XVI não são nada certeiras e, de facto, abandona-as no seu recente regresso ao tema (em francês), *La Grande Dépression médiévale: XIVe et XVe siècles. Le Précédent d'une crise systémique* (Paris, 2000). Sobre a indústria, urbana e rural, não há praticamente nada, para além de Gaston Zeller, "Industry in France before Colbert", em Rondo Cameron (ed.), *Essays in French Economic History* (Homewood, Illinois, 1970), e do estudo comparativo, já muito antigo, de John U. Nef, *Industry and Government in France and England, 1540-1640* (Philadelphia, 1940), que não passa de um ensaio aumentado.

A história económica espanhola deste período está mais bem servida, mas sobretudo por monografias, faltando visões de conjunto. Um excelente ponto de partida é Teófilo F. Ruiz, *Crisis and Continuity: Land and Town in Late Medieval Castile* (Filadélfia, 1994), que compõe o cenário para os debates sobre a grandeza e o declínio de Castela nos séculos XVI e XVII. No outro extremo do espectro, a colectânea de I. A. A. Thompson e Bartolomé Yun Casalilla (eds.), *The Castilian Crisis of the Seventeenth Century: New Perspectives on the Economic and Social History of Seventeenth-Century Spain* (Cambridge, 1994), é muito esclarecedora em relação ao século XVI e introduz algumas correcções ao notável estudo de David Vassberg, *Land and Society in Golden Age Castile* (Cambridge, 1984). Sobre a *Mesta* e o comércio da lã, ver Carla Rahn Phillips e William Phillips Jr., *Spain's Golden Fleece: Wool Production and the Wool Trade from the Middle Ages to the Nineteenth Century* (Baltimore e Londres, 1997). Sobre as relações cidade-campo, ver o estudo especializado de David Reher, *Town and Country in Pre-Industrial Spain: Cuenca, 1550-1870* (Cambridge, 1990). Há também um estudo detalhado sobre a ascensão de Madrid em David R. Ringrose, *Madrid and the Spanish Economy (1560-1860)* (Berkeley, Califórnia, 1983). O manual de Antonio Dominguez Ortiz, *The Golden Age of Spain 1516-1659*, trad. de James Casey (Londres, 1971) contém mais informação económica do que aquilo que é habitual nesse tipo de obras.

No caso da Itália, conhecer os desenvolvimentos do fim da Idade Média é crucial para o entendimento da sua economia no século XVI. A monografia de Stephan R. Epstein, *An Island for Itself: Economic Development and Social Change in Late Medieval Sicily* (Cambridge, 1992) vai muito além do que sugere o título, pondo completamente em questão a noção de "atraso" do Sul da Itália e incluindo reflexões sobre o século XVI. Pode ser complementada pelo principal artigo de Epstein, "Cities, Regions and the Late Medieval Crisis: Sicily and Tuscany Compared", *Past and Present*, 130 (1991) 3-50. Frank McArdle dá-nos um estudo de caso especializado sobre a Toscana rural em *Altopascio: A Study in Tuscan Rural Society, 1587-1784* (Cambridge, 1978). Ver também, no mesmo contexto, John A. Marino, *Pastoral Economics in the Kingdom of Naples* (Baltimore e Londres, 1988), que se debruça sobre a Dogana. Sobre a indústria rural, ver Carlo Marco Belfanti, "Rural Manufactures and Rural Proto-Industries in the 'Italy of the Cities' from the Sixteenth through the Eighteenth Century", *Continuity and Change*, 8 (1993), 253-80. Sobre uma indústria em particular, ver Maureen Mazzaoui, *The Italian Cotton Industry in the Late Middle Ages, 1100-1600* (Cambridge, 1981). Sobre a vida urbana, ver Richard Mackenney, *Tradesmen and Traders: The World of the Guilds in Venice and Europe, c.1250–c.1650* (Londres, 1987), e, em relação a Veneza, Brian Pullan (ed.), *Crisis and Change in the Venetian Economy in the Sixteenth and Seventeenth Centuries* (Londres, 1968). Vários estudos de Raymond De Roover sobre crédito e banca estão reunidos em Julius Kirshner (ed.), *Business, Banking and Economic Thought in Late Medieval and Early Modern Europe: Selected Studies of Raymond De Roover*, (Chicago e Londres, 1974).

É vasta a literatura existente sobre a Inglaterra Moderna, e só pode ser aqui apresentada uma pequena selecção de títulos, excluindo quase todos os estudos de âmbito regional ou local. No campo da investigação sobre o desenvolvimento da agricultura, a obra mais conveniente continua a ser a de Joan Thirsk (ed.) *The Agrarian History of England and Wales, IV: 1500-1640* (Londres: Cambridge University Press, 1967). Mais recente é a ambiciosa investigação de Mark Overton, *Agricultural Revolution in England: The Transformation of the Agrarian Economy 1500-1850* (Cambridge, 1996). Sobre as *enclosures*, ver duas pespectivas contrastantes: uma revisionista, de Robert C. Allen, *Enclosure and the Yeoman: The Agricultural Development of the South Midlands 1450-1850* (Oxford, 1992), e a outra tradicionalista, de James A. Yelling, *Common Field and Enclosure in England, 1450-1850* (Londres, 1977). Sobre os problemas agrários em geral, ver os pontos de vista, por vezes controversos, de Eric Kerridge, *Agrarian Problems in the Sixteenth Century and After* (Londres, 1969), que sublinha a importância das mudanças tecnológicas. Sobre o desenvolvimento da agricultura capitalista, ver Richard W. Hoyle, "Tenure and the Land Market in Early Modern England: or a Late Contribution to the Brenner Debate", *Economic History Review*, 2ª série, 43 (1990), 1-20, e um estudo muito importante sobre a região de East Anglia, de Jane Whittle, *The Development of Agrarian Capitalism: Land and Labour in Norfolk, 1440-1580* (Oxford, 2000). G. E. Chambers, *The Gentry: The Rise and Fall of a Ruling Class* (Londres, 1976), trata do tema da pequena nobreza, e Peter Coss, *The Origins of the English Gentry* (Cambridge, 2003), das suas origens no fim da Idade Média. D. C. Coleman, *Industry in Tudor and Stuart England* (Londres, 1975), e G. D. Ramsay, *The English Woollen Industry, 1500-1750* (Londres, 1982), são estudos de conjunto sobre o tema da indústria, a que hoje se acrescentam os estudos de âmbito regional de Michael Zell, *Industry in the Countryside: Wealden Society in the Sixteenth Century* (Cambridge, 1994), e David Rollison, *The Local Origins of Modern Society: Gloucestershire 1500-1800* (Londres, 1992). O clássico artigo de Joan Thirsk, "Industries in the Countryside", em F. J. Fisher (ed.),

Essays in the Economic and Social History of Tudor and Stuart England (Cambridge, 1961), 70-88, trata das indústrias rurais numa perspectiva mais geral. No que se refere a indústrias específicas, ver, sobre o carvão, John Hatcher, *The History of the British Coal Industry, I: Before 1700: Towards the Age of Coal* (Oxford, 1993); sobre o estanho, do mesmo autor, *English Tin Production and Trade before 1550* (Oxford, 1973); sobre o vidro, Eleanor Godfrey, *The Development of English Glassmaking 1560-1640* (Chapel Hill, Carolina do Norte, 1975). Sobre o aparecimento de indústrias voltadas para uma sociedade de consumo, ver Joan Thirsk, *Economic Policy and Projects: The Development of a Consumer Society in Early Modern England* (Oxford, 1978). A questão monetária é tratada em J. D. Gould, *The Great Debasement: Currency and the Economy in Mid--Tudor England* (Oxford, 1970), e a inflação no opúsculo de R. B. Outhwaite, *Inflation in Tudor and Early Stuart England*, 2ª ed. (Londres, 1982).

Por fim, num quadro europeu, há vários estudos sobre sectores específicos da economia. Sobre o comércio de gado, ver o exaustivo balanço de Ian Blanchard, "The Continental European Cattle Trade, 1400-1600", *Economic History Review*, 2ª série, 39 (1986), 427-460. É deprimente o panorama dos estudos em inglês sobre a indústria mineira; a excepção é Ian Blanchard, *International Lead Production and Trade in the "Age of the Saigerprozess" 1450-1560* (*Zeitschrift für Unternehmensgeschichte*, supl. 85; Estugarda, 1995), que também contém informação vital sobre a produção de prata. Para o ferro, ver, em Hermann Kellenbenz (ed.), *Schwerpunkte der Eisengewinnung und Eisenverarbeitung in Europa 1500-1650* (Colónia e Viena, 1974), os ensaios em inglês de D. W. Crossley, "The English Iron Industry 1500-1650: The Problem of New Techniques", 17-34, e Domenico Sella, "The Iron Industry in Italy, 1500-1650", 91-105; e ainda Milan Myška, "Pre-Industrial Iron-Making in the Czech Lands: The Labour Force and Production Relations *circa* 1350–*circa* 1840", *Past and Present*, 82 (1979), 44-72. As dificuldades da economia e da sociedade europeia no fim do século XVI são analisadas em Peter Clark (ed.), *The European Crisis of the 1590s: Essays in Comparative History* (Londres, 1985).

2. A Política e a Guerra: Mark Greengrass

O capítulo 2 pressupõe alguma compreensão básica dos acontecimentos políticos da Europa no século XVI. No entanto, há várias décadas que não se vêem, na historiografia anglo-saxónica, histórias políticas gerais da Europa, pelo que há, nesta última década, um número relativamente restrito de livros que sirvam com rigor aquele propósito. *The European Dynastic States, 1494-1660* (Oxford, 1991), de Richard Bonney, é o trabalho mais recente e acessível, ainda que cubra um período mais amplo do que o que é tratado no capítulo. Refere outros trabalhos anteriores, disponíveis em inglês, na página 572, na bibliografia.

Sobre as principais entidades políticas da Europa, individualmente consideradas, são relativamente abundantes as possibilidades de escolha de sínteses históricas acessíveis, com uma boa narração dos desenvolvimentos políticos que ocorreram no âmbito considerado. Sobre o império espanhol, dois textos clássicos apareceram ao mesmo tempo, há mais de quarenta anos, e continuam a prestar um bom serviço: J. H. Elliott, *Imperial Spain, 1469-1716* (Londres, 1963), e Henry Kamen, *Spain, 1469-1714: A Society of Conflict* (Londres, 1983). Para este capítulo, no entanto, o tema da obra de Henry Kamen, *Spain's Road to Empire: How Spain Became a World Power, 1492-1763* (Londres, 2002), é mais pertinente e inspirador. Sobre a França dos Valois, *The Rise and Fall of Renaissance France, 1483-1610*, 2ª ed. (Oxford, 2001), de R. J. Knecht, é uma obra penetrante, sobretudo no que se refere aos laços existentes entre os desenvolvimentos políticos e culturais. J. H. M. Salmon, *Society in Crisis: France in the Sixteenth Century* (Londres, 1975), sublinha a ideia de que as crises políticas do fim do século XVI, em França, tinham raízes sociais e políticas mais fundas na forma de governo do estado francês. Michael Hughes, *Early-Modern Germany 1477-1806* (Londres e Basingstoke, 1992), fornece uma visão de conjunto dos territórios alemães, que inclui o século XVI, mas Peter F. Wilson, *The Holy Roman Empire, 1495-1800* (Nova Iorque, 1999), é mais útil, no que diz respeito aos desenvolvimentos institucionais e políticos. *God's Playground: A History of Poland*, 2 vols. (Oxford, 1984), de Norman Davies, é a história política de referência do condomínio polaco-lituano, ainda que *The Polish-Lithuanian State, 1386-1795* (Seattle, 2001), de Daniel Stone, seja uma visão de conjunto mais recente e com mais informação. Sobre o papado como organização política, John A. F. Thomson, *Popes and Princes, 1416-1517* (Londres e Boston, 1980), fornece uma descrição genérica, e Paulo Prodi, *The Papal Prince: One Body and Two Souls* (Cambridge, 1987), examina as ambiguidades do vigário de Deus na sua qualidade de monarca eleito de um principado secular. Sobre a Inglaterra, Perry Williams, *The Tudor Regime* (Oxford, 1979), fornece uma análise política, solidamente ancorada nas suas instituições. Sobre a Escócia, *Court, Kirk and Community: Scotland, 1470-1625* (Londres, 1981), de Jenny Wormald, é um excelente estudo de história política, de grande alcance.

Em relação às entidades europeias politicamente mais fragmentadas, é mais desigual o panorama do material disponível em inglês. Anton Schindling e Walter Ziegler (eds.), *Die Territorien des Reichs im Zeitalter der Reformation und Konfessionalisierung: Land und Konfession, 1500-1650*, 7 vols. (Münster, 1989-1997), é um exemplo daquilo que está hoje inacessível em inglês e que dificilmente se encontrará na obra mais antiga de F. L. Carsten, *Princes and Parliaments in Germany, from the Fifteenth to the Eighteenth Century* (Oxford, 1959). Sobre a península italiana, Eric Cochrane, *Italy, 1530-1630* (Nova Iorque e Londres, 1988), disponibiliza uma síntese proveitosa sobre entidades políticas individuais, com úteis bibliografias. *The Government of Sicily under Philip II of Spain: A Study in the Practice of Empire* (Londres, 1951), de Helmut G. Koenigsberger, continua a ser um estudo de caso, de grande qualidade, sobre o tema da tutela imperial informal. *The City State, 1500-1700: Republican Liberty in an Age of Princely Power* (Londres, 1989), de Richard Mackenney, é um útil estudo comparativo de cidades-estado, cuja qualidade é particularmente elevada no tratamento dos desenvolvimentos do século XVI. James D. Tracy, *Holland under Habsburg Rule: The Formation of a Body Politic* (Berkeley, Califórnia, 1990), fornece uma visão de conjunto, muito necessária, dos desenvolvimentos políticos ocorridos nos Países Baixos na primeira metade do século XVI. Sobre a Hungria, Istvan G. Tóth, *History of Hungary* (Budapeste, 2005), obra recentemente traduzida, reúne vários historiadores para comparar os desenvolvimentos políticos na Hungria com os de outras partes da Europa Central.

Em relação às instituições políticas e às elites, deveríamos começar pelas cortes da Europa, tema onde os estudos comparativos se mostram especialmente fortes. A. G. Dickens (ed.), *The Courts of Europe: Politics, Patronage and Royalty, 1400-1800* (Londres, 1977), proporciona um ponto de partida bem documentado. Ronald G. Asch e A. M. Birke (eds.), *Princes, Patronage and the Nobility: The Court at the Beginning of the Modern Age* (Londres e Oxford, 1991), é um informativo conjunto de ensaios com uma excelente introdução. Gianvittorio Signoroto e Maria Antonietta Visceglia (eds.), *Court and Politics in Papal Rome, 1492-1700* (Cambridge, 2002), proporciona perspectivas fascinantes sobre uma corte europeia muito particular. Sobre o aparecimento dos favoritos na corte, de que já há sinais no século XVI, ver vários ensaios em J. H. Elliott and Lawrence W. B. Brockliss (eds.), *The World of the Favourite* (New Haven e Londres, 1999). Sobre o impacto político do clientelismo, há muitas obras recentes e algum debate, centrado na experiência francesa. Para uma visão de conjunto do problema, ver Sharon Kettering, "Clientage during the French Wars of Religion", *Sixteenth Century Journal*, 20 (1989), 68-87; para o debate, Mark Greengrass, "Functions and Limits of Political Clientelism in France before Cardinal Richelieu", em Neithard Bulst, Robert Descimon e Alain Guerreau (eds.), *L'État ou le Roi: fondations de la modernité monarchique (XIVe–XVIIle siècles)* (Paris, 1996), 69-82. Também foi debatida, para a Inglaterra do século XVI, a relação entre mudança institucional formal e canais informais de poder político. Geoffrey Elton, *The Tudor Revolution in Government* (Cambridge, 1953), fornece uma descrição incisiva da mudança institucional. C. Coleman e David Starkey (eds.), *Revolution Reassessed: Revisions in the History of Tudor Government and Administration* (Oxford, 1986), sublinham a importância dos canais informais. Sobre as instituições e as elites, num plano mais geral, são particularmente úteis dois volumes colectivos do projecto da Fundação Europeia da Ciência sobre as origens do Estado moderno na Europa: Wolfgang Reinhard (ed.), *Power Elites and State Building* (Oxford, 1998) e Antonio Padoa-Schioppa (ed.), *Legislation and Justice* (Oxford, 1997). As bibliografias presentes nessas obras são excelentes pontos de partida para a exploração dos ricos filões de investigação existentes, tanto em inglês como noutras línguas. Sobre as questões mais gerais da base social do poder político, só há espaço nesta bibliografia muito selectiva para um pequeno número de estudos que abrem novas perspectivas sobre esta questão: Dennis Romano, *Patricians and Popolani: The Social Foundations of the Venetian Renaissance State* (Baltimore e Londres, 1987), examina o caso de Veneza; G. R. Elton, "Tudor Government: The Points of Contact", com reedição na sua obra *Studies in*

Tudor and Stuart Politics and Government, III (Cambridge, 1983), faz o mesmo em relação à Inglaterra.

A política europeia do século XVI também tem de ser vista no contexto de uma literatura mais vasta sobre o desenvolvimento do Estado na Europa. Charles Tilly, "Reflection on the History of European State-Making", em Tilly (ed.), *The Formation of National States in Western Europe* (Princeton, 1975), 3-83, é uma exposição nesse âmbito, baseada nas técnicas de construção de modelos dos cientistas sociais. *Les Origines de l'état moderne en Europe, XIIIe--XVIIIe siècles* (Paris, 2000), de Wim Blockmans e Jean-Philippe Genet, reúne os contributos de vários historiadores para o exame desta questão. *The State Tradition in Western Europe: A Study of an Idea and Institution* (Oxford, 1980), de K. H. F. Dyson, dá a perspectiva de um teórico da política.

Quanto aos grandes momentos e movimentos políticos da Europa do século XVI, Mark Hansen, *The Royal Facts of Life: Biology and Politics in Sixteenth--Century Europe* (Metuchen, New Jersey, e Londres, 1980), examina as realidades dinásticas, realçadas neste capítulo. Em muitos aspectos, os maiores movimentos políticos na Europa Ocidental estão relacionados com as guerras civis na França e nos Países Baixos. Philip Benedict, Guido Marnef, Henk van Nierop e Marc Venard (eds.), *Reformation, Revolt and Civil War in France and the Netherlands, 1555-1585* (Amesterdão, 1999), é um estudo comparativo de vários aspectos desses conflitos. N. M. Sutherland, *Princes, Politics and Religion, 1547-1589* (Londres, 1984), e Geoffrey Parker, *The Dutch Revolt* (Londres, 1977), exploram outros elementos. Sobre o maior desastre político do século, o massacre de São Bartolomeu, ver Robert McCune Kingdon, *Myths about the St Bartholomew's Day Massacres, 1572-1576* (Cambridge, 1988), e James R. Smither, "The St. Bartholomew's Day Massacre and Images of Kingship in France: 1572-1574", *Sixteenth Century Journal,* 22/1 (1991), 27-46; Nicola Mary Sutherland, *The Massacre of St Bartholomew and the European Conflict* (Londres e Basingstoke, 1973), situa o massacre no seu contexto europeu.

Sobre as personalidades políticas da Europa do século XVI, o material em inglês é realativamente abundante. Sobre Carlos V, Hugo Soly (*et al.*), *Charles V, 1500 1558, and his Time* (Antuérpia, 1999), é um volume magnífico, com belas ilustrações. William S. Maltby, *The Reign of Charles V* (Basingstoke e Londres, 2001), e James D. Tracy, *Emperor Charles V, Impresario of War: Campaign Strategy, International Finance, and Domestic Politics* (Cambridge, 2002), são dois estudos úteis. Mia Rodriguez-Salgado, *The Changing Face of Empire: Charles V, Philip II and Habsburg Authority, 1551-1559* (Cambridge, 1988), examina um período de mudança crucial à luz das duas personalidades envolvidas. Helmut Koenigsberger, "Orange, Granvelle and Philip II", em Koenigsberger (ed.), *Politicians and Virtuosi: Essays in Early-Modern History* (Londres, 1986), 97-119, faz parte de uma colectânea de ensaios, rica em observações sobre a política europeia do século XVI. Deve ser lido em conjunto com Mia J. Rodriguez--Salgado, "King, Bishop, Pawn? Philip II and Granvelle in the 1550s and 1560s", em Krista De Jonge e Gustaaf Janssens (eds.), *Les Granvelle et les anciens*

Pays-Bas (Lovaina, 2000), 105-134. Helmut G. Koenigsberger, "The Statecraft of Philip II", *European Studies Review,* 1 (1971), 1-21, é uma descrição directa da forma como Filipe II governava o seu império, e que vale a pena comparar com Goffrey Parker, *The Grand Strategy of Philip II* (New Haven e Londres, 1998); *Philip of Spain* (New Haven e Londres, 1997), de Henry Kamen, e *Philip II* (Chicago, 2002), de Geoffrey Parker, são duas interessantes avaliações do seu reinado. Afastando-nos da corte espanhola dos Habsburgos, *Rudolf II and his World: A Study in Intellectual History* (Oxford, 1973), de Robert J. W. Evans, é um estudo imbatível sobre uma figura notável do fim do século XVI. Sobre rainhas europeias do século XVI, há duas obras da série "Profiles in Power": J. Knecht, *Catherine de' Medici* (Londres, 1998), e Christopher Haigh, *Elizabeth I* (Londres, 1988), que é um entre uma profusão de estudos biográficos hoje disponíveis.

O teatro da política e os seus rituais têm sido alvo de numerosas investigações recentes, muitas delas centradas no século XVI. Roy Strong, *Art and Power: Renaissance Festivals, 1450-1600* (Londres, 1986), é um útil ponto de partida. *Civic Ritual in Renaissance Venice* (Princeton, 1981), de Edward Muir, é um excelente estudo de caso. *Ritual in Early Modern Europe* (Cambridge, 1997), do mesmo autor, situa algumas destas questões num contexto mais amplo. Frances A. Yates, *Astrea: The Imperial Theme in the Sixteenth Century* (Londres, 1975), explora as justificações intelectuais do poder no Renascimento. Allan Ellenius (ed.), *Iconography, Propaganda and Legitimation* (Oxford, 1998), tem, em relação ao século XVI, alguns estudos úteis, e possui uma boa bibliografia recente. Ralph A. Giesey, *The Royal Funeral Ceremony in Renaissance France* (Genebra, 1960), e R. A. Jackson, *Vivat Rex! A History of the French Coronation Ceremony from Charles V to Charles X* (Chapel Hill, Carolina do Norte, 1984), são exemplos representativos de uma abordagem do ritual político, que deu, para a Europa do século XVI, resultados importantes.

Sobre a arte de governo no século XVI, Quentin Skinner, *The Foundations of Modern Political Thought,* 2 vols. (Cambridge, 1978), continua a ser o melhor ponto de partida, ainda que alguns capítulos de J. H. Burns (ed.), *The Cambridge History of Political Thought, 1450-1700,* (Cambridge, 1991), sejam sinopses excelentes, com as suas bibliografias. Se há um autor que deve ser considerado como fonte primária para o estudo da política neste período, é Maquiavel. Peter Bondanella e Mark Musa, *The Portable Machiavelli* (Londres, 1979, e reedições), fornece o texto integral de "O Príncipe" e "A Mandrágora" e uma selecção dos "Discursos". *Machiavelli and Guicciardini* (Princeton, 1965), de Felix Gilbert, é um excelente estudo comparativo. *The Life of Niccolò Machiavelli* (Chicago, 1965), de Roberto Ridolfi, continua a ser a biografia de referência. J. G. A. Pocock, *The Machiavellian Moment: Florentine Political Thought and the Atlantic Republic Imaginations* (Princeton, 1975), situa o pensamento político florentino numa tradição mais prolongada. *The Counter-Reformation Prince: Anti-Machiavellianism or Catholic Statecraft in Early-Modern Europe* (Chapel Hill, Carolina do Norte, 1990), de Robert Bireley, é um importante estudo sobre a arte de governo católica na Contra-Reforma. Julian H. Franklin, *John Bodin and the Rise of Absolutist Theory* (Cambridge, 1973), situa também Bodin numa tradição mais longa, enquanto Anthony Pagden (ed.), *The Languages of Political Theory in Early-Modern Europe* (Cambridge, 1987), contextualiza o vocabulário da política do século XVI.

Sobre a guerra e os conflitos militares, John R. Hale, *War and Society in Renaissance Europe* (Londres, 1985), é uma introdução excelente. Michael Roberts, "The Military Revolution, 1560-1660", em Roberts (ed.), *Essays in Swedish History* (Londres, 1967), apresenta uma tese a que Geoffrey Parker responde em "The Military Revolution, 1560-1660—a Myth?", em Parker (ed.), *Spain and the Netherlands, 1559-1659* (Londres, 1979). O debate estende-se bem para lá do século XVI, como é evidente em Jeremy Black, *A Military Revolution? Military Change and European Society, 1550–1800* (Londres e Basingstoke, 1991), e Geoffrey Parker, *The Military Revolution: Military Innovation and the Rise of the West* (Londres, 1988). Do mesmo autor, *The Army of Flanders and the Spanish Road 1567-1659: The Logistics of Spanish Victory and Defeat in the Low Countries' Wars* (Cambridge, 1972) é um estudo seminal sobre as realidades estratégicas na Europa do século XVI. *Mercenaries and their Masters: Warfare in Renaissance Italy* (Londres, 1974), de M. E. Mallett, é uma análise magistral de um fenómeno que continuava a ser importante. *The Military Organization of a Renaissance State: Venice, c.1400-1617* (Cambridge, 1984), de Michael E. Mallett e John R. Hale, é um estudo fascinante sobre um estado que considerava que a tecnologia militar era a resposta aos seus problemas de segurança. J. R. Mulryne e M. Shewring (eds.), *War, Literature and the Arts in Sixteenth-Century Europe* (Londres e Basingstoke, 1989), contém ensaios sobre o impacto dos conflitos militares na imaginação europeia do século XVI. Em Philippe Contamine, *War and Competition between States* (Oxford, 2000), encontram-se alguns estudos relevantes para o século XVI e uma bibliografia de mais de 750 itens.

3. A Sociedade: Christopher Black

O mais recente trabalho de Henry Kamen sobre a Europa, *Early Modern European Society* (Londres, 2000), é o melhor estudo de conjunto; com uma boa bibliografia, mas com um índice menos útil, Christopher Black, *Early Modern Italy: A Social History* (Londres, 2000), debruça-se sobre esta área complexa (e justifica as conclusões e propensões deste capítulo), enquanto James Casey, *Early Modern Spain: A Social History* (Londres, 1999), elucida, de modo muito útil, as complexidades sociais de Espanha. Outros estudos regionais: Jean Bérenger, *A History of the Habsburg Empire 1273-1700* (Harlow, 1994), esp. cap. 16; Keith Wrightson, *English Society 1580–1680* (Londres, 1982); Natalie Zemon Davis, *Society and Culture in Early Modern France* (Stanford, Califórnia, 1975), para alguns estudos inspirados, e, da mesma autora, *The Return of Martin Guerre* (Cambridge, Massachusetts, 1983; Harmondsworth, 1985), o livro do filme (em que colaborou como consultora)! Robert Jütte, *Poverty and Deviance in Early Modern Europe* (Cambridge, 1994), e Merry Wiesner, *Women and Gender in Early Modern Europe* (Cambridge, 1993), investigam, ao longo de um período mais alargado, dois temas importantes aqui abordados. Carlo Ginzburg, *The Cheese and the Worms: The Cosmos of a Sixteenth-Century Miller,* trad. de John e Anne Tedeschi (Baltimore, 1980; Harmondsworth, 1982), conta a história de Menocchio. Está disponível uma transcrição traduzida dos documentos do julgamento, com excelente introdução: Andrea Del Col, *Domenico Scandella Known as Menocchio: His Trials before the Inquisition* (Medieval and Renaissance Texts and Studies, Binghampton, Nova Iorque, 1996). Guido Ruggiero (ed.), A *Companion to the Worlds of the Renaissance* (Oxford, 2002), uma grande colectânea multidisciplinar com colaborações de destacados académicos, sobretudo da América do Norte, tem muitos capítulos de grande utilidade para o desenvolvimento dos pontos tratados neste capítulo, e também noutros capítulos deste livro, com uma importante bibliografia compósita.

4. O Pensamento: Charles G. Nauert

A vida intelectual na Europa do século XVI desenrolou-se sob o fascínio do Renascimento italiano. Não há nenhuma síntese satisfatória sobre a história cultural da Itália do século XVI, mas há estudos valiosos sobre os principais centros culturais. Sobre Veneza, ver William J. Bouwsma, *Venice and the Defense of Republican Liberty: Renaissance Values in the Age of the Counter- -Reformation* (Berkeley, Califórnia, 1978); Oliver Logan, *Culture and Society in Venice, 1470-1790* (Londres, 1972); e Margaret L. King, *Venetian Humanism in an Age of Patrician Dominance* (Princeton, 1986). Sobre Roma, ver John F. D'Amico, *Renaissance Humanism in Papal Rome* (Baltimore, 1983); e Ingrid Rowland, *The Culture of the High Renaissance: Ancients and Moderns in Sixteenth-Century Rome* (Cambridge, 1998). Sobre Nápoles, ver Jerry H. Bentley, *Politics and Culture in Renaissance Naples* (Princeton, 1987). Dois livros sobre Florença no fim do Renascimento: Eric Cochrane, *Florence in the Forgotten Centuries, 1527-1800* (Chicago, 1973), e Cochrane (ed.), *The Late Italian Renaissance, 1525-1630* (Nova Iorque, 1970).

Sobre a difusão das novas doutrinas na Europa transalpina, o capítulo 7 de Denys Hay, *The Italian Renaissance in its Historical Background,* 2ª ed. (Cambridge, 1977), continua a ser uma valiosa introdução. Charles G. Nauert, *Humanism and the Culture of Renaissance Europe* (Cambridge, 1995), descreve o crescimento da nova cultura na Europa do Norte. Várias colectâneas de ensaios discutem os efeitos do Renascimento sobre as culturas nativas: Heiko A. Oberman e Thomas A. Brady, Jr. (eds.), *Itinerarium Italicum: The Profile of the Italian Renaissance in the Mirror of its European Transformations* (Leiden, 1975); vol. II de Albert Rabil, Jr. (ed.), *Renaissance Humanism: Foundations, Forms, and Legacy,* 3 vols. (Filadélfia, 1988); Anthony Goodman e Angus MacKay (eds.), *The Impact of Humanism on Western Europe* (Nova Iorque, 1990); e Roy A. Porter and Mikulás Teich (eds.), *The Renaissance in National Context* (Cambridge, 1992). A maior parte dos estudos sobre o Renascimento do Norte debruça-se sobre um só país. Sobre a França, ver Franco Simone, *The French Renaissance* (Londres, 1969); Werner L. Gundersheimer (ed.), *French Humanism, 1470-1600* (Londres, 1969); Donald Stone, Jr., *France in the Sixteenth Century* (Edgewood Cliffs, New Jersey, 1969); e A. H. T. Levi (ed.), *Humanism in France and in the Early Renaissance* (Manchester, 1970). Augustin Renaudet, *Préréforme et humanisme à Paris pendant les premières guerres d'Italie, 1494-1517,* 2ª ed. (Paris, 1952), é uma obra que ainda não foi ultrapassada, mas não está disponível em inglês. Sobre o humanismo inglês antes de 1500, ver Roberto Weiss, *Humanism in England during the Fifteenth Century,* 2ª ed. (Oxford, 1957). Sobre a utilização política das doutrinas humanistas nos reinados de Henrique VIII e Eduardo VI, ver James K. McConica, *English Humanists and Reformation Politics* (Oxford, 1965). Para o período 1500-1534, os leitores têm de recorrer a estudos biográficos sobre figuras como John Colet e Tomás Moro. Quanto à Alemanha, Eckhard Bernstein, *German Humanism* (Boston, 1983), fornece uma breve introdução; mas a obra mais completa em inglês é Lewis W. Spitz, *The Religious Renaissance of the German Humanists* (Cambridge, Massachusetts, 1963). Sobre a Espanha, o estudo mais competente é Marcel Bataillon, *Erasme et l'Espagne,* 3 vols. (Genebra, 1991), um livro de que existe tradução espanhola, mas não inglesa.

O humanismo "cristão" ou "bíblico" é, no essencial, uma criação do humanista francês Jacques Lefèvre d'Étaples e do humanista holandês Desidério Erasmo. Philip Edgcumbe Hughes, *Lefèvre: Pioneer of Ecclesiastical Renewal in France* (Grand Rapids, Michigan, 1971), concentra-se na influência de Lefèvre sobre a Reforma, mas dá alguma atenção à fase inicial da sua carreira. Ver também o ensaio de Eugene F. Rice, Jr., em Gundersheimer, *French Humanism, 163-180,* e a introdução de Rice a *The Prefatory Epistles of Jacques Lefèvre d'Étaples and Related Texts* (Nova Iorque, 1971).

São muito mais numerosos os estudos sobre Erasmo, incluindo as *Collected Works of Erasmus,* em curso de publicação pela University of Toronto Press com o complemento de um dicionário biográfico, *Contemporaries of Erasmus,* 3 vols. (Toronto, 1985-1987). Há muitas biografias de Erasmo. A melhor das mais antigas é Johan Huizinga, *Erasmus of Rotterdam* (1º ed. inglesa, 1924; reed. Princeton, 1984). Outras biografias são as de Margaret Mann Phillips (Londres, 1949) e Roland H. Bainton (Nova Iorque, 1969), e, mais recentemente, as de Cornelis Augustijn (Toronto, 1991), Lisa Jardine (Princeton, 1993) e James D. Tracy (Genebra, 1996). Erika Rummel, *The Confessionalization of Humanism in Reformation Germany* (Oxford, 2000), estuda a interacção entre o humanismo erasmiano e a Reforma na Alemanha. Sobre outros importantes "humanistas cristãos", ver *John Colet* (Berkeley, 1989), de John B. Gleason, e as muitas biografias de Tomás Moro. Entre as mais antigas, a biografia de referência é a de R. W. Chambers (Nova Iorque, 1935). Obras mais recentes são as de Alistair Fox (New Haven, 1983), Richard Marius (Nova Iorque, 1984) e Peter Ackroyd (Londres, 1998). Sobre a mais famosa obra literária de Moro, ver J. H. Hexter, *More's Utopia: The Biography of an Idea* (Princeton, 1952).

No seu nível mais elementar, o humanismo foi um programa de estudos clássicos. Fundamental para o conhecimento dos primeiros estudos humanistas é Ronald G. Witt, *"In the Footsteps of the Ancients": The Origins of Humanism from Lovato to Bruni* (Leiden, 2000). Descrições da recuperação da literatura antiga, grega e latina, podem ser encontradas em R. R. Bolgar, *The Classical Heritage and Its Beneficiaries* (Cambridge, 1954); Rudolf Pfeiffer, *History of Classical Scholarship, 1300-1850* (Oxford, 1976); e L. D. Reynolds e N. G. Wilson, *Scribes and Scholars: A Guide to the Transmission of Greek and Latin Literature*, 2ª ed. (Oxford, 1974). Sobre a introdução do grego, ver N. G. Wilson, *From Byzantium to Italy: Greek Studies in the Italian Renaissance* (Baltimore, 1992). Ann Moss, *Renaissance Truth and the Latin Language Turn* (Oxford, 2003), descreve as consequências intelectuais da mudança estilística do latim medieval para o latim humanista. Sobre os estudos bíblicos humanistas, ver Jerry H. Bentley, *Humanists and Holy Writ: New Testament Scholarship in the Renaissance* (Princeton, 1983). Dois estudos de Anthony Grafton, *Joseph Scaliger: A Study in the History of Classical Scholarship*, 2 vols. (Oxford, 1983-1993), e *Defenders of the Text: The Traditions of Scholarship in an Age of Science* (Cambridge, Massachusetts, 1991), descrevem o desenvolvimento da crítica textual.

O humanismo exerceu uma poderosa influência na educação. Sobre as escolas italianas, são fundamentais os livros de Paul F. Grendler e Robert Black, ainda que os autores estejam em desacordo nalgumas questões importantes. Ver *Schooling in Renaissance Italy: Literacy and Learning, 1300-1600* (Baltimore, 1989), de Grendler, e *Humanism and Education in Medieval and Renaissance Italy* (Cambridge, 2001), de Black. *The Universities of the Italian Renaissance* (Baltimore, 2002), de Grendler, mostra como as novas doutrinas foram penetrando nas universidades italianas sem grande controvérsia.

No entanto, a norte dos Alpes, as reformas humanistas da educação enfrentaram uma resistência mais forte. Terrence Heath, "Logical Grammar, Grammatical Logic, and Humanism in Three German Universities", *Studies in the Renaissance*, 18 (1971), 9-64, mostra como as reformas curriculares humanistas puseram em risco a educação tradicional. James H. Overfield, *Humanism and Scholasticism in Late Medieval Germany* (Princeton, 1984), e Erika Rummel, *The Humanist-Scholastic Debate in the Renaissance and Reformation* (Cambridge, Massachusetts, 1995), apresentam opiniões divergentes quanto a saber se os conflitos sobre as reformas curriculares envolviam uma verdadeira oposição entre uma cultura medieval e uma cultura do Renascimento.

Mark H. Curtis, *Oxford and Cambridge in Transition, 1558-1642* (Oxford, 1959), põe em causa a perspectiva convencional de que as universidades inglesas mantiveram o seu carácter medieval até ao século XIX. Duas histórias mais recentes confirmam as suas conclusões: James McConica (ed.), *The Collegiate University* (Oxford, 1986), vol. III de *The History of the University of Oxford;* e Damian Riehl Leader, *The University to 1546* (Cambridge, 1988), vol. I de *A History of the University of Cambridge.* Sobre Paris, Renaudet, *Préréforme et humanisme à Paris pendant les premières guerres d'Italie, 1494-1517,* 2ª ed. (Paris, 1952), estuda de forma detalhada a vida intelectual da universidade, mas só até cerca de 1517. Em relação à Espanha, ver Richard Kagan, *Students and Society in Early Modern Spain* (Baltimore, 1974).

Josef Ijsewijn, "The Coming of Humanism to the Low Countries", em H. A. Oberman e T. A. Brady, Jr. (eds.), *Itinerarium Italicum* (Leiden, 1975), 193-301, discute as reformas da educação nos Países Baixos. Sobre os florescentes *collèges* municipais franceses, ver George Huppert, *Public Schools in Renaissance France* (Urbana, Illinois, 1984). Em relação à Inglaterra, ver Joan Simon, *Education and Society in Tudor England* (Cambridge, 1969); e Rosemary O'Day, *Education and Society, 1560-1800* (Londres, 1982).

Os debates académicos provocados pelo conceito de "humanismo cívico" de Hans Baron fazem parte da historiografia sobre o século XV, mas a tese de Baron sobre o republicanismo florentino é importante para o entendimento de Nicolau Maquiavel. Felix Gilbert, *Machiavelli and Guicciardini: Politics and History in Sixteenth-Century Florence* (Princeton, 1965), apresenta Maquiavel como herdeiro do republicanismo florentino. Peter Godman, *From Poliziano to Machiavelli: Florentine Humanism in the High Renaissance* (Princeton, 1998), também liga Maquiavel à fase inicial do humanismo florentino. J. G. A. Pocock, *The Machiavellian Moment: Florentine Political Thought and the Atlantic Revolution* (Princeton, 1975), descreve a história posterior da ideologia republicana florentina.

O humanismo jurídico francês, que descobriu que as leis e as instituições políticas francesas não eram uma evolução do direito romano, mas tinham as suas raízes na Idade Média, é o tema de Donald R. Kelley, *Foundations of Modern Historical Scholarship: Language, Law, and History in the French Renaissance* (Nova Iorque, 1970), e de George Huppert, *The Idea of Perfect History: Historical Erudition and Historical Philosophy in Renaissance France* (Urbana, Illinois, 1970).

As investigações textuais do Renascimento tiveram uma grande influência na filosofia. Charles B. Schmitt e Quentin Skinner (eds.), *The Cambridge History of Renaissance Philosophy* (Cambridge, 1988), e Brian P. Copenhaver e Charles B. Schmitt, *Renaissance Philosophy* (Oxford, 1992), são dois estudos de carácter geral. Há trabalhos importantes sobre o neoplatonismo renascentista, como o capítulo 3 de P. O. Kristeller, *Renaissance Thought* (Nova Iorque, 1961); Michael J. B. Allen, *The Platonism of Marsilio Ficino: A Study of his Phaedrus Commentary* (Berkeley, Califórnia, 1984), e *Icastes: Marsilio Ficino's Interpretation of Plato's Sophist* (Berkeley, Califórnia, 1989); Arthur Field, *The Origins of the Platonic Academy of Florence* (Princeton, 1988); e James Hankins, *Plato in the Italian Renaissance,* 2ª ed., 2 vols. (Leiden, 1991).

O neoplatonismo renascentista contribuiu para a respeitabilidade da magia, da astrologia, da filosofia hermética e de outras ciências ocultas. Wayne Shumaker, *The Occult Sciences in the Renaissance* (Berkeley, Califórnia, 1972), Ingrid Merkel e Allen G. Debus (eds.), *Hermeticism and the Renaissance:*

Intellectual History and the Occult in Early Modern Europe (Washington, DC, 1988), e Gary K. Waite, *Heresy, Magic, and Witchcraft in Early Modern Europe* (Nova Iorque, 2003), são algumas das obras que investigam o ocultismo renascentista. D. P. Walker, *Spiritual and Demonic Magic from Ficino to Campanella* (Londres, 1958), e Frances A. Yates, *Giordano Bruno and the Hermetic Tradition* (Chicago, 1964), são dois produtos excepcionais da "escola de Warburg" de história. Em relação ao interesse do Renascimento pela cabala judaica, o melhor guia é Gershom Scholem, *Major Trends in Jewish Mysticism*, 3ª ed. (Nova Iorque, 1944). Os leitores de francês devem consultar François Secret, *Les Kabbalistes chrétiens de la Renaissance* (Paris, 1964).

Apesar de as obras de Platão terem tido uma poderosa influência na vida intelectual do século XVI, não penetraram no ensino filosófico das universidades, que continuaram a aceitar a autoridade de Aristóteles na filosofia. Charles B. Schmitt descreve o perene domínio de Aristóteles em *Aristotle and the Renaissance* (Cambridge, Massachusetts, 1983), *Studies in Renaissance Philosophy and Science* (Londres, 1981), e *The Aristotelian Tradition and Renaissance Universities* (Londres, 1984).

É também de Aristóteles o enquadramento filosófico do ensino das ciências naturais e da medicina. *The Scientific Renaissance, 1450-1630* (Nova Iorque, 1962), de Marie Boas, e *From Humanism to Science, 1480-1700* (Harmondsworth, 1978), de Robert Mandrou, são úteis introduções à ciência do Renascimento. O tema de Peter Dear (ed.), *The Scientific Enterprise in Early Modern Europe: Readings from Isis* (Chicago, 1997), é a crescente consciência da importância da matemática. O domínio crucial da "revolução científica" foi a astronomia, associada à obra de Nicolau Copérnico e dos seus sucessores. Thomas S. Kuhn, *The Copernican Revolution: Planetary Astronomy in the Development of Western Thought* (Nova Iorque, 1959), Alexandre Koyré, *The Astronomical Revolution: Copernicus, Kepler, Borelli* (Ithaca, Nova Iorque, 1973), Robert Westman (ed.), *The Copernican Achievement* (Berkeley, Califórnia, 1975); Edward Rosen, *Copernicus and the Scientific Revolution* (Malabar, Florida, 1984), e Owen Gingerich, *The Eye of Heaven: Ptolemy, Copernicus, Kepler* (Nova Iorque, 1993), são alguns livros úteis. *Possessing Nature: Museums, Collecting, and Scientific Culture in Early Modern Italy* (Berkeley, Califórnia, 1994), de Paula Findlen, e *Wonders and the Order of Nature* (Nova Iorque, 1998), de Lorraine Daston e Katharine Park, são dois livros com novas perspectivas sobre a ciência do Renascimento.

Sobre medicina no Renascimento, ver Nancy G. Siraisi, *Medieval and Early Renaissance Medicine: An Introduction to Knowledge and Practice* (Chicago, 1990); e *Medicine in the Italian Universities, 1250-1600* (Leiden, 2001). Sobre a tradição de Paracelso na medicina, ver Allen Debus, *The Chemical Philosophy: Paracelsian Science and Medicine in the Sixteenth and Seventeenth Centuries*, 2 vols. (Nova Iorque, 1977).

Sobre a filosofia moral estóica na Itália do Renascimento, ver Charles Trinkaus, *Adversity's Noblemen: The Italian Humanists on Happiness* (Nova

Iorque, 1940). Jason L. Saunders, *Justus Lipsius: The Philosophy of Renaissance Stoicism* (Nova Iorque, 1995), discute a expansão do neoplatonismo durante as Guerras de Religião. As Guerras de Religião estimularam também um interesse renovado pela filosofia política. Quentin Skinner, *The Foundations of Modern Political Thought*, 2 vols. (Cambridge, 1978), trata da literatura em defesa do direito à rebelião contra a tirania. Sobre Jean Bodin, o mais importante pensador político deste período, ver Julian Franklin, *Jean Bodin and the Sixteenth--Century Revolution in the Methodology of Law and History* (Nova Iorque, 1963), e *Jean Bodin and the Rise of Absolutist Theory* (Cambridge, 1973).

A retórica humanista tornou-se rival do racionalismo aristotélico, sobretudo depois da publicação póstuma, em 1515, das *Disputationes dialecticae*, do humanista frísio Rudolf Agricola. Sobre Agricola, ver F. Akkerman e A. J. Vanderjagt (eds.), *Rodolphus Agricola Phrisius, 1444-1485* (Leiden, 1988), e Peter Mack, *Renaissance Argument: Valla and Agricola in the Traditions of Rhetoric and Dialectic* (Leiden, 1993). São raros os ataques directos dos retóricos à autoridade de Aristóteles, mas o influente filósofo francês Petrus Ramus atacou Aristóteles directamente. Sobre este assunto, o principal estudo é de Walter J. Ong, *Ramus, Method, and the Decay of Dialogue* (Cambridge, Massachusetts, 1958). Samuel Howell, *Logic and Rhetoric in England, 1500-1700* (Princeton, 1956), e *Renaissance Concepts of Method* (Nova Iorque, 1960), de Neal W. Gilbert, são outras obras em que se discute a questão de Ramus e da retórica.

Sobre o crescimento do cepticismo, a obra decisiva é Richard H. Popkin, *The History of Scepticism from Erasmus to Descartes* (Assen, 1960; ed. rev., Berkeley, Califórnia, 1979). Ver também Luciano Floridi, *Sextus Empiricus: The Transmission and Recovery of Pyrrhonism* (Nova Iorque, 2002); Victoria Kahn, *Rhetoric, Prudence, and Scepticism in the Renaissance* (Ithaca, Nova Iorque, 1985); e Zachary Sayre Schiffman, *On the Threshold of Modernity: Relativism in the French Renaissance* (Baltimore, 1991). Rabelais, apesar de não ter sido um céptico, fez referências a escritores cépticos e prezou o paradoxo. Ver Barbara C. Bowen, *The Age of Bluff: Paradox and Ambiguity in Rabelais and Montaigne* (Urbana, Illinois, 1972). Lucien Febvre, *The Problem of Unbelief in the Sixteenth Century: The Religion of Rabelais* (Cambridge, Massachusetts, 1982), investiga a inquietação intelectual no pensamento francês. Sobre o próprio Rabelais, há biografias de Marcel Tetel (Nova Iorque, 1967) e M. A. Screech (Ithaca, Nova Iorque, 1979). Peter Burke (Nova Iorque, 1982) e Donald M. Frame (Nova Iorque, 1968) são os autores de duas úteis biografias de Montaigne, o mais influente porta-voz do cepticismo até Descartes. Paolo Rossi, *Francis Bacon: From Magic to Science* (Londres, 1968), mostra a influência exercida sobre Bacon pelas ideias platónicas e ocultistas. Ver também Lisa Jardine, *Francis Bacon: Discovery and the Art of Discourse* (Cambridge, 1974).

5. O Turbilhão da Fé: Euan Cameron

A transição da Idade Média Tardia para o Renascimento e a Reforma foi tratada de forma poderosa e exaustiva por um conjunto de autoridades em Thomas

A. Brady, Heiko Augustinus Oberman e James D. Tracy (eds.), *Handbook of European History, 1400-1600: Late Middle Ages, Renaissance, and Reformation*, 2 vols. (Leiden e Nova Iorque, 1994-1995). Em relação à religião, ver sobretudo os ensaios de Scribner e Van Engen no vol. I, e a totalidade das partes 1 e 2 do vol. II. Uma introdução ainda excelente, e muito mais breve, é Steven Ozment, *The Age of Reform 1250-1550: An Intellectual and Religious History of Late Medieval and Reformation Europe* (New Haven, 1980). Um volume colectivo, mais antigo, dirigido por E. Iserloh, J. Glazik e H. Jedin, *Reformation and Counter Reformation*, trad. de A. Biggs e P. W. Becker, que constitui o vol. V de H. Jedin e J. Dolan (eds.), *History of the Church* (Nova Iorque, 1980), peca pela sua atitude abertamente pró-católica e também pela idade. A Reforma é tratada por múltiplos autores em Andrew Pettegree (ed.), *The Reformation World* (Londres e Nova Iorque, 2000), e R. Po-chia Hsia (ed.), *A Companion to the Reformation World* (Oxford, 2004). Há também ensaios escritos por um só autor, como Euan Cameron, *The European Reformation* (Oxford e Nova Iorque, 1991), ou Carter Lindberg, *The European Reformations* (Oxford e Cambridge, Massachusetts, 1996); entre as obras mais recentes, ver Owen Chadwick, *The Early Reformation on the Continent* (Oxford e Nova Iorque, 2001), um tanto idiossincrático, mas brilhante, e Diarmaid MacCulloch, *Reformation: Europe's House Divided, 1490-1700* (Londres, 2004; ed. americana *The Reformation: A History*, Nova Iorque e Londres, 2004), uma obra espantosa, pelo seu alcance e erudição.

As crenças populares antes e durante a época da Reforma continuam a aguardar por uma investigação completa e definitiva, tantos são os problemas que se colocam, quer em relação aos testemunhos disponíveis, quer ao método. Keith Thomas, *Religion and the Decline of Magic: Studies in Popular Beliefs in Sixteenth and Seventeenth Century England* (Nova Iorque, 1997; originalmente publ. em Londres, 1971), apesar da idade e de uma forte influência de fontes protestantes posteriores à Reforma, continua a ser notavelmente convincente. Com uma perspectiva católica confessadamente apologética, Eamon Duffy, *The Stripping of the Altars: Traditional Religion in England, 1400-1580* (New Haven, 1992), é brilhante, mas parcial. São dois estudos centrados na Inglaterra, mas alguma coisa (não tudo) do que dizem pode aplicar-se à Europa em geral. Em relação à Europa continental, estamos dependentes de estudos locais. Entre os melhores, em inglês, contam-se W. A. Christian, *Local Religion in Sixteenth-Century Spain* (Princeton, 1981), J. N. Galpern, *The Religions of the People in Sixteenth-Century Champagne* (Cambridge, Massachusetts, 1976), e David Gentilcore, *From Bishop to Witch: The System of the Sacred in Early Modern Terra d'Otranto* (Manchester e Nova Iorque, 1992), talvez o mais entusiasmante de todos. R. W. Scribner, *Popular Culture and Popular Movements in Reformation Germany* (Londres e Ronceverte, Virgínia Ocidental, 1988), contém alguns ensaios excelentes sobre este tópico. Stephen Wilson, *The Magical Universe: Everyday Ritual and Magic in Pre-Modern Europe* (Londres, 2000), peca por falta de especificação cronológica e regional e pela pobreza da reflexão teórica, ainda que contenha copiosa informação.

Sobre a Igreja antes da Reforma, Francis Oakley, *The Western Church in the Later Middle Ages* (Ithaca, Nova Iorque, e Londres, 1979), e Robert Swanson, *Religion and Devotion in Europe, c.1215–c.1515* (Cambridge e Nova Iorque, 1995), continuam a ser estudos excelentes. O tema da pregação é tratado de forma competente por Larissa Taylor, *Soldiers of Christ: Preaching in Late Medieval and Reformation France* (Nova Iorque, 1992), enquanto o tema da Eucaristia é bem tratado por Miri Rubin, *Corpus Christi: The Eucharist in Late Medieval Culture* (Cambridge e Nova Iorque, 1991). *Sin and Confession on the Eve of the Reformation* (Princeton, 1977), de Thomas N. Tentler, continua a ser um estudo de qualidade sobre a teoria e a prática da confissão, embora precise de ser complementado pelas obras de W. David Myers, *"Poor, Sinning Folk": Confession and Conscience in Counter-Reformation Germany* (Ithaca, Nova Iorque, e Londres, 1996), e Anne T. Thayer, *Penitence, Preaching and the Coming of the Reformation* (Aldershot, 2002). J. A. F. Thomson, *Popes and Princes, 1417-1517: Politics and Polity in the Late Medieval Church* (Londres e Boston, 1980), faz uma avaliação justa e equilibrada do papado no período anterior à Reforma.

É provável que existam mais biografias de Martinho Lutero do que de qualquer outra personagem histórica, com excepção dos principais líderes políticos. Entre centenas, as mais úteis aos historiadores são a biografia definitiva e actual de Martin Brecht, *Martin Luther*, trad. de James L. Schaaf, 3 vols. (Filadélfia, 1985-1993), equilibrada e cuidadosa, e Heiko A. Oberman, *Luther: Man between God and the Devil*, trad. de Eileen Walliser-Schwarzbart (New Haven, 1989), extravagante, mas sempre brilhante. Algumas obras importantes estudam a transmissão da mensagem da Reforma através de panfletos e gravuras. *For the Sake of Simple Folk: Popular Propaganda for the German Reformation* (Cambridge e Nova Iorque: Cambridge University Press, 1981; ed. posterior, Oxford e Nova Iorque, 1994), de Robert W. Scribner, é uma obra pioneira em inglês; *Printing, Propaganda, and Martin Luther* (Berkeley, Califórnia, 1994), de Mark U. Edwards, e *The Rhetoric of the Reformation* (Edimburgo, 1998), de Peter Matheson, são obras dignas de nota.

A vasta produção literária existente sobre a recepção da Reforma nas cidades da Europa emagreceu consideravelmente nos anos mais recentes (paradoxalmente, num período em que cresceu o volume de materiais de síntese e de avaliação). O ensaio introdutório de A. G. Dickens, *The German Nation and Martin Luther* (Londres, 1974), hoje um clássico, ainda oferece resumos acessíveis de monografias mais antigas. Steven E. Ozment, *The Reformation in the Cities: The Appeal of Protestantism to Sixteenth-Century Germany and Switzerland* (New Haven, 1975), continua válido, apesar dos exageros. Bernd Moeller, *Imperial Cities and the Reformation: Three Essays*, ed. e trad. de H. C. Erik Midelfort e Mark U. Edwards, Jr. (Durham, Carolina do Norte: Labyrinth Press, 1982), também vale ainda a pena. Thomas A. Brady, *Turning Swiss: Cities and Empire, 1450-1550* (Cambridge e Nova Iorque, 1985), ainda que conceptualmente sofisticado, é muito difícil para um leitor que não seja um especialista. Entre muitos estudos locais dignos de nora, refira-se Lorna Jane Abray, *The People's Reformation: Magistrates, Clergy, and Commons in Strasbourg, 1500-1598* (Ithaca, Nova Iorque, 1985), Susan C. Karant-Nunn, *Zwickau in Transition, 1500-1547: The Reformation as an Agent of Change* (Columbus, Ohio, 1987) e Lee Palmer Wandel, *Voracious Idols and Violent Hands: Iconoclasm in Reformation Zurich, Strasbourg, and Basel* (Cambridge e Nova Iorque: Cambridge University Press, 1995).

Um género fecundo de obras históricas sobre a Reforma concentrou-se na tomada de medidas reformistas ao nível paroquial, no culto, na disciplina e na doutrinação. Andrew Pettegree (ed.), *The Reformation of the Parishes: The Ministry and the Reformation in Town and Country* (Manchester, 1993), é uma boa colectânea de ensaios sobre este tema. *The Reformation and Rural Society: The Parishes of Brandenburg-Ansbach-Kulmbach, 1528-1603* (Cambridge, 1996), de C. Scott Dixon, e *Pastors and Parishioners in Württemberg during the late Reformation, 1581-1621* (Stanford, Califórnia, 1995), de Bruce Tolley, são estudos regionais de qualidade. Em relação aos territórios suíços de língua alemã, Bruce Gordon, *The Swiss Reformation* (Manchester e Nova Iorque, 2002), é uma introdução geral de qualidade. Uma interpretação interessante das mudanças culturais pode encontrar-se em Susan Karant-Nunn, *The Reformation of Ritual: An Interpretation of Early Modern Germany* (Londres, 1997).

O estudo seminal de Peter Blickle, *The Revolution of 1525: The German Peasants' War from a New Perspective*, trad. de Thomas A. Brady, Jr. e H. C. Erik Midelfort (Baltimore, 1981), domina hoje, se bem que não inteiramente, o tema persistente dos movimentos camponeses da década de 1520. Em relação a este tema, para além deste livro, o leitor de lígua inglesa depende muito da excelente investigação de Tom Scott, "The Peasants' War: A Historiographical Review", *Historical Journal*, 22 (1979), 693-720 e 953-974, e de Tom Scott e Robert W. Scribner (eds.), *The German Peasants' War: A History in Documents* (Atlantic Highlands, New Jersey, 1991). Das muitas biografias de Tomás Münzer que apareceram na altura do quinto centenário do seu nascimento, em 1989, as mais responsáveis são provavelmente as de Hans-Jürgen Goertz, *Thomas Müntzer: Apocalyptic Mystic and Visionary*, trad. de Jocelyn Jaquiery e ed. de Peter Matheson (Edimburgo, 1993), e de Tom Scott, *Thomas Müntzer: Theology and Revolution in the German Reformation* (Nova Iorque, 1989).

Em relação ao movimento associado a João Calvino, temos hoje um estudo, magnífico e exaustivo, de Philip Benedict, *Christ's Churches Purely Reformed: A Social History* of *Calvinism* (New Haven, 2002). Este estudo vai mais longe do que obras anteriores, que reúnem contributos de vários autores sobre os movimentos calvinistas, tornando-as em certa medida obsoletas. Dessas obras, as melhores são Menna Prestwich (ed.), *International Calvinism 1541-1715* (Oxford, 1985), e Andrew Pettegree, Alastair Duke e Gillian Lewis (eds.), *Calvinism in Europe, 1540-1620* (Cambridge e Nova Iorque, 1994). Quanto ao próprio Calvino, sempre esquivo e discreto, não foi objecto de nenhuma biografia recente muito convincente. Em William James Bouwsma, *John Calvin: A Sixteenth-Century Portrait* (Nova Iorque, 1988), e em David Curtis Steinmetz, *Calvin in Context* (Nova Iorque, 1995), a vida ocupa um lugar secundário face às especulações sobre a relação entre o seu pensamento e as tendências intelectuais da sua época. Para encontrar alguns pensamentos estimulantes sobre Calvino, há a possibilidade de recorrer à obra póstuma de Heiko A. Oberman, *The Two Reformations: The Journey from the Last Days to the New World,* ed. Donald Weinstein (New Haven e Londres, 2003), caps. 7-10.

Surgiu nos últimos anos uma série de livros que investigam as modificações sofridas pelo catolicismo no período moderno. Dessa série fazem parte Robert Bireley, *The Refashioning of Catholicism, 1450-1700: A Reassessment of the Counter Reformation* (Basingstoke, 1999), R. Po-chia Hsia, *The World of Catholic Renewal, 1540-1770,* 2ª ed. (Cambridge, 2005), Michael A. Mullett, *The Catholic Reformation* (Londres, 1999), e John W. O'Malley, *Trent and All That: Renaming Catholicism in the Early Modern Era* (Cambridge, Massachusetts, 2000), de todos o que possui o título mais provocador. David Martin Luebke, *The Counter-Reformation: The Essential Readings* (Malden, Massachusetts, e Oxford, 1999), faz uma boa síntese da literatura anterior. As obras de Jean Delumeau, mais antigas, em especial *Catholicism between Luther and Voltaire: A New View of the Counter-Reformation* (Londres e Filadélfia, 1977), continuam a exercer uma influência importante, ainda que controversa.

Muita da historiografia existente sobre os anabaptistas e outros movimentos aparentados não se liberta de um molde apologético e confessional, ainda que haja excepções relevantes. George Huntston Williams, *The Radical Reformation,* 3ª ed. (Kirksville, Missouri, 1992), ainda que tenha sido radicalmente aumentado, mantém a esquematização um tanto rígida das seitas e o tom defensivo da edição original, mas mantém-se a par da investigação mais recente. Michael G. Baylor (ed. e trad.), *The Radical Reformation* (Cambridge e Nova Iorque, 1991), apresenta algumas fontes textuais fundamentais. Também ainda vale a pena ler o controverso trabalho revisionista de Claus Peter Clasen, *Anabaptism, a Social History, 1525-1618: Switzerland, Austria, Moravia, South and Central Germany* (Ithaca, Nova Iorque, 1972). Mais recentemente, Klaus Deppermann, *Melchior Hoffman: Social Unrest and Apocalyptic Visions in the Age of Reformation,* trad. de Malcolm Wren, ed. Benjamin Drewery (Edimburgo, 1987), coloca em perspectiva os anabaptistas "atípicos". Hans-Jurgen Goertz, *The Anabaptists,* trad. de Trevor Johnson (Londres e Nova Iorque, 1996), é uma tradução valiosa do característico trabalho deste autor. Werner O. Packull e Geoffrey L. Dipple (eds.), *Radical Reformation Studies: Essays Presented to James M. Stayer* (Aldershot, 1999), apresenta alguns dos actuais debates sobre questões centrais.

6. A Europa e um Mundo Expandido: D. A. Brading

J. H. Parry, *The Age of the Reconnaissance* (Londres, 1963), e G. V. Scammell, *The World Encompassed* (Londres, 1981), são obras úteis, de carácter geral.

Carlo M. Cipolla, *Guns, Sails and Empires* (Nova Iorque, 1965), e Stuart B. Schwartz (ed.), *Implicit Understandings* (Cambridge, 1994), descrevem os primeiros encontros. Em relação a portugueses e espanhóis na América, os vols. I e II de *Cambridge History of Latin America*, ed. Leslie Bethell, 11 vols. (Cambridge, 1984-1995), fornecem um relato abrangente. Sobre Colombo e as Caraíbas, *The European Discovery of America: The Southern Voyages AD 1492-1616* (Oxford e Nova Iorque, 1974), de Samuel Eliot Morison, e *The Early Spanish Main* (Berkeley e Los Angeles, 1966), de Carl Ortwin Sauer, são magistrais. James Lockhart, *The Men of Cajamarca* (Austin, Texas, 1972), e Rafael Varón Gabai, *Francisco Pizarro and his Brothers* (Norman, Oklahoma, 1997), dão-nos retratos diferentes dos conquistadores espanhóis. Noble David Cook, *Born to Die* (Cambridge, 1998), explica a catástrofe demográfica. Sobre Las Casas e a historiografia subsequente, *The First America: The Spanish Monarchy, Creole Patriots, and the Liberal State 1492-1867* (Cambridge, 1991), de D. A. Brading, é uma obra abrangente. James Lockhart, *The Nahuas after the Conquest* (Stanford, Califórnia, 1992), é inovador e magistral. P J. Bakewell, *Silver Mining and Society in Colonial Mexico* (Cambridge, 1971), ainda é pertinente. Sobre o Peru, James Lockhart, *Spanish Peru 1832-1560* (Madison, 1968), Steve J. Stern, *Peru's Indian Peoples and the Challenge of Spanish Conquest* (Madison, 1982), e Peter J. Bakewell, *Miners of the Red Mountain* (Albuquerque, 1984), cobrem a sociedade e a economia coloniais.

Charles R. Boxer, *The Portuguese Seaborne Empire 1418-1828* (Londres, 1969), é uma boa introdução. Sanjay Subrahmanyam, *The Portuguese Empire in Asia, 1500-1700* (Londres, 1993), é essencial, mas pode ser complementado por Bailey W. Diffie e George W. Winius, *Foundations of the Portuguese Empire 1415-1580* (Minneapolis, 1977), e por James C. Boyajian, *Portuguese Trade in Asia and the Habsburgs, 1580-1640* (Baltimore, 1993). Há duas biografias notáveis: Peter Russell, *Prince Henry "the Navigator": A Life* (New Haven, 2000), uma leitura essencial, e Sanjay Subrahmanyam, *The Career and Legend of Vasco da Gama* (Cambridge, 1997), cujo título diz tudo. Sobre o comércio de escravos africanos, Philip P. Curtin, *The Atlantic Slave Trade: A Census* (Madison, 1969), continua a ser indispensável. Sobre África, John Thornton, *Africa and Africans in the Making of the Atlantic World, 1400-1800* (Cambridge, 1992). *Sugar Plantations in the Formation of Brazilian Society, 1550-1835* (Cambridge, 1985), de Stuart B. Schwartz, e *The Making of New World Slavery* (Londres, 1997), de Robin Blackburn, são duas obras abrangentes. Gauvin Alexander Bailey, *Art on the Jesuit Missions in Asia and Latin America 1542-1773* (Toronto, 1999), vai muito para além da arte. Adrian Hastings, *The Church in Africa 1450-1950* (Oxford, 1994), segue os portugueses e os jesuítas na Etiópia. Stephen Neill, *A History of Christianity in India: The Beginnings to AD 1707* (Cambridge, 1984), descreve a história dos cristãos de São Tomé.

Cronologia

1492   Cristóvão Colombo comanda uma expedição às Caraíbas e descobre as Índias Ocidentais, acreditando serem parte da Ásia.

Morte de Lourenço, o Magnífico, governante de Florença, da família Médicis.

Conquista do reino muçulmano de Granada por Fernando e Isabel de Espanha; os reis decretam a conversão obrigatória ou o exílio para todos os judeus nas suas terras.

1493   Pietro Martire d'Anghieria escreve, em cartas enviadas ao cardeal Ascanio Sforza, uma das primeiras descrições, para leitores europeus, das descobertas de Colombo.

1494   Carlos VIII invade a Itália, à frente dos exércitos franceses.

Piero di Lorenzo de Médicis é expulso de Florença; uma república teocrática estabelece-se na cidade, conduzida por Girolamo Savonarola.

Pelo Tratado de Tordesilhas, Espanha e Portugal partilham as terras descobertas.

1495   O Imperador Maximiliano I, do Sacro Império Romano-Germânico, propõe, na assembleia imperial de Worms, um programa de "reforma imperial".

1497   Vasco da Gama inicia a expedição à Índia, passando pelo Cabo da Boa Esperança.

1498   Morte de Carlos VIII: sucede-lhe Luís XII como rei de França.

Execução de Savonarola; Florença torna-se uma república secular.

1499   A Guerra da Suábia, entre a Confederação Suíça e Maximiliano I, leva a que a Suíça consiga *de facto* a independência do Império.

1500   Pedro Álvares Cabral descobre o que é hoje o Brasil e reclama para Portugal a posse dessas terras.

1503   Morte do papa Alexandre VI (Rodrigo Bórgia); após um curto pontificado de Pio III, Giuliano della Rovere é eleito papa Júlio II; o poder dos Bórgias nos Estados Pontifícios colapsa depois da morte de Alexandre.

Erasmo de Roterdão publica a primeira edição do seu *Enchiridion*.

1505   Erasmo publica as *Anotações* de Lorenzo Valla ao Novo Testamento.

1506   Júlio II encarrega Donato Bramante da reconstrução completa da basílica de S. Pedro, em Roma.

1507   Martin Waldseemüller publica um mapa e um globo, onde chama "América" ao continente recém-descoberto.

1508   É estabelecida a Liga de Cambrai entre o papado, a França, o Império e Aragão, contra Veneza.

Miguel Ângelo Buonarroti começa a trabalhar no tecto da Capela Sistina.

1509   Morre Henrique VII; Henrique VIII sobe ao trono de Inglaterra e casa com Catarina de Aragão, viúva de seu irmão.

Jacques Lefèvre d'Étaples publica o seu *Quincuplex Psalterium.*

Os exércitos da Liga de Cambrai derrotam Veneza na batalha de Agnadello.

Júlio II publica a bula *Liquet omnibus,* que concede indulgência especial àqueles que contribuam para a reconstrução de S. Pedro.

1511   É publicada a primeira edição do *Elogio da Loucura,* de Erasmo.

1512   Jacques Lefèvre d'Étaples publica o seu comentário às epístolas de Paulo.

O "saque de Prato" conduz à queda da república florentina e à restauração do governo da família Médicis.

Reúne-se em Roma o V Concílio de Latrão.

1513   Morre o papa Júlio II; Giovanni de Médicis é eleito papa Leão X.

Os suíços derrotam os franceses na batalha de Novara.

Os ingleses derrotam os franceses em Guinegatte e os escoceses em Flodden.

É por esta altura que Maquiavel redige *O Príncipe* e os *Discursos.*

1514   Albrecht von Hohenzollern torna-se arcebispo-eleitor de Mainz, contraindo no processo grandes dívidas ao papado.

1515   Luís XII morre; Francisco I sobe ao trono de França.

Batalha de Marignano: franceses e venezianos derrotam os suíços perto de Milão.

Albrecht von Hohenzollern é autorizado a recuperar parte das dívidas ao papado através da concessão de indulgências nos seus territórios.

1516   Morte do rei Fernando de Aragão; Carlos de Habsburgo ("Carlos de Gand", o futuro imperador Carlos V) sucede-lhe como rei de Espanha.

Erasmo publica o seu *Novum Instrumentum,* um Novo Testamento em grego com a sua própria tradução latina.

É publicada a primeira edição da *Utopia* de Tomás Moro.

Pietro Martire d'Anghieria publica a primeira colecção das suas *De Orbe Novo Decades,* o mais lido relato do Novo Mundo.

1517   Martinho Lutero escreve as suas 95 teses sobre as indulgências, em resposta à campanha de venda de indulgências no território do arcebispado de Mainz.

1518   Debate, em Leipzig, entre Lutero e Johann von Eck.

1519   Maximiliano I morre; Carlos V é eleito imperador.

Hernán Cortés desembarca no México e começa a ocupar o território em nome de Espanha.

Fernão de Magalhães inicia a sua viagem de circum-navegação do mundo.

1520 Lutero publica vários dos seus mais famosos panfletos, amplamente divulgados, sendo excomungado pelo papa Leão X.
Revolta dos *Comuneros* em Castela.
Solimão I sultão do Império Otomano.

1521 Lutero comparece a uma audiência especial do *Reichstag* em Worms e recusa-se a abjurar as suas ideias.
Morte do papa Leão X.
Philipp Melanchthon publica a primeira edição dos seus *Loci Communes*, codificando e explicando a teologia de Lutero.
Belgrado rende-se aos otomanos.

1522 Lutero publica as primeiras edições do seu Novo Testamento em alemão.
Eleição do papa Adriano VI.
Batalha de Bicocca: as forças imperiais derrotam os franceses.
Rodes rende-se aos otomanos.

1523 Morte de Adriano VI: Giulio de Médicis é eleito papa Clemente VII.
Disputas em Zurique inauguram a Reforma na cidade.
Lefèvre d'Étaples publica o seu Novo Testamento em francês.
A Suécia, com Gustavo I Vasa, estabelece-se como reino separado da Dinamarca.

1524 Erasmo publica *De libero arbitrio*, assinalando uma aberta discordância com Martinho Lutero e os seus seguidores.

1525 Batalha de Pavia: Carlos V derrota e captura Francisco I.
"Guerra dos Camponeses" na Alemanha, seguida de amplos massacres punitivos conduzidos pela nobreza alemã.
Lutero casa com Katharina von Bora e publica *De servo arbitrio*, em resposta a Erasmo.
Reforma da cidade de Nuremberga.

1526 Batalha de Mohács: o Império Otomano ocupa a maior parte da Hungria e dos Balcãs.
A Dieta de Espira autoriza uma solução permissiva temporária para as divisões religiosas entre príncipes e cidades da Alemanha.

1527 Saque de Roma pelas tropas sem soldo de Carlos V: o papa Clemente VII é obrigado a procurar protecção junto do imperador.
A dinastia dos Médicis é expulsa de Florença, e a república é restaurada.
Numa reunião do parlamento em Västerås, Gustavo I Vasa estabelece o controlo régio sobre as propriedades da Igreja na Suécia.
Henrique VIII de Inglaterra inicia o processo de repúdio da sua primeira mulher, Catarina de Aragão.

1528   É publicada a primeira edição de *O Cortesão*, de Castiglione.
        Reforma das cidades de Hamburgo, Constança e Berna.

1529   A Dieta de Espira ameaça os príncipes e cidades da Reforma: os estados
        reformados publicam um "Protesto" contra o decreto do *Reichstag*.
        Na conferência de Marburg não é alcançado o acordo teológico entre
        Lutero e Huldrych Zwingli, e respectivos aliados e apoiantes.
        Concluem-se as reformas das cidades de Estrasburgo e Basileia.
        Pela "Capitulación de Toledo", Carlos V autoriza Francisco Pizarro a
        tentar conquistar o Peru.

1530   A Dieta de Augsburgo não consegue resolver a disputa religiosa; a *Con-
        fessio Augustana* (de Augsburgo) e a *Confessio Tetrapolitana* são apre-
        sentadas pelos reformadores luteranos e pelos do Sul da Alemanha,
        respectivamente.
        Francisco I nomeia os primeiros leitores régios, no que será o início do
        Collège Royal.
        O governo dos Médicis é restaurado em Florença.

1531   Fundação da Liga Protestante de Esmalcalda, dirigida pelos príncipes e
        cidades de confissão luterana.
        Batalha de Kappel e morte de Huldrych Zwingli.

1532   Publicação da primeira edição (póstuma) de *O Príncipe*, de Maquiavel.
        Publicação da primeira edição de *Pantagruel*, de François Rabelais.

1533   João Calvino foge de França para Basileia, depois de se associar aos
        reformadores.
        O *Acto de Restrição de Apelos* afasta Henrique VIII de Inglaterra do
        papado.
        Pizarro derrota o Império Inca e conquista Cuzco.

1534   O *Acto de Supremacia* declara Henrique VIII chefe supremo da Igreja
        de Inglaterra.
        Morte do papa Clemente VII: Alessandro Farnese eleito papa Paulo
        III.
        Lutero publica a sua tradução para alemão do texto integral da Bíblia.

1535   Cerco e captura da cidade de Münster ao "reino" anabaptista aí estabe-
        lecido por Jan Beukelszoon, de Leiden.
        O Édito de Coucy oferece uma amnistia temporária aos protestantes
        em França.
        É publicada em Neuchâtel a primeira Bíblia protestante em francês.
        Pizarro funda Lima, como capital do Peru espanhol.

1536   Francisco I invade e conquista o ducado de Piemonte-Sabóia.
        Morrem Erasmo de Roterdão e Jacques Lefèvre d'Étaples.
        O "Acordo de Wittenberg" liga os reformadores luteranos e os reforma-
        dores do Sul da Alemanha.

O luteranismo estabelece-se na Dinamarca.

Publica-se em Basileia a primeira edição da *Institutio*, de João Calvino.

Genebra decide adoptar a Reforma; Calvino instala-se em Genebra.

A primeira *Confessio Helvetica* é adoptada pelas igrejas reformadas suíças.

1537   Convocação malograda de um concílio geral da Igreja em Mântua.

Paulo III promulga a bula *Sublimis Deus*: declara os nativos americanos «verdadeiramente humanos e ... capazes do entendimento da fé católica».

1538   João Calvino, exilado de Genebra, instala-se em Estrasburgo.

1540   Bula de fundação da Companhia de Jesus.

Queda de Thomas Cromwell em Inglaterra.

1541   Calvino regressa a Genebra a pedido do conselho da cidade; publica as *Ordenações Eclesiásticas* para a cidade e uma edição revista da *Institutio*, em francês.

Colóquio de Regensburg: tentativa falhada de reconciliação entre católicos e protestantes na Alemanha.

Pedro de Valdivia funda Santiago, no Chile.

1542   Piermartire Vermigli e Bernardino Ochino, católicos proeminentes, desertam para o campo da Reforma; é estabelecida a Inquisição Romana.

1543   É publicada a primeira edição de *As Revoluções dos Corpos Celestes*, de Copérnico.

1545   É aberto o Concílio de Trento.

1546   Morte de Martinho Lutero.

Desencadeia-se a guerra entre Carlos V e a Liga de Esmalcalda.

1547   Batalha de Mühlberg: Carlos V derrota a Liga de Esmalcalda.

O Concílio de Trento é transferido para Bolonha, e a sessão encerrada.

Morte de Francisco I; subida ao trono de Henrique II como rei de França.

Morte de Henrique VIII; subida ao trono de Eduardo VI como rei de Inglaterra.

1548   Dieta de Augsburgo: Carlos V promulga o *Interim*, compromisso sobre a religião na Alemanha.

Luteranos divididos nas suas respostas ao *Interim*.

1549   O "Consenso de Zurique" estabelece o acordo teológico entre Zurique e Genebra.

Muitos teólogos protestantes do Continente instalam-se na Inglaterra; é publicado o primeiro *Book of Common Prayer*.

Morte do papa Paulo III.

1550 Gian Maria Ciocchi del Monte é eleito papa Júlio III.
Debate organizado em Valladolid entre Las Casas e Juan Ginés de Sepúlveda sobre a moralidade da conquista espanhola do Novo Mundo e
do tratamento dado aos seus povos.

1551 O Concílio de Trento inicia a sua segunda fase de deliberações.
Henrique II de França e o duque Maurício da Saxónia assinam o acordo de Lochau e decidem atacar o imperador Carlos V.

1552 "Guerra dos Príncipes" na Alemanha: o duque Maurício ataca Carlos
V; Henrique II apodera-se de Metz, Toul e Verdun; a Paz de Passau põe
termo ao conflito.
Encerra a segunda fase do Concílio de Trento.
É publicado em Inglaterra o segundo *Book of Common Prayer*.
Francisco López de Gómara publica a *Historia General de las Indias*.

1553 Morte de Eduardo VI; a rainha Maria I sobe ao trono de Inglaterra;
restabelecimento do culto católico e expulsão dos protestantes estrangeiros.

1554 Restaurada a comunhão de Inglaterra com a Igreja Católica Romana.

1555 Gian Pietro Carafa eleito papa Paulo IV.
É assinada por Fernando, irmão de Carlos V, a Paz de Augsburgo, vi-
sando a paz religiosa no Sacro Império Romano-Germânico.
É derrotado o golpe de Perrin em Genebra: Calvino consolida a sua
autoridade e o seu prestígio.
Iniciam-se em Inglaterra as execuções de protestantes por heresia.
Carlos V abdica dos Países Baixos em favor de seu filho, Filipe II.

1556 Carlos V abdica de Espanha em favor de seu filho, Filipe II, e do Império e das possessões austríacas em favor de Fernando I.
Thomas Cranmer, arcebispo de Cantuária, é julgado e executado por
heresia.

1557 Filipe II faz a primeira declaração de "bancarrota" da coroa espanhola,
suspendendo os pagamentos aos credores das dívidas da coroa.

1558 Morte de Carlos V.
Morte de Maria I de Inglaterra; subida ao trono de Isabel I.

1559 Terminam as guerras de Itália com o tratado de paz de Cateau-
-Cambrésis.
Morte de Henrique II; Francisco II, menor de idade, sobe ao trono de
França.
O primeiro sínodo nacional protestante publica a *Confessio Gallicana*.
Calvino publica a edição definitiva da *Institutio*.
O parlamento inglês aprova o restabelecimento do *Book of Common
Prayer* e da supremacia régia sobre a Igreja.
Paulo IV publica o *Index*.

Morte do papa Paulo IV: Giovanni Angelo de Médicis eleito papa Pio IV.

1560 Morte de Francisco II; Carlos IX, menor de idade, sobe ao trono de França.

O parlamento da Reforma escocesa estabelece a igreja reformada escocesa.

Morte de Philipp Melanchthon.

Filipe II declara, pela segunda vez, a bancarrota da coroa espanhola.

1561 A *Confessio Belgica* é preparada pelas igrejas reformadas dos Países Baixos.

1562 Tem início, com o massacre de Wassy, a primeira fase das Guerras de Religião francesas.

Tem início a terceira e última fase do Concílio de Trento.

1563 Encerramento da sessão final do Concílio de Trento.

Publicada a *Confissão de Heidelberg* para a igreja reformada do Palatinado Eleitoral.

Adoptada em Inglaterra a primeira versão dos Trinta e Nove Artigos de Religião.

1564 Morte de Calvino.

Morte de Fernando I: Maximiliano II eleito imperador do Sacro Império Romano-Germânico.

São promulgados e publicados os decretos do Concílio de Trento.

1565 Morte do papa Pio IV.

Os cavaleiros de S. João derrotam os otomanos em Malta.

1566 Michele Ghislieri eleito papa Pio V.

É publicado o Catecismo Romano.

Os "pregadores itinerantes" e a iconoclastia conduzem o conflito do protestantismo nos Países Baixos a um ponto de crise.

A segunda *Confessio Helvetica* é adoptada pelas igrejas reformadas suíças.

Morte de Solimão I, sultão do Império Otomano.

1567 O regime militar espanhol, sob o comando do duque de Alba, estabelece nos Países Baixos o Conselho dos Distúrbios, para reprimir a rebelião.

1568 Emboscada espanhola aos barcos de John Hawkins e Francis Drake em San Juan de Ulúa.

O regime espanhol executa em Bruxelas os condes de Egmont e Hoorn.

1569 Revolta dos "condes do Norte" (católicos) contra Isabel I.

A União de Lublin reúne a Polónia e a Lituânia.

1570 O papa Pio V declara a excomunhão e a deposição de Isabel I de Inglaterra.

O consenso de Sandomierz une os protestantes trinitários polacos numa aliança contra os unitaristas.

1571   A Santa Aliança derrota o Império Otomano na batalha naval de Lepanto.
A Igreja de Inglaterra adopta a versão definitiva dos Trinta e Nove Artigos.

1572   Casamento de Henrique de Navarra com Margarida de Valois; segue-se, em Paris e noutras cidades, o massacre de São Bartolomeu.
Reacende-se a Revolta dos Países Baixos na Holanda e na Zelândia.

1573   É publicada a primeira edição de *Franco-Gallia*, de François Hotman.

1574   Morte de Carlos IX; Henrique III sobe ao trono de França.
Os otomanos reconquistam Tunes, antes ocupada por D. João de Áustria.

1575   A *Confessio Bohemia* estabelece a coexistência entre igrejas não católicas na Boémia.
Filipe II declara pela terceira vez a bancarrota da coroa de Espanha.

1576   Morte de Maximiliano II; sucede-lhe Rudolfo II como imperador do Sacro Império Romano-Germânico.
A Paz de Monsieur oferece aos protestantes franceses condições de paz muito favoráveis; suscita a indignação dos católicos e dá origem à formação da Liga.
O saque de Antuérpia, levado a cabo por tropas espanholas sem soldo, une temporariamente os Países Baixos contra o governo de Filipe II.

1577   É acordada a Fórmula da Concórdia, permitindo reunir elementos separados das igrejas luteranas (o *Livro da Concórdia*, que dá corpo ao acordo, foi publicado em 1580).
Com o "Édito Perpétuo" procura-se alcançar a paz nos Países Baixos, mas esta dura pouco tempo.

1578   Os mouros derrotam os portugueses na batalha de Al Kasr al Kebir (Alcácer-Quibir), no Norte de África: é morto o rei D. Sebastião de Portugal, extinguindo-se a linhagem real.
Alexandre Farnésio, duque de Parma, é nomeado governador-geral dos Países Baixos.

1579   A União de Utreque dá uma forma rudimentar à aliança dos estados do Norte dos Países Baixos, em revolta contra Filipe II.

1580   A coroa de Portugal passa para Espanha.
São publicados os *Ensaios* de Montaigne.
Francis Drake completa a sua circum-navegação do mundo e regressa a Inglaterra com o produto de pilhagens no império espanhol.

1581   As províncias do Norte dos Países Baixos recusam submeter-se a Filipe II.

1582   É instituído o calendário gregoriano, provocando uma diferença de dez dias nas datas entre países católicos e protestantes.

1583   Tropas católicas invadem o arcebispado de Colónia para afastar um pretendente protestante, ameaçando a paz religiosa na Alemanha.

1584   A morte de Francisco, duque de Anjou, deixa sem herdeiros a dinastia dos Valois.
Em França, a Liga Católica procura impedir a sucessão no trono do protestante Henrique de Navarra.
A Liga assina, com Filipe II de Espanha, o Tratado de Joinville.
Assassinato de Guilherme, o Taciturno, chefe da Revolta dos Países Baixos.

1585   Guerra entre Inglaterra e Espanha, na sequência do Tratado de Nonsuch, aliança entre Isabel I e as Províncias Unidas.
O duque de Parma conquista para Espanha a cidade de Antuérpia, que estava na posse dos revoltosos.

1587   O governo de Isabel I executa a rainha Maria da Escócia, sob a acusação de conspiração.
Barcos ingleses atacam a frota espanhola em Cádis.

1588   A armada espanhola parte para Inglaterra, mas é atacada pelos ingleses na batalha de Gravelinas, falhando o desembarque em Inglaterra.
O papa Sisto V estabelece "congregações" de cardeais.
Henrique III ordena o assassinato do duque e do cardeal de Guise.

1589   Henrique III de França é assassinado; sucede-lhe Henrique de Navarra, como Henrique IV.
Giovanni Botero publica *Da Razão de Estado*.

1590   O papa Sisto V publica uma revisão incompleta da Vulgata, a tradução latina da Bíblia.
Filipe II estabelece em Espanha novos e pesados impostos para custear as despesas da guerra.
José de Acosta publica a *História Natural e Moral das Índias*.

1592   Depois de uma série de curtos pontificados, Ippolito Aldobrandini é eleito papa Clemente VIII.
Clemente VIII publica uma revisão suplementar da Vulgata de Sisto V.

1593   Henrique IV declara a sua reconversão do protestantismo ao catolicismo romano.

1594   Henrique IV toma posse de Paris e é coroado rei.
Tem início na Irlanda a rebelião do conde de Tyrone.

1595   Henrique IV declara guerra a Espanha pelo seu continuado apoio à Liga.

1596   Ataque inglês à frota espanhola e às fortificações de Cádis.

Filipe II declara pela quarta vez a bancarrota da coroa de Espanha.

Johannes Kepler publica o *Mysterium Cosmographicum*.

1598   O Édito de Nantes põe cobro ao conflito religioso em França; concede à Igreja Reformada tolerância limitada no reino.

O Tratado de Vervins põe termo ao conflito entre França e Espanha.

Morte de Filipe II; Filipe III sobe ao trono de Espanha.

Os rebeldes irlandeses derrotam as forças inglesas em Yellow Ford.

1601   As tropas inglesas derrotam a rebelião irlandesa em Kinsale.

1603   Morte de Isabel I de Inglaterra; Jaime VI da Escócia sobe ao trono de Inglaterra como Jaime I.

Esmagamento da rebelião irlandesa.

1604   Tratado de Londres: acordo de paz entre Inglaterra e Espanha.

1606   Interdito papal contra a república de Veneza.

1607   A conquista de Donauwörth pelo duque da Baviera volta a pôr em perigo a paz religiosa na Alemanha.

1608   O imperador Rudolfo II é obrigado a ceder a seu irmão Matias o controlo sobre alguns dos seus territórios.

1609   É declarada uma trégua de doze anos na guerra entre os Países Baixos e a Espanha.

Formam-se na Alemanha ligas rivais católicas e protestantes.

Uma disputa sucessória nos ducados de Jülich-Cleves ameaça desencadear um conflito religioso na Alemanha.

1610   Henrique IV de França é assassinado; sucede-lhe Luís XIII, menor de idade.

1611   O imperador Rudolfo II é deposto em favor de Matias I.

Mapas

Mapa 1 Os territórios dos Habsburgos *c.*1556
Fonte: Joseph Bergin (ed.), *Short Oxford History of Europe: The Seventee*
Century (Oxford University Press, Oxford, 2001), p. 245.

Fronteiras estáveis

Fronteiras instáveis e regiões de conflito

Limites dentro de uma unidade política maior

Regiões com fronteiras abertas e "ilhas" territoriais

Territórios dos Habsburgos espanhóis

AP — ALTO PALATINADO
BP — BAIXO PALATINADO

Territórios patrimoniais dos Habsburgos austríacos

CIA

ESTÓNIA

INGRIA

LIVÓNIA

LITUÂNIA

• Moscovo

PRÚSSIA ORIENTAL

CALMUCOS

RÂNIA

RÚSSIA

POLÓNIA

A

COSSACOS DO DON

COSSACOS DA ZAPOROZHIA

na

HUNGRIA

JEDISAN

MOLDÁVIA

TRANSILVÂNIA

CANATO DA CRIMEIA

ESLAVÓNIA

VALÁQUIA

SÉRVIA

MAR NEGRO

BÓSNIA

IMPÉRIO

Constantinopla

TREBIZONDA

NO E LES

ALBÂNIA

OTOMANO

CURDISTÃO

MOREIA

ANATÓLIA

Creta

Chipre

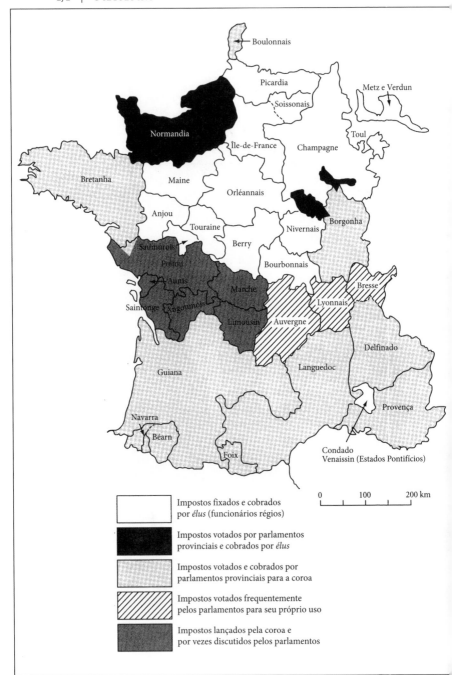

Legenda do mapa:

- Impostos fixados e cobrados por *élus* (funcionários régios)
- Impostos votados por parlamentos provinciais e cobrados por *élus*
- Impostos votados e cobrados por parlamentos provinciais para a coroa
- Impostos votados frequentemente pelos parlamentos para seu próprio uso
- Impostos lançados pela coroa e por vezes discutidos pelos parlamentos

Mapa 2 Diversidade Administrativa da França *c.*1600

Mapa 3 Itália, 1559
Fonte: Paul Grendler (ed.), *Encyclopedia of the Renaissance* (Charles Scribner's
Sons, © Charles Scribner's Sons 2000. Reimpresso com autorização do Gale
Group).

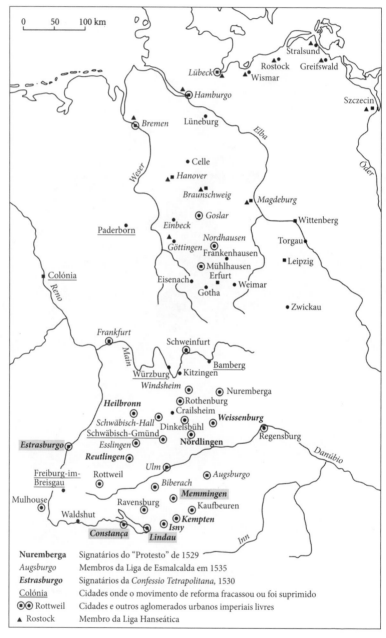

Mapa 4 As cidades e outros aglomerados urbanos do Império e a Reforma
Fonte: Euan Cameron, *The European Reformation* (Oxford University Press, Oxford, 1991), p. 211.

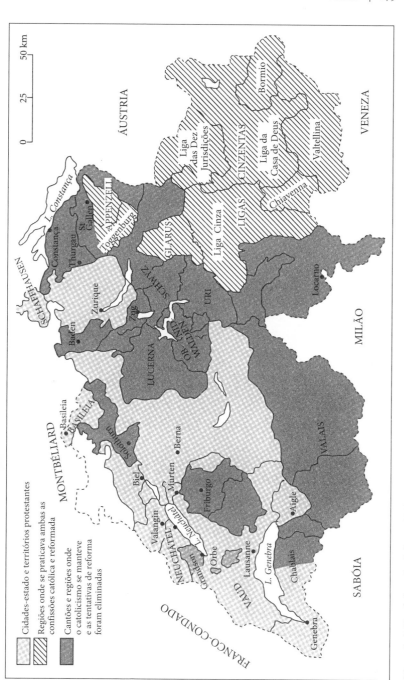

Mapa 5 A Confederação Suíça, c.1540

Fonte: Euan Cameron, *The European Reformation* (Oxford University Press, Oxford, 1991), p. 220.

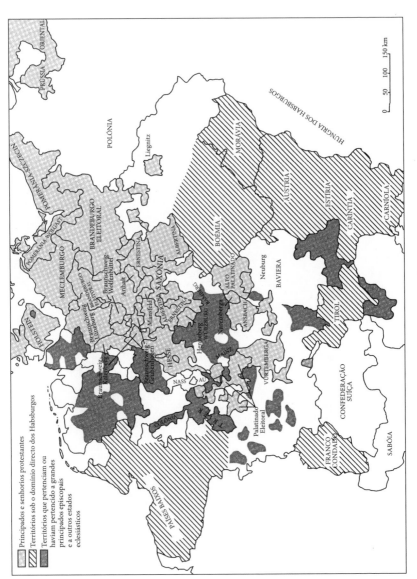

Mapa 6 Os Principados Alemães nas vésperas da Guerra de Esmalcalda, c.1547

Fonte: Euan Cameron, *The European Reformation* (Oxford University Press, 1991), p. 264.

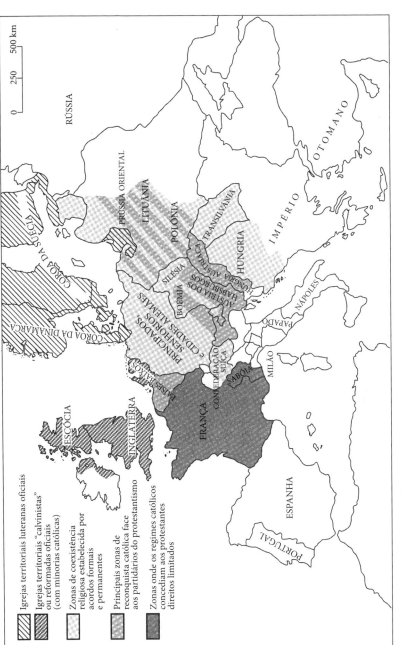

Mapa 7 A composição religiosa da Europa, c.1600

Fonte: Euan Cameron, *The European Reformation* (Oxford University Press, Oxford, 1991), p. 362.

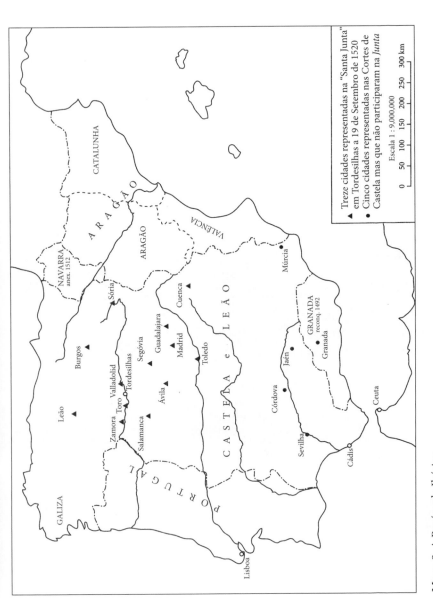

Mapa 8 A Península Ibérica

Fonte: Richard Bonney, *The European Dynastic States 1494-1660* (Oxford University Press, Oxford, 1991), p. 536.

Mapa 9 Recuperação pelos holandeses de territórios dos Países Baixos espanhóis, 1590-1604
Fonte: Jonathan I. Israel, *The Dutch republic: Its Rise, Greatness, and Fall 1477-1806* (Oxford University Press, Oxford, 1995), p. 243.

Índice Analítico